TERUG NAAR HUIS

Luanne Rice

TERUG NAAR HUIS

the house of books

Oorspronkelijke titel
Cloud Nine
Uitgave
Bantam Books, New York
Copyright © 1999 by Luanne Rice
Copyright voor het Nederlandse taalgebied © 2000 by The House of Books, Vianen

Vertaling
Ineke van Bronswijk
Omslagontwerp
Julie Bergen
Omslagfoto
Fotostock / fotopic

ISBN 90 443 0001 6
D/2000/8899/1
NUGI 340

Opgedragen aan
Robert F. Monteleone jr.

Dankwoord

Voor hun liefde, vriendschap en technische ondersteuning wenst de schrijver de volgende mensen dank te zeggen: Rob Monteleone; John S. Johnson en Diana Atwood Johnson; Thomas F. Brielmann; William T. Crawford; Jim, Julie en Jessica Maywalt; Linda Camarra en Karen Le Sage Stone.

Hoofdstuk 1

Een nieuw najaar was aangebroken in Fort Cromwell in de staat New York, en Sarah Talbot kon het meemaken. Ze zat gewikkeld in een rood-geruite deken op de veranda van haar kleine witte huis, dronk appel-kaneelthee en vroeg zich af wat ze nu zou gaan doen. De studenten naast haar wasten hun auto. Fijne nevel, afkomstig uit de tuinslang, voelde koud op haar gezicht. Ze hield haar gezicht omhoog naar de zon en stelde zich voor dat het druppeltjes zeewater waren, en dat ze thuis was, op Elk Island.

Een blauwe personenwagen reed langzaam door de straat. Zo te zien was het een auto van de gemeente, wellicht van politie in burger of een inspecteur van de reinigingsdienst. De auto, met het logo van Fort Cromwell op de zijkant, parkeerde op Sarahs oprit, en een kleine, goedverzorgde vrouw in een witte jas stapte uit.

Sarah glimlachte toen ze haar zag.

'Wat kom jij hier doen?' vroeg Sarah.

'Mooie begroeting is dat,' protesteerde de wijkverpleegster.

'Ik dacht dat je niet meer zou komen,' zei Sarah. Met haar ene hand hield ze de deken vast, en met de andere streek ze onbewust door haar kortgeschoren witte haar.

'Niet meer komen? Mijn dochter zou me vermoorden. Bovendien, denk je nou echt dat ik een vriendin zo zou behandelen?'

'Ik ben je patiënte, Meg,' zei Sarah glimlachend.

'Wás, Sarah. Was. We zijn gekomen om je mee te nemen.'

'Meenemen? Waar –' begon Sarah. Ze keek naar de auto en zag Mimi op de achterbank zitten.

'Gefeliciteerd met je verjaardag, Sarah,' zei Meg, en ze boog zich naar voren om haar te omhelzen.

Sarah sloeg haar armen om de verpleegster heen en rook de citrusgeur van haar shampoo. Sleutels, pennen en een stethoscoop rammelden in Megs zakken. Op haar revers, vlak boven haar naamplaatje, was een kleurige plastic teddybeer gespeld. Aan de nieuwe vulling tussen haar botten en Megs huid voelde ze dat ze was aangekomen. De omhelzing voelde goed, en ze beet op haar lip.

'Hoe wist je dat?' vroeg Sarah toen ze elkaar loslieten. Vandaag werd ze zevenendertig. Het was een dag als alle andere: geen feestje, geen kaartjes of telefoontjes van thuis. Mimi zwaaide naar haar vanaf de achterbank, terwijl ze met haar vrije hand een velletje felroze papier tegen de ruit probeerde te drukken. NOG VELE VELE JAREN! had ze er met zilverglitter op geschreven.

'Ik heb je kaart gelezen,' zei Meg grijnzend. 'Kom op.'

Will Burke stond in de hangar, met zijn hoofd onder de motorkap van een Piper Aztec. De herfst was zijn topseizoen. Hij bezat drie vliegtuigen, en die moesten allemaal goed onderhouden zijn en zo de lucht in kunnen. Het gebied van de grote meren werd veel door toeristen bezocht, met alle ciderbedrijfjes en wandelroutes. Hij verzorgde rondvluchten van een kwartier, die met name tijdens de kermis in Fort Cromwell populair waren. Eind oktober was het op twee universiteiten in de omgeving open dag, en dan vloog hij op en neer naar New York met de ouders, die op bezoek gingen bij hun kinderen en de sportwedstrijden bijwoonden.

Toen hij buiten banden op knerpend grind hoorde, veegde hij zijn dopsleutel af aan een blauwe lap en legde hem terug in zijn grote rode gereedschapskist. Hij keek op zijn horloge: vier uur. Een vriendin van zijn dochter had een verjaardagsvlucht geboekt, omhoog en terug, een rondje van een kwartier boven het schilderachtige meer en de berg. In een handomdraai verdiende hij dertig dollar, en dan kon hij weer verder met de onderhoudsbeurt.

Will stopte zijn werkmanshemd in zijn spijkerbroek en liep naar buiten om zijn klanten te begroeten. Eigenlijk had hij helemaal geen behoefte aan een pauze, maar het was een zonnige middag, en de frisse lucht voelde goed, dus glimlachte hij toch naar de auto. Hij zwaaide toen ze halt hielden.

Meg en Mimi Ferguson stapten uit. Meg was de wijkverpleegster van het stadje, en ze riep met opgewekte kordaatheid hallo, zodat Will iets breder glimlachte. Hij bleef staan en vroeg zich af wie er jarig was. Zijn dochter paste soms op Mimi, en als hij het zich goed herinnerde, moest Mimi een jaar of negen zijn.

Maar toen stapte er nog iemand uit de auto, een vrouw die Will nooit eerder had gezien. Ze was klein en mager, met het figuur van een ondervoede tiener. Haar huid was bleek en doorschijnend, als hoge bewolking op een herfstdag, en haar hoofd leek wel een perzikhuid met dat blonde dons. Het viel Will op hoe ze naar de hemel keek: in opperste vervoering, alsof ze nog nooit zo'n blauwe lucht had gezien, of alsof ze niet kon geloven dat ze nu zou gaan vliegen.

'Klaar voor de vlucht?' vroeg hij.

'Welk toestel, meneer Burke?' vroeg Mimi opgewonden.

'Dat daar,' zei hij, wijzend op de tweepersoons Piper Cub.

'Passen we daar wel allemaal in?' vroeg Mimi teleurgesteld.

'Mimi –' begon Meg.

'Sorry, Mimi,' zei Will. 'Ik ben van het grote toestel de olie aan het verversen. Als ik het had geweten...'

'Weet je wat, Mimi?' zei de vrouw enthousiast. 'Waarom ga jij niet in mijn plaats?'

'Het is voor jouw verjaardag,' zei Mimi. 'Het was mijn idee en we willen dat jíj gaat.'

'Gefeliciteerd,' zei Will tegen de vrouw.

'Dank u.' Weer was er die uitdrukking van verwondering, alsof ze nog nooit zo gelukkig was geweest. Ze keek hem recht in de ogen, en er ging een schok door hem heen, zoals wel vaker gebeurde als hij iemand ontmoette die hij ergens van kende, heel vaag, maar die een drastische verandering van uiterlijk had ondergaan. Afgevallen of juist aangekomen, een ander kapsel, een verslechterde gezondheid. Hij had deze vrouw wel eens in de stad gezien, toen ze er heel anders uitzag. Om de een of andere vreemde reden wees hij nu op de lucht.

'Klaar?' vroeg hij.

'Klaar,' beaamde ze.

'Dan gaan we,' zei hij. Hij keek nog even naar Mimi, en probeerde zijn stem niet al te hoopvol te laten klinken. 'Susan is in het kantoortje. Ze vindt het vast leuk als je even naar haar toe gaat.'

Secrets vader had haar meegenomen naar het vliegveld. Haar allergie speelde haar parten, en de schoolverpleegster had geprobeerd haar moeder te bellen, maar die was uiteraard niet thuis. Dus had Secret tegen haar gezegd dat ze Burke Aviation moest bellen en naar Will moest vragen, want haar vader zou haar zeker komen halen. En dat had hij ook gedaan. Op het vliegveld had ze zich vrijwel direct beter gevoeld, maar het had geen zin om nu nog terug te gaan naar school, want de dag was bijna afgelopen. Ze leunde op zijn bureau en lakte haar nagels. Als ze haar hals uitrekte, kon ze door het grote raam net zien wat er buiten gebeurde. Mimi en haar moeder en hun vriendin stonden bij de landingsbaan met hem te praten.

Van alle kinderen op wie Secret paste, was Mimi de liefste. Het was een leuke kleine meid. Ze was gehoorzaam, probeerde nooit van Secret gedaan te krijgen dat ze op rare plaatsen gaatjes in haar oren liet maken, en ze wilde dierenarts worden als ze later groot was. Ze had Dromen en een Doel, en ze wist dat het leven niet ophield bij Emma Turnley, de enige school in dit stadje van anderhalve man en een paardenkop, net als Secret zelf trouwens.

'Hai, Susan,' zei Mimi toen ze binnenstormde.

'Susan?' Secret keek nauwelijks op. 'Er is hier niemand die Susan heet.'

'O, ja, ik was het vergeten,' zei Mimi grijnzend. 'Secret. Je hebt je naam veranderd. Wat ben je aan het doen?'

'Oktober is de maand van de hekserij, en zoals je weet ben ik een heks, dus lak ik mijn nagels op een passende manier,' verklaarde Secret geduldig, alsof ze een niet al te slimme maar dierbare vriendin iets uitlegde wat vreselijk voor de hand lag. Ze wriemelde met haar vingers naar Mimi alsof ze haar behekste.

'Wauw,' zei Mimi toen ze het kunstwerk bewonderde. Secret had met Oost-Indische inkt en een kraaienveer ragdunne spinnenwebben op haar iriserende blauwe nagels getekend. Aangezien ze rechtshandig was, was de linkerhand beter uitgevallen, met microscopisch kleine spinnetjes op de dunne draden.

'Ik zie dat jullie die dame hier hebben gebracht voor haar vlucht,' zei Secret toen ze weer uit het raam keek. Het was een klein vliegveld, met weinig activiteit. 'Was ze verbaasd?'

'Heel erg verbaasd,' zei Mimi. 'Het was een goed idee van je.'

'Mmm,' zei Secret, die vond dat ze het compliment had verdiend. Ze stond bekend om haar originele ideeën voor feestjes en verrassingen. Een paar dingen vielen haar op toen ze de vrouw naar het vliegtuig zag lopen: ze was te mager, ze had afschuwelijk haar, en ze had het liefste gezicht dat Secret in lange tijd had gezien. 'Is die vrouw echt ziek?' vroeg ze.

'Ze wás ziek,' antwoordde Mimi. 'Maar ze wordt weer beter. Mijn moeder verzorgt een hele hoop mensen, en een tijdlang zei ze dat Sarah dood zou gaan. Maar nu zegt ze dat ze waarschijnlijk toch blijft leven. Dat vind ik hartstikke fijn, maar ik snap het niet.'

'Je bent te jong om het te snappen,' zei Secret welwillend, hoewel Mimi ouder was dan Secret was geweest toen haar broertje doodging. Secrets keel begon te kriebelen. Haar borst kreeg dat zware gevoel, en ze pakte haar inhalator uit de bovenste la van haar vaders bureau. Ze nam een dosis.

'Voel je je niet goed?' vroeg Mimi, als altijd even bezorgd wanneer Secret een aanval kreeg. Dit was niets. Secret had astma en ze was allergisch, en ze had Mimi leren kennen omdat Meg Ferguson vroeger háár verpleegster was geweest. Na een uitzonderlijk zware aanval had Secret een paar dagen inhalatietherapie nodig gehad, en haar moeder had de wijkverpleegster gebeld.

'Jawel, hoor.'

'Gelukkig heb je die inhalator.'

'Ik had hem vandaag op school niet bij me, dus moest ik eerder naar huis.' Zodra ze het had gezegd, voelde Secret zich schuldig over haar leugen – tegen Mimi én tegen de schoolverpleegster. Ze had haar inhalator wél bij zich gehad, diep begraven in haar boekentas, onder haar tekenspullen en *Franny and Zooey*. Maar ze had zich verveeld op school, ze voelde zich eenzaam, en toen ze een hoestaanval kreeg, had ze van de gelegenheid gebruikgemaakt en de school gevraagd om haar vader te bellen.

Eenzaam – zo voelde Secret zich de hele tijd, tot in haar tenen. Ze miste haar broertje. Ze woonde bij haar moeder, dus miste ze haar vader. Terwijl ze onder hetzelfde dak woonden, miste Secret haar moeder. De helft van de tijd miste ze mensen terwijl ze pal naast haar zaten. Als ze met meisjes van school door het winkelcentrum liep, miste ze haar vriendinnen, ook al waren ze er gewoon.

Zoals nu. Ze zat hier met Mimi en staarde naar de baan, ze zag de zieke vrouw met het lelijke haar en die prachtig stralende blik in haar ogen in het vliegtuig stappen, en Secret miste háár. Ze miste haar zo erg dat haar borst pijn begon te doen, ook al had Secret haar nooit eerder ontmoet en wist ze niet eens hoe ze heette.

Ze vlogen naar het noorden. De piloot scheerde over het meer en de westelijke helling, waar de bladeren vlamden in het oranje licht. De grillige rotsen hadden een rossige gloed, en het meer zelf was diep blauwzwart. Met haar voorhoofd tegen de koude ruit gedrukt keek Sarah naar buiten. Ze zag de roodstaartbuizerds onder het vliegtuig cirkelen, en hun schaduwen waren donker en mysterieus op het gladde wateroppervlak.

'Heb je wel eens eerder in een klein vliegtuig gevlogen?' vroeg de piloot.

'Ja,' antwoordde Sarah.

'Ik weet niet waarom, maar ik dacht dat het de eerste keer was,' zei hij. 'Mimi en haar moeder waren zo opgetogen toen ze het met me bespraken.'

'Ik denk dat ik Meg heb verteld hoe dol ik ben op vliegen,' zei Sarah. 'Hoewel ik het tegenwoordig minder vaak doe dan vroeger. In het weekend vloog ik heel vaak in een toestel dat net iets groter was dan dit van Boston naar huis in Maine.'

Hij knikte. 'Ik kom ook uit New England. Dit meer is mooi, maar het is niet – '

'De Atlantische Oceaan,' vulde ze grijnzend aan.

Hij lachte ook, de reactie van een man die zout water in zijn aderen heeft, een man die om wat voor reden dan ook net als Sarah na een heel leven aan zee in het noorden van de staat New York was komen wonen.

'Ik ben Will Burke.' Hij liet de stuurknuppel los om haar een hand te geven.

'Sarah Talbot.'

'Hallo, Sarah.'

'Wie was dat in het kantoortje op het vliegveld?' vroeg Sarah. 'Dat jonge meisje dat naar buiten keek?'

'Mijn dochter, Susan,' zei Will.

'Een tiener?'

'Vijftien,' zei hij. 'Bijna dertig.'

'Ik ken het fenomeen.' Sarah keek naar het oosten alsof ze vijf staten verderop een klein eiland voor de kust van Maine kon zien liggen.

Nog steeds vlogen ze in noordelijke richting, ook al waren ze halverwege, al zeveneneenhalve minuut in de lucht, en hadden ze op de terugweg moeten zijn. In de diepte strekte zich een eindeloos naaldwoud uit. Het bedekte de heuvels in alle richtingen, een onmetelijke zee van

groen, en hoge boomtoppen lichtten op in de gouden stralen van de on-
dergaande zon. Sarah voelde dat ze tranen in haar ogen kreeg.

Will keek opzij.

'Ik had niet gedacht dat ik deze dag nog zou meemaken,' zei Sarah.
'Deze verjaardag.'

'Maar je bent er,' zei Will.

Hij haalde de knuppel iets naar zich toe en het toestel begon te stijgen. Ze lieten de aarde achter, vlogen omhoog de hemel in. Sarah voelde
de vreugde van het avontuur, iets nieuws, van het feit dat ze leefde. Haar
hart klopte in haar keel, en de zwaartekracht trok haar schouderbladen
tegen de leren stoel. Will keek snel opzij.

Het vliegtuig dook omlaag. Sarah hield zich stevig vast en voelde het
toestel een looping maken, en nog een. Wills hand was zo dichtbij, ze
wilde hem beetpakken. Het was een plotselinge, krankzinnige opwel-
ling, die weer wegzakte. Ze vlogen nu recht vooruit. Sarahs kwartier zat
erop, maar ze bleven nog een tijdje naar het noorden vliegen voordat ze
teruggingen.

Hoofdstuk 2

'Vond ze de vlucht leuk?'

Will zat aan de keukentafel de krant te lezen, en haar vraag drong niet goed tot hem door. Hij was al sinds vijf uur op, had de vliegtuigen een onderhoudsbeurt gegeven en die ochtend een cartograaf rondgevlogen over de staat. De man was bezig met de herziening van topografische kaarten, becijferde hoogteverschillen en bracht de spoorlijn in kaart. Hij had Will gevraagd om zo laag mogelijk te vliegen en liet hem vaak teruggaan als hij iets beter wilde bekijken. Morgen zou hij voor de dageraad terugkomen.

'Sorry, Susan,' zei hij gapend. 'Vroeg je iets?'

'Susan?' Met gefronste wenkbrauwen strooide ze croutons over hun salade.

'Ik bedoel... schatje.' Hij probeerde zich te herinneren welke naam ze nu ook al weer gebruikte. 'September?'

'Papa, ik ben al weken geen September meer. Ik vind het onvoorstelbaar dat je niet eens weet hoe je eigen dochter heet. Wat dacht je van "Secret"?'

'O, ja.' Will vouwde de krant op, zodat hij niet meer in de verleiding zou komen om erin te lezen. Hij begreep niet waarom ze steeds van naam veranderde, en hij vond het ook helemaal niet leuk, maar zijn dochter had noch Freds dood, noch de echtscheiding verwerkt, dus was hij geneigd soepel te zijn met dingen die onbelangrijk leken. 'Oké, Secret. Wat vroeg je?'

'Vond ze de vlucht leuk? Die dame.'

'Sarah?' vroeg Will, denkend aan haar glanzende ogen. 'Ik geloof van wel.'

'Je bent een hele tijd weg geweest.'

'Echt? Voor mijn gevoel was het niet zo lang.'

'Geloof me nou maar. Ik heb op de klok gekeken. Vijfendertig minuten. Je zou maar een kwartier gaan.'

'Dan stond mijn horloge zeker stil.' Will probeerde niet te glimlachen. Zijn dochter was zo doorzichtig. Zodra ze aanvoelde dat hij ook maar een greintje belangstelling had voor een vrouw, werd ze ultraalert. Waarschijnlijk was ze bang dat hij hetzelfde zou doen als haar moeder met Julian had gedaan: een weekend gaan skiën en getrouwd terugkomen.

'Jouw horloge staat nooit stil, pap. Jij bent Meneer Tijd. Nul uur en nul minuten en dan tellen. Je hebt mij er zelfs in getraind.' Ze keek naar de klok aan de muur, die halfzeven aangaf. 'Nu is het bijvoorbeeld achttien uur dertig. Een overblijfsel van de marine, ja toch?'

'Zo is het, schatje.'

'Ik geloof dus niet dat je horloge stilstond.'

'Ach, we vlogen over het meer, en de bomen waren zo kleurig en mooi, dan gaat het vanzelf. Ik ben gewoon de tijd vergeten.'

'Dat is niets voor jou, pap. Ik weet hoe je bent. Volgens mij –'

Ze brak haar zin af, en haar ogen stonden zorgelijk. Ze had een salade gemaakt voor het avondeten, en die bracht ze naar de tafel in de grote houten kom die zijn broer hem en Alice als huwelijksgeschenk had gegeven. Alice had hem de kom laten houden toen ze bij Julian introk. Secret had de kom gevuld met sla, tomaten, komkommer, croutons en witte druiven, en ze presenteerde haar creatie met een blik van verlegen hoop in haar grote blauwe ogen.

'Tjonge,' zei hij. 'Dat ziet er lekker uit.'

'Dank je. De meeste mensen zouden nooit op het idee komen om er witte druiven bij te doen, maar ik vind dat ze het juist bijzonder maken. Jij niet?'

'Absoluut.' Hij schepte voor zichzelf een grote portie op, wetend dat hij een dubbele cheeseburger bij McDonald's zou gaan eten als hij haar had thuisgebracht.

'Nou, zorg maar dat je niet te veel voor haar gaat voelen.'

'Voor wie?' vroeg hij, ook al wist hij het.

'Die dame. Sarah.'

'Liefje, ik heb gewoon een vlucht met haar gemaakt. Meer niet.'

'Ze is ziek, pap. Het was net zoiets als een zomerkamp voor kinderen die doodgaan. Ze heeft helemaal niemand in Fort Cromwell, en de Fergusons wilden iets bijzonders doen voor haar laatste verjaardag.'

17

'Het was niet haar laatste verjaardag,' protesteerde Will, verbaasd dat hij zo heftig reageerde.

'Als het de mijne was, zou ik het willen weten. Ik zou plannen willen maken voor mijn laatste verjaardag en er een groot feest van maken. Om te beginnen zouden we teruggaan naar Rhode Island. Ik zou iedereen meenemen op de Edaville Spoorlijn. Er zou meer taart zijn dan je op kunt, en ik zou cadeautjes geven. We zouden eindeloos rondjes rijden totdat ik alles had gezegd wat ik wilde zeggen. En ik zou mijn lievelingsmuziek draaien. Ik zou alle nummers die ik mooi vind willen horen, mijn eigen top-honderd.'

'Dat duurt nog heel lang,' zei Will, die wist dat hij zich op gevaarlijk terrein bevond.

'Wat?'

'Dat je doodgaat.'

'Voor Fred duurde het niet lang.'

'Fred...' Will greep de kans aan om zijn naam te zeggen.

'Hij vierde zijn verjaardag, en hij wist niet dat het zijn laatste was. Toen zijn laatste dag aanbrak, wist hij zelfs dát niet. Hoe kan dat nou, papa? Dat je op een ochtend blij en gezond wakker wordt, en dat je om veertienhonderd uur verdronken bent?'

Will staarde naar de onaangeroerde salade op de borden. Secret keek hem recht in de ogen, zonder verwijten. Het was gewoon de wijdopen blik van een kind dat er nog steeds op vertrouwde dat haar vader haar openhartig antwoord zou geven, zelfs na alles wat hem niet was gelukt.

'Ik weet het niet, lieve schat,' zei hij, want eerlijkheid was het beste wat hij haar kon bieden.

'Mama is eroverheen,' zei ze verbitterd.

'Ze komt er nooit overheen. Het verlies van een van je kinderen is niet iets waar je "overheen" komt, liefje.'

'Ze praat nooit over hem. Als ik zijn naam noem, zegt ze dat ik mijn mond moet houden omdat Julian anders van streek raakt. En hij is gewoon een rijke klootzak die de hele tijd bezig is met autoracen en naar lezingen gaan. Zijn ze vanavond soms weer naar zo'n lezing?'

'Noem hem geen klootzak, Susan. Ze zei iets over een toneelstuk, als ik het me goed herinner.' Het leven van zijn ex-vrouw was een krankzinnige lappendeken van culturele evenementen op de plaatselijke universiteiten.

'Rotzak, dan. Idioot. Stommeling. Ezel. Sukkel. Vreselijke engerd. Slappe lul. Misbaksel. Stinkerd.'

'Susan. Secret,' zuchtte Will vermoeid. 'Zo is het genoeg.'

'Sorry, pap,' zei ze terwijl ze azijn op haar salade druppelde. Ze had alleen wat sla genomen, een bergje middelgrote blaadjes. Will nam aan dat ze alle lekkere dingen voor hem had overgelaten, en hij nam een extra portie om haar een plezier te doen.

'Die druiven waren een goed idee.' Hij nam een hap.

'Dank je,' zei ze. 'Ze leek me aardig.'

'Wie, schat?'

'Die dame, Sarah.'

'Dat was ze ook,' zei Will.

'Ik hoop dat ze beter wordt,' zei ze. 'De dood is zwaar klote.'

Sinds kort deed Sarah haar winkel elke dag een paar uur open, meestal van tien tot twee. Ze genoot ervan als de ochtendzon door de hoge ramen naar binnen stroomde en op de lichtgele muren een spel van licht en schaduw creëerde. Vandaag was ze een beetje moe. Ze stelde zich voor dat ze een dutje zou doen in een nestje van de artikelen die ze verkocht: dekbedden en kussens, soms gevuld met wit dons van de ganzen die haar vader fokte in Maine.

De bel boven de deur rinkelde. Ze keek op van de inventarisatielijst die ze bestudeerde, en glimlachte naar de twee studentes die binnenkwamen. Ze staarden Sarah even aan. Ze had het gevoel dat ze er nog steeds mal uitzag met haar pluizige witte haar, en ze grijnsde om de meisjes op hun gemak te stellen.

'Hallo,' begroette ze hen. 'Zeg het maar als ik jullie kan helpen.'

'Dat doen we. Bedankt,' antwoordde de grootste van de twee, en ze glimlachte toen haar vriendin languit op het bed in de etalage ging liggen, beeldig opgemaakt met een dik donzen dekbed in een overtrek van ecrukleurig damast. Veren kussens met smalle donkerbruine strepen of gouden krullen en handgedrukte eikenbladeren lagen nonchalant tegen het hoofdeinde.

'Ik wil precies zo'n bed als dit,' zei het tweede meisje, dat languit tussen de kussens lag.

'Is dat zo?' vroeg Sarah.

'De linnenservice op school verzorgt nou niet bepaald luxueus beddengoed,' legde het lange meisje uit. 'We fantaseren maar wat.'

'Ga vooral je gang,' zei Sarah. 'Iedereen verdient fijne dromen.'

'Ik heb geen creditcard,' zei het andere meisje. 'Maar als ik mijn ouders bel en zij geven u hun nummer, mag ik dan alle artikelen uit uw winkel kopen en meenemen naar de campus?'

'Dat valt wel te regelen,' zei Sarah. 'Ik zal alles persoonlijk bezorgen in een zilveren slee.'

Het meisje giechelde en zuchtte weer, en de geluiden klonken gedempt door al dat dons om haar heen.

Sarah herinnerde zich haar eigen studietijd. Te dunne lakens en oude dekens die prikten hadden haar geïnspireerd om haar eigen zaak te beginnen, Cloud Nine. Na haar propedeuse had ze haar studie aan Wellesley opgegeven. In Boston had ze haar eerste winkel geopend, waar ze voornamelijk donsproducten van haar vaders ganzenfarm verkocht.

De fokkerij was bijna failliet geweest. Haar moeder was overleden toen ze veertien was. Sarah en haar vader praatten er nooit over, maar ze wist dat zij zijn redding was geweest. Ze had zelf voor de financiering gezorgd, alle ideeën waren van haar, en ze had haar zaak uitgebreid met een postorderbedrijf. Als aanvulling op de producten van Elk Island importeerde ze artikelen uit Frankrijk en Italië. De oorspronkelijke winkel bleef in Boston, maar na acht jaar en de laatste in een reeks bespottelijke affaires, had Sarah een winkel geopend in deze vallei in het noorden van de staat New York, waar verschillende universiteiten waren. Ze was hier nu tien jaar, en haar vader had zoveel werk als hij aankon.

De telefoon ging, en Sarah nam op. 'Met Cloud Nine.'

'Gefeliciteerd met je verjaardag,' zei een zware stem.

'Dank je.' Haar hart trok samen. Ze kon geen woord uitbrengen. Ze had het gevoel dat de lijn dood zou vallen als ze ademde of nieste.

'Ik ben een dag te laat. Het spijt me.'

'Het geeft niet, ik heb het niet eens gemerkt,' loog ze.

'Wat heb je gedaan? Ben je uit eten geweest, of zo?'

'Ik heb een vlucht gemaakt,' vertelde ze. 'Om de bomen te zien. Ze waren zo mooi, helemaal rood en oranje en geel, net een grote kom Trix. Ik bleef maar glimlachen, het deed me aan jou denken, en ik wist dat jij erom zou moeten lachen. Ik bedoel, dat je over zo'n schitterend herfstlandschap vliegt en dan aan Trix denkt. Weet je nog dat je altijd Trix wilde voor je ontbijt?'

'Mmm. Niet echt.'

'Hoe is het met je?' vroeg ze. Ze zag hem voor zich zoals hij in de grote keuken in het souterrain stond, met een vuur in de oude stenen haard. Ze deed haar ogen dicht en was terug op Elk Island, ze kon de donkere baai zien, de keurige witte huizen, de velden vol witte ganzen. Ze kon de golven horen, de naaldbomen ruiken.

'Best.'

'Echt? Vind je het nog steeds fijn om daar te wonen? Vind je je werk echt leuk? Want –'

'En jij?' vroeg hij, en zijn stem klonk nors en beschuldigend. 'Hoe is het met jou?'

'Prima,' zei ze.

'Ja?'

'Ja.' Ze draaide haar rug naar de winkel zodat de studentes haar niet konden horen. 'Vorige maand heb ik de laatste keer chemotherapie gehad, en de röntgenfoto's zien er goed uit. Er is geen spoor van een tumor te bekennen. Ze hebben een MRI gedaan, en mijn dokter zegt dat ik me geen zorgen meer hoef te maken.'

'Ben je genezen?'

'Ja.' Sarah beet op haar lip. Ze kende niemand die zo optimistisch was als zij – ongeremd hoopvol – en de persoon aan de andere kant van de lijn had haar er vaak van beschuldigd dat ze ergerlijk opgewekt was. Het ging vanzelf. Ze wist van de statistieken, het percentage mensen dat na vijf jaar nog leefde, de somberste scenario's. En nu beweerde ze dat ze genezen was, terwijl ze niet eens wist of dat überhaupt wel kon.

'Fijn,' zei hij. Er viel een lange stilte, en toen schraapte hij zijn keel. 'Dat is fijn.'

'Is je grootvader er?' vroeg ze.

'Hij is in de schuur. Ik kwam alleen even iets eten.' Opnieuw schraapte hij zijn keel. 'Ik wilde je even bellen om je te feliciteren.'

'Daar ben ik blij om, Mike. Ik mis je.'

'Hmm.'

'Heel erg. Ik wilde dat je hier was. Ik wilde dat je ervoor zou kiezen om –'

'Wanneer kom je naar Maine? Opa vroeg ernaar. Hij zei dat ik het je moest vragen. En dat ik je moest feliciteren, dat was ik bijna vergeten.'

'Was het zijn idee om te bellen?' informeerde Sarah argwanend. Ze was meteen van slag, want ze had gedacht dat Mike uit eigen beweging had gebeld.

'Nee. Het was mijn idee.'

'Hmmm,' zei ze glimlachend.

'Nou, wanneer kom je?'

'Dat weet ik niet.' Het idee dat ze naar het eiland zou gaan bracht spanningen mee, meer dan goed voor haar was. Haar arts had gezegd dat ze stress moest voorkomen, dat een evenwichtige instelling haar beste verdediging was. Als ze alleen al dacht aan Mike in de schuur met haar verbitterde oude vader, wetend dat Mike op eigen verzoek onder zijn voogdij stond, kelderde haar opgewektheid.

'Thanksgiving lijkt me een goed idee,' opperde Mike.

'We zien wel.'

'Ben je te ziek om te komen?'

'Nee. Het gaat prima met me. Ik zei net al dat ik – '

'Waarom kom je dan niet?'

'We zullen wel zien, zei ik, Mike.'

Er viel een ongemakkelijke stilte. Sarahs hoofd tolde van de vragen, beschuldigingen, uitingen van liefde. Hoe had haar zoon dat toch kunnen doen, weggaan bij haar om daarheen te gaan? Vanaf de dag dat haar moeder stierf, had Sarah ernaar verlangd om weg te gaan van het eiland. Ze had haar vader in de steek gelaten, en hij weigerde haar dat te laten vergeten, zelfs in zijn verbitterde stilzwijgen. Maar Mike was bij hem gaan wonen, op zoek naar informatie over Zeke Loring, de vader die al voor zijn geboorte was overleden.

'Neem me niet kwalijk,' zei het meisje dat op het bed had gelegen. 'Ik denk dat ik toch wel iets wil kopen. Kunnen we mijn moeder bellen om het nummer van haar creditcard te vragen? Ik weet dat ze het goed zal vinden.'

'O, je bent niet alleen,' zei Mike abrupt toen hij de stemmen op de achtergrond hoorde. 'Dan neem ik afscheid. Opa zit op me te wachten met de lunch.'

'Ik ben blij dat je hebt gebeld, lieverd. Je weet niet hoe gelukkig je me hebt gemaakt,' zei Sarah. 'Het is tien keer mooier dan alle cadeaus die ik ooit heb gehad, zelfs mooier dan mijn favoriete poppenhuis toen ik vier werd, en ik maak geen grapje, ik was weg van dat poppenhuis, ik speelde er altijd mee, vraag maar aan mijn vader...'

'Dag mam,' zei Mike.

'Dag lieverd,' zei Sarah.

Toen ze zich weer naar de meisjes omdraaide, glimlachte ze. Haar gezicht stond kalm, en haar mond trilde niet. Ze knikte ja, het meisje mocht haar moeder bellen. Ze gaf haar de telefoon en zei dat ze rechtstreeks mocht bellen, zonder tussenkomst van een telefoniste. Nu kon ze immers een dekbed verkopen, en de meisjes zouden zorgen voor mond-tot-mondreclame op het Marcellus College. Van de studenten moest ze het hebben.

Maar haar hart was ver weg bij haar zoon, Mike Talbot, haar zeventienjarige drop-out, de persoon van wie Sarah meer hield dan van haar eigen leven, de jongen die van plan was om in zijn eentje de familietraditie voort te zetten – het maken van dekbedden en het draaiend houden van de fokkerij – onder de vleugels van haar vader, de gramstorige George Talbot van Elk Island in Maine.

Op dit soort momenten, terwijl Sarah een bon uitschreef voor een dekbed van driehonderd dollar, wenste ze dat ze de oude fokkerij gewoon bankroet had laten gaan.

Het was de tweede dag dat Will in de lucht was met de cartograaf, en ze vlogen elf keer kriskras over Algonquin County. Ze brachten de Setauket-rivier in kaart, de Robertson-wildernis, Lake Cromwell, Eagle Peak, en de uitlopers van de Arrowhead-bergen. Will vloog hem over stadjes en Wilsonia, de provinciehoofdstad. Ze telden windmolens en silo's, maten de lappendeken van boerenbedrijven op, velden die doorspikkeld waren met oranje pompoenen. Hij was naar zesduizend voet geklommen, maar op de terugweg naar het vliegveld vloog hij nog een laag rondje boven Fort Cromwell.

Het stadje zag eruit als een speelgoedstad, net als de piepkleine gebouwen van Freds modeltrein. Will dacht bijna nooit aan Freds speelgoed, maar doordat de cartograaf het railtraject en de overgangen zo aandachtig bestudeerde, kon hij het niet uit zijn gedachten zetten. Freds model had er precies zo uitgezien als Fort Cromwell: een keurig plein, gebouwen van rode baksteen, de spoorlijn die door lage heuvels kronkelde. Will was in die tijd in Newport gelegerd geweest, en in de huizen van de marine was nauwelijks plaats voor speelgoed. Freds modeltrein was super-de-luxe, van F.A.O. Schwarz in New York, het soort modeltrein dat Will als jongen zelf had willen hebben. De hele eethoek werd erdoor in beslag genomen.

Alice had niet moeilijk gedaan. Haar moeder had hun een mooie kersenhouten eettafel gegeven, en hij herinnerde zich dat ze die gewoon aan de kant hadden geschoven. Susans poppenhuis en Freds trein waren in die tijd de grootste ruimtevreters geweest, en dat vond niemand erg. Will zat vaak op zee, dus had Alice toch geen deftige eettafel nodig gehad.

Nu gebruikte ze die tafel wel. Will kon Julians landgoed zien, genesteld tussen de bomen op de top van de Windemere-heuvel. Een stenen herenhuis, tennisbaan, ronde oprijlaan, en beveiligde hekken die een filmster of zakenbaron niet zouden misstaan. Daar wonen ze, dacht Will. Terwijl de cartograaf zijn aantekeningen bijwerkte, draaide Will naar links. Zijn linkervleugel wees recht omlaag naar het stenen huis, als een vinger van God. Om zijn dochter te zegenen, dacht Will, maar ook om Julian te vervloeken. Omdat hij op het juiste moment op de juiste plaats was geweest, omdat hij Wills gezin had gestolen toen ze allemaal verzwakt – of eigenlijk gebroken – waren na Freds dood.

Toen hij een glimp opving van zijn dochter, die haar fiets tegen de garage van veldstenen zette, werd het hem te veel. Hij liet de motor razen en het toestel helde opzij in een scherpe bocht. De cartograaf keek hem angstig aan.

'Sorry,' zei Will.

'Is er iets mis met het vliegtuig?'

'Helemaal niet, meneer. Gewoon een beetje turbulentie.'

'Juist,' zei de cartograaf met een diepe rimpel in zijn voorhoofd.

Onderweg naar de luchthaven vroeg Will zich af waarom zijn hart zo tekeerging. Hij voelde het bonzen in zijn borst, alsof hij net honderd meter in zee had gezwommen bij windkracht tien. Dat was zijn eerste baan bij de marine geweest: reddingszwemmer aan boord van de L.P. James. Hij kon door zes meter hoge golven klieven, gehinderd door een man van meer dan honderd kilo, en nauwelijks merken dat zijn ademhaling veranderde.

Misschien komt het door al dit zoete water, dacht hij, kijkend naar de meren en de rivier. Het maakte hem nerveus, alsof er iets ontbrak. Geen oceaan, nergens een kust te zien. Het was zoals Sarah Talbot gisteren had gezegd: het is niet de Atlantische Oceaan.

Toen gebeurde er iets merkwaardigs. Zodra hij aan Sarah Talbot dacht, was het allemaal weg. Het bonzende hart, het verlangen naar de zee. Herinneringen aan zijn leven als reddingszwemmer, alle goede en vreselijke redenen waarom hij de oceaan waar hij zoveel van hield had verlaten. Will begon rustiger adem te halen. Hij zag Sarah voor zich, vriendelijk en wijs als een prachtige uil met haar wijdopen ogen en donzige haar, de dankbaarheid waarmee ze zonder te knipperen naar de lucht staarde, en Will voelde zich kalm. Alsof hij weer kon ademen zonder dat zijn borstkas openspleet.

Hoofdstuk 3

Secret fietste door de stad. Het was ijskoud en haar vingers voelden stijf in haar nieuwe blauwe handschoenen. Ze stak haar tong uit om de eerste sneeuwvlokken van dat jaar op te vangen. Haar neus en wangen tintelden. Halloween was nog maar net voorbij, en nu al vormde zich helder ijs op het meer. Geen enkele plek op aarde was zo koud als Fort Cromwell. Hierbij vergeleken was Newport tropisch geweest.

De winkels zagen er gezellig uit. Het werd in deze tijd van het jaar rond vijf uur donker, al voordat de school uitging, dus nu zag ze overal de warme oranje gloed die ze met Engeland associeerde; ze was nooit in Engeland geweest, maar ze had een zeer levendige verbeelding. Toen ze klein was, had haar moeder haar boeken van Rumer Godden voorgelezen. Secret had ervan genoten als ze hoorde over thee en scones, en bij de gedachte daaraan liep het water haar nu in de mond.

Na school had ze opgepast bij de Neumanns. Nu was ze onderweg naar huis, maar haast had ze niet; haar moeder en Julian waren op een cocktailparty bij Dean Sherry. Ze ging langzamer fietsen en bekeek de etalages. Hier en daar zag ze nog lampionnen van uitgeholde pompoenen. Andere winkels liepen al vooruit op Kerstmis met dennentakken met kleine lichtjes erin. Vooral de winkel met beddengoed zag er uitnodigend uit, ook zonder feestversiering. Het bord was genoeg: een magische wolk met een gouden '9'. Koperen lampen gloeiden, de dekbedden zagen er dik en knus uit. Om op te warmen zette Secret haar fiets tegen de muur, en ze ging de winkel binnen.

'Hallo,' riep de eigenaresse uit een achterkamer.

'Hallo,' zei Secret. Ze probeerde zich te gedragen alsof ze werkelijk van plan was om kussens te kopen, fronste haar wenkbrauwen en begon prijskaartjes te bekijken.

'Laat het me maar weten als je geholpen wilt worden.'

'Dat zal ik doen.' Secret liet haar stem neutraal klinken en begon de kleine fluwelen sierkussens in een grote bak ernstig te bekijken. Ze was wel eens met haar moeder en Julian in de Antiques Corner geweest, dus ze wist hoe mensen die geld uitgaven zich gedroegen. Ergens achter in de winkel werd kruidige cider gemaakt. Wat ze het liefst wilde, was wegzakken in deze zachte berg van met fluweel bekleed dons. Ze merkte dat ze zich begon te ontspannen, ze vergat zich te concentreren, en bekeek op haar gemak alle mooie spullen.

'Heb je zin in een beker warme cider?' vroeg de stem.

'Nee, dat hoeft niet,' zei Secret, want ze voelde zich schuldig over haar bedrog. Ze was absoluut niet van plan om ook maar het kleinste dingetje te kopen.

'Weet je het zeker? Het is erg koud buiten.'

'Dat is zacht uitgedrukt.'

'Oké, het is ijs- en ijskoud buiten.'

Secret grinnikte. Ze keek op, en nu pas zag ze de eigenaresse van de winkel. Het was Sarah Talbot, de zieke dame, de vriendin van de Fergusons.

'O, hallo,' zei Secret.

'Hallo,' zei Sarah. 'Ik ken jou. Jij zat in het kantoortje op de luchthaven toen ik mijn verjaardagsvlucht maakte.'

'Klopt. Mijn vader is de piloot.'

'Een uitstekende piloot,' zei Sarah. 'Ik heb ook slechte meegemaakt, geloof me.'

'Echt?'

'Nou, en of. Piloten van kleine vliegtuigen zijn het ergst. Ik heb kerels gehad die als bokkende wilde paarden over de startbaan taxieden. Ik heb ook een piloot gekend die onder bruggen door vloog, gewoon voor de lol. Vroeger woonde ik op een eiland, en er waren wel piloten die vlogen als de mist dikker was dan deze dekbedden. Dat waren de cowboys van de lucht.'

'Waarschijnlijk kan de helft van die lui geen baan krijgen bij een grote luchtvaartmaatschappij,' zei Secret vertrouwelijk. Ze leunde tegen het bed midden in de winkel.

'Dat zou me niet verbazen,' zei Sarah. 'Weet je zeker dat je geen cider wilt?'

'Misschien een klein beetje.' Secret wachtte terwijl Sarah twee bruine bekers vulde. 'Mijn vader kan best bij de luchtvaartmaatschappijen aan de slag. Hij heeft aanbiedingen gehad van TWA en Delta. Hij zou overal kunnen vliegen, maar hij vindt het fijn om eigen baas te zijn.'

'Volgens mij kan hij dat ook heel goed,' zei Sarah, en ze gaf haar een beker. Secret pakte de beker aan, rook de kruidige damp.

'Hij is opgeleid door de marine,' vertelde Secret. 'Maar daarvoor was hij al piloot. Hij heeft leren vliegen toen hij ongeveer zo oud was als ik. De marine was ontzettend blij met hem, hij kon echt alles. Vliegen, of zwemmen als er iets misging. Hij had gezag over zijn mannen. Op manoeuvre hield hij altijd het hoofd koel.'

'Manoeuvre?'

'Ja, zoals bijvoorbeeld in de Perzische Golf. Daar is hij geweest.'

'Zo te horen ben je trots op je vader.'

'Nou, en of.'

'Het is hier wel erg ver in het binnenland voor een marinegezin,' merkte Sarah op.

'Ja.' Secret dronk haar cider. Ze voelde dat haar astma wachtte op de volgende vraag: Waarom zijn jullie hier? Heb je nog broers of zusjes? Maar de vragen kwamen niet. In plaats daarvan stak Sarah haar hand uit.

'Ik heb me nog niet officieel voorgesteld. Ik ben Sarah Talbot.'

'Ik ben Secret Burke.'

'Wat een mooie naam!' riep Sarah uit.

Secret keek haar aan om te zien of ze in de maling werd genomen. Sommige oudere mensen vonden het nodig om haar te berispen als ze haar naam hoorden, maar ze zag wel dat Sarah oprecht was. Sarahs ogen glinsterden van bewondering. Ze had een prachtige glimlach, met een voortand die een beetje scheef stond.

'Bedankt,' zei Secret. 'Eigenlijk ben ik van plan om mijn naam te veranderen.'

'Echt? Waarin?'

'Ik dacht aan Snow.'

Sarah knikte en blies op haar cider. 'Perfect voor de winter.'

'Is Sarah uw echte naam?'

'Ja,' zei Sarah. 'Ik zeul er al mijn hele leven mee rond. In de vijfde klas heb ik een tijdje "Sadie" uitgeprobeerd, maar dat was ik niet.'

'Nee,' beaamde Secret. 'U bent een echte Sarah.'

Voor het eerst sinds ze binnen was gekomen, keek Secret naar Sarahs haar. Het was misschien anderhalve centimeter lang, en de kleur hield het midden tussen geel en grijs. Ze wist dat mensen kaal werden van de medicijnen tegen kanker. Secret had kijk op schoonheidsadviezen, en ze nam Sarah aandachtig op.

'Wat is er?' Sarah bloosde en raakte met een geschrokken blik in haar ogen haar haren aan, en Secret voelde zich zo schuldig dat ze bijna morste met haar cider. Sarah was verlegen! Secret had dezelfde uitdrukking gezien in de ogen van haar vriendin Margie Drake, toen twee van de coole meisjes fluisterend en wijzend Margies nieuwe permanent belachelijk hadden gemaakt.

'Nou...' zei Secret besluiteloos. Ze kon liegen, zeggen dat er niets was, doen alsof ze gewoon een boertje moest laten. Of ze kon de waarheid zeggen, aanbieden om te helpen. 'Ik keek naar uw haar,' zei ze dapper.

'Mijn arme haar,' zei Sarah, nog steeds roze. 'Er is niets meer van over. Vroeger was het donkerbruin, en kijk nu eens. Nu het aangroeit heeft het zo'n gekke kleur. Het is een soort kruising tussen oude sokken en vies afwaswater.'

'U zou het kunnen bleken,' opperde Secret. 'Dat korte haar is heel leuk en punk. Als u het helemaal wit bleekt, zou het echt heel mooi staan!'

'Zoals Annie Lennox,' zei Sarah glimlachend.

'Wie?' vroeg Secret.

Op dat moment rinkelde de deurbel. Het waren kleine zilveren klokjes, en het geluid deed Secret aan Engeland denken. Een paar studentes kwamen binnen, hun armen tegen hun lichaam omdat het zo koud was. Sarah begroette ze, en zij begroetten haar. Ze bood hun cider aan.

Secret nestelde zich op de rand van het bed, dat bijna de hele winkelruimte besloeg. Maar het was een bed waar nooit iemand in zou slapen. Net een speelgoedbed in de slaapkamer van een prachtig poppenhuis. Zoals haar poppenhuis in hun huis in Newport. Het enige wat eraan ontbrak, was Freds speelgoedtrein die door de kamer tufte en vrolijk floot.

Sarah gaf de studentes elk een beker cider, maar toen kwam ze weer naast Secret zitten. De cider was nu voldoende afgekoeld en kon gedronken worden. Zittend naast elkaar genoten ze van hun drankje, terwijl het buiten kouder werd. De stemmen van de meisjes klonken opgewekt en enthousiast. Hun ouders hadden hun geld gestuurd, en nu kochten ze allemaal een nieuw dekbed voor de winter. Zij waren de betalende klanten, maar Sarah zat bij Secret. Alsof ze haar vriendin was. Alsof ze helemaal van haar alleen was.

Later die avond stond Sarah voor de spiegel in haar badkamer. Het licht was fel, en ze vond dat ze eruitzag als een geschrokken kat. Haar lelijke geelgrijze haar stond recht overeind, net de zachte haren van een baby-borstel. Vanaf het moment dat ze de winkel had afgesloten, had ze nagedacht over wat Secret had gezegd: ze kon haar haar bleken.

Het was een wel erg drastische maatregel. Sarah had nog nooit haar haar geverfd, het zelfs nooit overwogen. Als opgroeiend meisje had ze zich nooit erg om haar uiterlijk bekommerd. Experimenteren met make-up was niets voor haar. Ze hield vooral niet van lipstick, dat voelde altijd zo zwaar op haar mond, en ze bleef er steeds aan likken om te voelen of het er nog wel op zat. Met make-up voelde ze zich een aanstelster, alsof ze de aandacht wilde trekken. Schoonheidsproducten waren voor andere, mooiere meisjes.

Maar nu ze door haar haren streek, wilde ze iets doen. Ze vond het vreselijk zoals het eruitzag. Sinds de chemotherapie herkende ze zichzelf nauwelijks. Ze zag er heel oud of juist heel jong uit, alles behalve haar echte leeftijd. Haar nieuwe haar was kleurloos, en de nieuwe rimpels rond haar ogen en mond bevestigden dat ze tegen de veertig was, maar ze had altijd een geschrokken, onveranderlijk verbaasde uitdrukking, waardoor ze nog het meest op een uit haar krachten gegroeid kind leek.

Niemand zei er ooit iets van, hoe mal ze eruitzag. Zelfs haar vrienden niet – zelfs die schat van een verpleegster niet, Meg Ferguson. In het ziekenhuis was er iemand langs geweest met pruiken, maar Sarah had geweigerd ze uit te proberen. Het dragen van een pruik zou voelen alsof ze een kous over haar hoofd had, zweterig en claustrofobisch. Hetzelfde als de lipstick, maar dan voor haar hoofd. Sarah was tot alles bereid geweest om haar hersentumor te bestrijden, ze had zelfs de meest geavanceerde behandelingen ondergaan, maar als het op haar uiterlijk aankwam, wilde ze niet eens iets heel simpels uitproberen.

Zuchtend liep ze naar haar slaapkamer. Er stond een cd van Annie Lennox op; Sarah putte er morele steun uit. Annie en Sarah. En Secret. Ze vroeg zich af of Secret Burke wel wist dat ze haar een groot plezier had gedaan door het ijs te breken over iets wat haar dol maakte van de stompzinnige zorgen.

Thanksgiving. Stel nou dat ze ging? Afgezien van al het oud zeer met haar vader, hun verleden van teleurstellingen en wrok, worstelde Sarah met een nog veel grotere angst. Als ze over minder dan drie weken naar huis ging, naar Elk Island, zou Mike haar op deze manier zien, en dat maakte haar bang. Ze wilde niet dat hij zijn eigen moeder eng of weerzinwekkend zou vinden. Verder zou ze iemand aan moeten nemen om op de winkel te passen, of een lang weekend dicht moeten blijven.

Ze dacht terug aan haar eerste winkel. Ze was negentien geweest, studente in Boston. Negentien! Nauwelijks ouder dan Mike! Waar had ze het zelfvertrouwen vandaan gehaald, de ambitie? De winkel was heel klein, één enkele ruimte met bakstenen muren en een parketvloer. Sarah was de winkel binnengegaan en had de ruimte met haar dromen gevuld. De dekbedden van tante Bess zouden op de planken liggen, en ze zou een succesvolle zakenvrouw worden. Ze had zich filialen voorgesteld, een postordercatalogus, een kans om de ganzenfarm te redden, een manier om haar vader gelukkig te maken op aarde en haar moeder trots in de hemel. Zodoende had ze haar winkel Cloud Nine genoemd.

Cloud Nine. Sarah leunde tegen haar bureau en herinnerde zich hoe ze haar logo had ontworpen: een gouden negen op een witte wolk in een blauw ovaal, met kleine witte donsveertjes die als sneeuwvlokken omlaagdwarrelden. Ze had David Walker, een houtsnijder op Elk Island, opdracht gegeven om het uithangbord te maken. Het had haar zoveel plezier geschonken om een naam te bedenken, het gaf haar het gevoel dat ze haar dromen verwezenlijkte en precies wist wie ze was. Een vergelijkbaar gevoel had ze daarvoor nooit gehad, en daarna pas weer toen Mike werd geboren.

Michael Ezekiel Loring Talbot.

De naam van haar zoon riep zoveel emoties bij haar op dat ze zich vast moest grijpen aan het bureau. Ze had de naam Michael altijd prachtig gevonden. Het was een sterke naam, die had toebehoord aan een aartsengel, en bovendien was de klank poëtisch. Ze had haar zoon de naam van een leider en een atleet gegeven, iemand die plezier had en risico's nam.

Sarah had gewild dat Michael de achternaam van zijn vader kreeg, maar ze had hem de naam 'Loring' alleen als derde voornaam mogen geven. Michael was een Talbot, net als Sarah. Misschien klampte hij zich daarom wel zo verbeten vast aan het eiland en zijn grootvader, aan de oude ganzenfarm en de bescherming die hij er vond.

Er stonden tranen in haar ogen, en die knipperde ze weg. Het had geen zin te huilen om dingen die ze toch niet kon veranderen. Mike had zijn beslissing genomen. Ze kon zelfs niet zeggen dat hij van huis was weggelopen, want hij had geen geheim gemaakt van zijn plannen. En zijn bestemming was niet New York of Los Angeles geweest, of zelfs Albany, maar het familiebedrijf. Toch was hij pas zeventien, en woonde hij nu op Elk Island met de oorspronkelijke kluizenaar. Op zoek naar de waarheid over zijn eigen overleden vader. Mike zou haar vermoorden als hij wist dat ze hem nog steeds als een kind beschouwde, maar ze kon het niet helpen.

Sarah ging op de vensterbank zitten en nam een slokje kruidenthee. Tegenwoordig at ze alleen nog gezonde dingen. Elke dag ging ze een eind lopen, zo lang als ze aankon. Soms voelde ze zich sterk genoeg om te gaan joggen op de trimbaan van de universiteit, zoals ze had gedaan voordat ze ziek werd, maar ze wilde nog niets forceren. Haar arts had gezegd dat ze het rustig aan moest doen, en Sarah luisterde naar wat hij zei. Ze wilde blijven leven. Ze had een kind op deze wereld gezet, en ze wilde kunnen zien dat hij veilig en wel een rooskleurige toekomst tegemoet ging.

Alice von Froelich liep de slaapkamer van haar dochter binnen en probeerde uit haar ademhaling op te maken of ze sliep, dan wel deed alsof. Er lagen verschillende dekens en een dekbed op het bed, en die waren helemaal over haar hoofd getrokken. De radio stond aan, maar Susan viel al zolang Alice het zich kon herinneren met muziek in slaap.

Stokstijf bleef ze staan, in de hoop haar op een beweging te betrappen. Zelf haalde Alice nauwelijks adem. Ze keek om zich heen. Het licht was uit, maar in het ganglicht kon ze verschillende dingen onderscheiden. Susans kamer was onmiskenbaar smaakvol ingericht, net als de rest van Julians huis, en er waren maar weinig tekenen dat hier een tienermeisje woonde. Dat viel Alice telkens weer op als ze hier kwam, ook nu, en met gefronste wenkbrauwen slaakte ze een bezorgde zucht.

Susan was helemaal idolaat van Engeland, dus had Julian haar twee Gainsboroughs uit zijn verzameling laten kiezen: een klein meisje in een blauwe jurk, en twee spaniëls op een satijnen kussen. Ook haar meubels en andere spullen waren Engels: het bed en de commode uit de tijd van Queen Anne, de antieke schommelstoel bekleed met Susans favoriete schakering roze, de zilveren borstel en spiegel met monogram op de toilettafel. Die had Julian haar verleden jaar met Kerstmis gegeven, en ook enkele zilveren lijsten voor haar enorme verzameling foto's.

Alice bukte zich om de foto's beter te bekijken. Susan hield duidelijk erg veel van haar vader: Will stond op elke foto. Daar waren ze, in de cockpit van zijn Piper Cub, toen Susan vier was. Ze zat op zijn schoot onder een parasol op het terras van de Black Pearl, hun favoriete café in Newport. Daar stond ze op de kade, vlak voordat hij naar het Midden-Oosten vertrok. Ze kon zich herinneren dat ze alle drie de foto's had genomen. En toen bleef haar blik rusten op de vierde.

'Freddie,' fluisterde ze.

Daar stond hij, zijn laatste Kerstmis, voor een boom met Will. Haar slungelige, slaperige jongen, een glimlach met beugel, zo mooi en lang. Op deze foto was Fred bijna net zo groot als Will. Hoe was het mogelijk dat Alice dit nooit eerder had opgemerkt? Kwam het gewoon door het perspectief? Ze kon zijn voeten niet zien; had Fred soms op een doos gestaan, op een stapel boeken?

'Mam?' zei Susan, en ze knipperde in het licht van de gang.

'Liefje, je bent wakker.' Alice kwam op de rand van het bed zitten.

'Je was niet thuis.'

'Heb je mijn boodschap dan niet gekregen?' vroeg Alice, die zich meteen schuldig voelde. 'Ik heb het antwoordapparaat ingesproken.'

'Dat heb ik gehoord.'

'We hebben iets gedronken bij Dean Sherry, en het leek Julians vrienden een leuk idee om allemaal samen te gaan koken. We zijn naar Martines huis gegaan en hebben Indonesisch eten gemaakt, en Armando heeft een paar nieuwe liedjes voor ons gespeeld op zijn keyboard.'

'God wat saai,' bromde Susan stuurs.

'Heb je gegeten?'

'Ja.'

Alice maakte zich zorgen. Ze staarde naar Susan en vroeg zich af wat er in haar hoofd omging. Ze klonk zo gespannen en nors, bijna alsof ze haar moeder expres een schuldgevoel wilde geven. Alsof dat niet al een vaststaand feit was.

'Wat heb je gegeten?'

'Papa heeft me meegenomen naar Cheddar's. Ik heb een salade genomen.'

'Heb je je vader gebeld? Susan, je weet toch dat er beneden een hele voorraadkast met eten is. Pansy heeft alles gekocht wat je op je lijstje had gezet. De ijskast ligt vol met sla, al die vreemde soorten waar je zo van houdt. Liefje...'

'"Susan"?' Ze fronste haar wenkbrauwen. 'Als je wilt dat ik antwoord geef, kun je me beter bij mijn goede naam noemen.'

Alice weigerde Susans spelletje mee te spelen. Vanaf het moment dat zij en Julian waren getrouwd had Susan dwarsgelegen, en ze wist dat het gedoe met die namen de beste manier was om te pesten. Alice voelde haar bloeddruk omhoogschieten. Ze had een heimelijk vermoeden dat Will dit toestond. Hij was zo tolerant, hij zag alles wat Susan deed door de vingers. Hij was compleet gebroken geweest toen Fred stierf, en hij was er nog op geen stukken na overheen.

'Liefje?' hoorde Alice zichzelf op bewonderenswaardig geduldige toon vragen. Ze had het met Susan nooit over Fred, want ze wilde niet dat Susan van streek zou raken. Hij was haar grote broer geweest, haar held. Maar ze moest het vragen. De vraag was eruit voor ze het wist; zelfs als ze had gewild, had ze de woorden niet in kunnen slikken. 'Was Fred die net zo groot als papa? Bijna even groot?'

Stilte. Beneden hoorde ze Julian en Armando lachen. Er werd iets te drinken ingeschonken. Het tikken van biljartballen. Het slaan van de klok.

'Susan, geef antwoord.'

'Er is hier geen Susan,' zei haar dochter op gevaarlijke toon vanonder haar stapel dekens.

Hoofdstuk 4

De jaarmarkt van Fort Cromwell werd altijd op de zaterdag tussen Halloween en Thanksgiving gehouden, compleet met een kermis, om de oogst en het seizoen van de dankbaarheid te vieren. Iedereen ging erheen. Het oude kermisterrein lag kilometers buiten het stadje in een niemandsland. Als je er op enig ander moment van het jaar langsreed, zag je misschien een tractor over de weg puffen. Je had mazzel als je een andere auto zag. Maar als de jaarmarkt werd gehouden, stonden er kilometerslange files. De nu kale velden rond het terrein stonden vol met de dure geïmporteerde auto's van dagjesmensen uit de stad die op zoek waren naar *couleur locale*.

Sarah was met Meg en Mimi meegegaan. Ze slenterden rond, bekeken bekroonde varkens en stieren. Clydesdales klosten langs onderweg naar de paardenstallen. Omdat de markt zo laat in het jaar werd gehouden, was iemand op het idee gekomen om de kerstman op de paardenkar te zetten, en een wagen vol kindertjes die 'Jingle Bells' zongen ratelde langs.

Mimi had een camera gekregen voor haar verjaardag. Ze maakte overal foto's van, maar ze wilde ook alles doen: een suikerspin eten, op de paardenkar, door het spookhuis rennen, in het reuzenrad. Dit was het conflict tussen nog helemaal kind zijn en al wat groter worden. Sarah herinnerde zich Mike op die leeftijd en wenste dat hij erbij was.

'Wil je in het reuzenrad?' vroeg Meg. 'Ik denk dat ik met Mimi ga.'

'Ga je gang,' zei Sarah. 'Ik ga ergens warme chocolademelk drinken.'

Ze spraken over een uur af bij de kraam waar je neptatoeages kon laten maken met verf. Sarah voelde zich uitgelaten toen ze koers zette naar de snackcar. Dat effect had de jaarmarkt altijd op haar: de drommen mensen, de dieren, overal rinkelende bellen. Ze begroette een paar mensen die ze kende, voornamelijk studenten die wel eens wat bij haar hadden gekocht.

Ze droeg een zwarte bolhoed, een zwarte spijkerbroek, en Zekes oude leren bomberjack. Om de een of andere reden had ze zin gehad om dat jack aan te doen. Aangezien het van Mikes vader was geweest, droeg ze het zelden als Mike erbij was. Het jack riep te veel vragen op. Sarah had nog een paar van Zekes spullen, en die leken bij Mike altijd vragen op te roepen waar Sarah het antwoord niet op wist. Mike had haar een keer gevraagd waarom zijn vader haar zijn jack had gegeven, en Sarah had het niet over haar hart kunnen verkrijgen om hem de waarheid te vertellen: dat Zeke haar dat jack helemaal niet had gegeven. Dat ze het op eigen initiatief had geleend en nooit had teruggegeven, dat ze het zo graag had willen hebben.

'Een warme chocolademelk,' zei ze tegen de oudere man achter de toonbank.

'Met marshmellows?'

'Nee, bedankt.' Sarah wist dat zelfs één marshmellow al een aanslag op de gezondheid was. Ze voelde zich met de dag gezonder. Dat zou ze niet op het spel zetten voor een marshmellow, ook al had ze er nog zo'n trek in.

Het kartonnen bekertje was kokend heet. Ze keek om zich heen op zoek naar een servetje en zag een aparte toonbank met plastic knijpflessen ketchup en mosterd en servetjes en rietjes. Een man versperde haar de weg. Hij was groot en had brede schouders, en hij droeg bijna net zo'n leren jack als zij.

'Pardon,' zei ze, en reikte langs hem heen om een servetje te pakken.

'Hallo, Sarah.' Hij klonk verbaasd en blij.

'Hallo!' zei Sarah. Het was de piloot, Will Burke. Ze was bijna onder zijn arm gaan staan om bij de servetjes te kunnen, en hij hield zijn hotdog in de lucht om te voorkomen dat hij saus op haar morste. Ze maakten zich los, deden een stap achteruit en glimlachten naar elkaar.

'Leuk je te zien,' zei hij.

'Insgelijks. Hoe is het met jou?'

'Prima.' Hij hield zijn hoofd schuin alsof hij erover na moest denken. 'En jij?'

'Uitstekend,' zei Sarah. 'Echt uitstekend. Wat brengt jou hierheen? Ben je hier met Secret?'

'Secret?' Hij fronste zijn wenkbrauwen. 'O, Susan. Ken je haar dan?'

'Ze kwam langs in mijn winkel.'

Lachend schudde hij zijn hoofd. '"Secret". Ik kan er maar niet aan wennen. We hebben haar een naam gegeven waar niets mis mee is, Susan. Niet dat we niet aan iets aparters hebben gedacht. Delphinium, bijvoorbeeld, maar we wilden niet dat ze zich voor haar naam zou schamen. Weet je wat ik bedoel?'

Sarah knikte. Will lachte, maar zijn ogen deden niet mee. Hij zag eruit als een man die zwaar onder zorgen gebukt gaat, maar ze kende hem niet goed genoeg om ernaar te vragen. Misschien boterde het niet tussen hem en zijn vrouw. Sarah was zelf nooit getrouwd geweest, dus ze was geen expert.

'Het is een leuke meid, hoe ze zichzelf ook noemt,' zei Sarah. 'Daar gaat het om.'

'Jij zou je er geen zorgen over maken?'

'Ik? Nee, hoor.'

'Hmm.' Hij fronste weer. Hij leek geen enkele belangstelling meer te hebben voor zijn hotdog, waar hij een dikke laag zuur, chilisaus en uien op had gedaan. 'Haar moeder denkt namelijk dat het een waarschuwingsteken is. Een soort kreet om hulp. Ik weet het niet.'

'Ik wil je vrouw niet tegenspreken,' begon Sarah.

'Ex-vrouw,' viel Will haar in de rede.

'Maar ik kan het gevaar er niet van inzien. Ze is vijftien, ze probeert nieuwe dingen uit. Het zou veel erger kunnen zijn.'

'Drugs,' vulde Will ernstig aan.

'Precies. Ze probeert er gewoon achter te komen wie ze is. Denk je niet?'

Will knikte. Hij voelde zich duidelijk beter, want hij nam weer een hap van zijn hotdog. Zijn gezicht en handen waren verweerd, altijd zongebruind, wat typerend was voor een man die graag buiten is. Hij had krullend grijzend bruin haar, met grijze strepen bij zijn slapen. Het was een beetje lang voor een man die bij de marine was geweest. Zijn ogen waren opvallend donkerblauw, als een baai in Maine.

'Is ze hier?' Sarah keek om zich heen.

'Secret?' vroeg hij grijnzend. 'Nee, ze is thuis. Ik ben hier voor mijn werk. Ik maak rondvluchten met mensen – zoals ik met jou ook heb gedaan – om Fort Cromwell vanuit de lucht te bekijken.'

'Ik heb zo van die vlucht genoten. Ik denk er nog heel vaak aan terug.'

'Echt waar?'

'Ja. Het was voor het eerst dat ik wist – ' Ze nam een slok chocolademelk om tijd te rekken, om de emoties onder controle te krijgen.

'Wat wist je?'

'Dat ik weer gezond ben,' zei ze glimlachend. Ze voelde zich stralend, alsof ze van binnenuit glom van gezondheid en geluk. Ze rilde, maar dat kwam doordat ze er zo intens van genoot dat ze bestond, dat ze buiten was op een mooie herfstdag, niet van de kou.

'Daar ben ik blij om.' Will raakte haar arm aan.

Er kwam een idee bij haar op. Kennelijk was het niet geheel nieuw, want ze had de afgelopen nachten wakker gelegen, gepiekerd over de vraag of ze nou naar Elk Island zou gaan met Thanksgiving, en zo ja, hoe ze er dan moest komen. Nu ze de vraag stelde, leek het net alsof ze dat al van plan was geweest.

'Doe je ook wel eens charters voor de lange afstand? Naar Maine, bijvoorbeeld?'

'Jazeker,' zei hij. 'Heel vaak zelfs. Waar in Maine?'

'Elk Island.'

Hij sloot zijn ogen alsof hij zich een kaart voor de geest probeerde te halen. Sarah hielp hem op weg.

'Het is helemaal in het noorden,' zei ze. 'Voorbij Penobscot Bay, bijna bij Mount Desert. Het is een piepklein eilandje heel ver in zee.'

'Is er een vliegveld?'

'Het mag de naam niet hebben. Het is alleen een baan van gras.'

'Mijn vliegtuigen zijn dol op gras,' zei hij grijnzend. 'Wanneer wil je erheen?'

'Dat is nou juist het probleem,' zei ze. 'Met Thanksgiving. Je hebt waarschijnlijk plannen, dus... Misschien werk je dat weekend wel helemaal niet.'

'Jawel, hoor,' verzekerde hij haar.

'Nou... zou je erover willen denken? En me laten weten hoeveel het gaat kosten?'

'Het klinkt goed,' zei hij. 'We moeten wel rekening houden met het weer. Mijn grote vliegtuig heeft de meeste instrumenten, en in deze tijd van het jaar kan er altijd storm op komen zetten. Maar het is wel duurder.'

Ze knikte en slikte moeizaam. Door het vervoer te regelen, kwam ze een stap dichter bij de beslissing om echt te gaan. Ze zou Mike zien! Er kriebelde een lach in haar keel, en ze wilde er al aan toegeven, toen ze bedacht dat ze door terug te gaan naar Elk Island voor het eerst in vele jaren weer met haar vader geconfronteerd zou worden. Hij had nooit kunnen verwerken dat ze was opgegroeid, het eiland had verlaten om te gaan studeren, en net lang genoeg terug was geweest om zwanger te raken en een schandaal te veroorzaken. Haar vader zat gevangen in zijn verdriet om Sarahs moeder, en met het verstrijken van de jaren was zijn verbittering alleen maar toegenomen. In een ver verleden ging Sarah 's zomers wel naar het eiland met Mike, maar na een tijd had haar vaders sombere stemming haar weerhouden.

'Ik bel je wel.' Ze gaf Will een hand.

'Prima,' zei hij met een blik op zijn horloge. Het zag er groot en zwaar uit, ongeveer een kilo chroom, met een zeer geavanceerde chronometer. Maar het paste volmaakt bij zijn sterke pols. 'Ik moet weer eens aan het werk.'

'Vlieg veilig.'

'Bedankt.' Will draaide zich om en liep weg. Sarah bleef roerloos staan, haar beide handen om het bekertje geslagen. Hij begon al in de menigte te verdwijnen. Toen draaide hij zich om en riep haar naam. 'Hé, Sarah!'

Ze liepen naar elkaar toe en bleven te midden van een drom tieners tegenover elkaar staan. Sarah drukte haar ellebogen tegen haar lichaam om zich zo klein mogelijk te maken tussen de duwende en dringende kinderen. Zij en Will stonden voor een kraam die versierd was met donkerrode sjaals, kromzwaarden en magische lampen. Binnen klonk mysterieuze sitarmuziek. Op het bord stond: ZIGEUNERGEHEIMEN UIT DE ORIËNT, TOEKOMSTVOORSPELLING MET HET LICHT VAN DE EEUWIGE VLAM. Een man met tulband stormde achter een jongen aan naar buiten.

'Hou hem tegen!' brulde de zigeuner. 'Hij heeft de eeuwige vlam uitgeblazen!'

'De eeuwige vlam!' jammerde de waarzegster gekweld. 'Aaaa!'

'Jeetje,' zei Will. 'Dat klinkt ernstig.'

Sarah glimlachte naar hem en haalde haar schouders op. 'Verleden jaar heeft mijn zoon die vlam uitgeblazen. Zo wordt de traditie in ere gehouden.'

'Tieners,' verzuchtte hij. Ze stonden daar als twee toeristen te midden van een op hol geslagen meute in Pamplona. Sarah keek hem in de ogen, die blauwer waren dan de lucht. Hij leek vergeten te zijn waarom hij haar had geroepen. Ze stonden zo dicht bij elkaar dat hun tenen elkaar raakten.

'Wat was er?' vroeg ze.

'Secret woont bij haar moeder en stiefvader,' legde hij uit. 'Ik bedoel, Secret is mijn dochter, maar ze woont niet bij me, en ze viert Thanksgiving met Alice. Het is dus geen probleem om je naar Maine te vliegen.'

'O,' zei Sarah. Ze probeerde te bedenken wat ze verder nog kon zeggen, toen er alweer een groep jongens langskwam. Snel keek ze naar hun gezichten om te zien of ze oude vrienden van Mike herkende, maar toen zag ze dat ze jacks droegen van een sportclub uit een naburig stadje. Een van hen griste de bolhoed van haar hoofd.

Sarah voelde hem de hoed van haar hoofd trekken. De rand schuurde langs het litteken, en ze voelde een flits van pijn. Geschrokken lieten de jongens de hoed vallen. 'Sorry!' riep een van hen. Ze kreeg tranen in haar ogen. Haar mond was opengezakt, en toen ze naar Will keek zag ze tot haar ontzetting haar eigen schaamte in zijn ogen weerspiegeld.

Ze boog haar hoofd om te voorkomen dat hij haar tranen zou zien, en voelde dat hij zijn armen om haar heen sloeg. Hij hield haar tegen zijn borst. Ze voelde zijn adem tegen haar hoofdhuid, zijn handen tegen de achterkant van haar hoofd. Al die weken had ze probleemloos zonder hoed rondgelopen, maar door de wreedheid van deze kinderen en het idee dat ze Mike zou zien, voelde ze zich opeens vreselijk opgelaten over haar afschuwelijke haar.

'Het is mooi,' fluisterde hij. 'Het is zo mooi.'

'Het is lelijk,' snikte ze. 'Mijn zoon zal me verafschuwen.'

'Helemaal niet,' zei Will.

'Hij is weggelopen toen ik ziek werd,' zei ze. 'Hij heeft me nog nooit zo gezien, en voor Thanksgiving groeit het nooit aan.'

'Nou, dan ziet hij je wel,' fluisterde Will met zijn mond bij haar oor. 'Ik breng je er zelf naartoe.'

'Als ik ga.'

'Natuurlijk ga je,' zei hij. 'Je krabbelt heus niet terug.'

'Hoe weet jij dat nou?' Ze hield haar hoofd naar achteren om hem aan te kijken.

'Omdat jij de moedigste vrouw bent die ik ooit heb ontmoet.'

Secret zat op de achterbank van Julians Range Rover. Ze was woedend. Haar moeder en Julian hadden haar beloofd dat ze naar de kermis zouden gaan, en ze waren ook op weg gegaan, maar nu reden ze met honderdveertig kilometer per uur in tegenovergestelde richting. Ze hadden de vergissing begaan om een antiekwinkel binnen te gaan, en de eigenaar had hun een tip gegeven over een Victoriaanse paraplustandaard.

'Ik snap dit echt niet,' zei Secret hardop.

'Wat niet?' vroeg Julian.

'Dat jullie mij de kermis laten missen voor een stomme paraplustandaard.'

Hij grinnikte en keek opzij naar Secrets moeder. Alice glimlachte stijfjes naar hem, verscheurd tussen het verlangen om haar man te steunen en de wens haar dochter haar zin te geven. De glimlach zei: wat-een-grappig-kind-heb-ik-en-wees-niet-boos-op-mij. Alice was heel mooi, een porseleinen pop. Ze had goudkleurig haar en een perfect gezicht, en drie of vier keer per dag zag ze eruit alsof ze zou breken.

'Het is zo oneerlijk,' zei Secret.

'We gaan heus, heb nou maar geduld,' zei Julian, die haar aankeek in het spiegeltje. Hij stak een sigaret op voor zichzelf en een voor Alice. Dat haatte Secret ook aan hem: door hem was haar moeder weer gaan roken, nadat ze vijf jaar geleden was gestopt.

'Het is niet zomaar een paraplustandaard,' legde haar moeder uit, en ze blies de rook naar haar schoot, alsof Secret het dan niet zou zien. 'Het spijt ons van de kermis, schat. Maar het gaat om een bijzonder stuk, een groot oud ding met haken en een enorme spiegel en een bank. Het wordt vanmiddag geveild, en het is precies wat we willen voor de hal.'

'Dat krijg je als je een groot huis hebt,' zei Julian. 'Je hebt er een hele hoop mooie spullen voor nodig. Nu jij en je moeder bij me wonen, wil ik het nog mooier maken.'

'Ik ben geen materialist,' zei Secret. 'Ik heb geen spullen nodig.'

'Schat...' waarschuwde haar moeder.

'Laat haar maar.' Julian keek Alice aan met een blik die eraan toevoegde: ...in haar sop gaarkoken.

Secret zakte verder omlaag op de achterbank en trok de Red Sox-pet over haar voorhoofd, zodat ze net nog uit het raampje kon kijken. Ze zag het land langsvliegen, de ene boerderij na de andere. Koeien, koeien, koeien. Ze verlangde er zo hevig naar om boten te zien dat haar keel pijn begon te doen. Ze wilde de zee ruiken, de wind voelen op haar gezicht. Kijkend naar Julians achterhoofd wenste ze dat ze de kracht had om hem te laten verdwijnen, even dramatisch als hij was gekomen.

Een jaar lang was hij alleen haar moeders baas geweest. Toen ging ze weg bij Secrets vader om met hem te trouwen.

Hij was eigenaar van een bedrijf dat Von Froelich Precision heette en raceauto's bouwde voor rijke mensen. Beroepsboksers en rocksterren vlogen uit de verste uithoeken hierheen om speciaal voor hen ontworpen auto's te bestellen, auto's die erop waren gebouwd om heel hard te gaan en er flitsend uit te zien. Secrets moeder was de secretaresse geweest, en ze kwam altijd thuis met verhalen over de beroemdheden die ze had gesproken, over de filmsterren met oude spijkerbroeken en versleten schoenen, en allemaal leken ze nerveus over het uitgeven van zoveel geld, net als ieder ander.

Weken nadat ze er was gaan werken, begon ze opeens onophoudelijk over Julian Von Froelich te praten. Dat hij zo fascinerend was. Hij deed mee aan de wedstrijden in Lime Rock en Laguna Seca, en hij had ook een keer op Le Mans gereden, hij was wereldberoemd in de wereld van de autoraces, maar hij was zo bescheiden. Hij vond het vreselijk als mensen hem vragen stelden over Paul Newman, die toevallig een goede vriend van hem was. Elk jaar sponsorde hij de Grand Prix Dag op de plaatselijke middelbare school, en dan liet hij kinderen in een raceauto zitten en doen alsof ze reden.

Ze raakte er vooral niet over uitgepraat dat hij zo'n geweldige baas was, dat Alice zo'n gewaardeerd lid van zijn staf was, van zijn team. Ze vormde net zo goed een integraal onderdeel van Von Froelich Precision als Julians hoofdingenieur en de chef van zijn pit-crew. Terwijl Secrets vader zich begroef in de kranten en tv-shows, bouwde Alice een nieuw en snel leven als jetsetter op. Secret en haar vader waren verdoofde zombies, hadden het te druk met Fred missen om te merken dat Alice haar gezin achter zich liet. Een jaar geleden waren Secrets ouders gescheiden. Een maand later was haar moeder met Julian getrouwd.

'Wist je dat de koningin van Engeland in net zo'n auto als deze rijdt?' zei Julian. Toen Secret opkeek, zag ze dat hij in het spiegeltje naar haar keek.

'Heeft zij even mazzel,' zei Secret.

'Een Range Rover. Ik dacht dat je het leuk zou vinden om te weten, als echte anglofiel.'

'Wat ik graag wil weten, is wanneer we naar de kermis gaan.' Secret wilde haar vader zien. Hij maakte tot drie uur rondvluchten, en voor die tijd wilde ze er zijn. Ze keek op haar horloge. 'Het is bijna veertien uur.

Het is toch al te laat om nog te gaan. Als ik had geweten dat we een para-plustandaard gingen kopen, zou ik met mijn vriendinnen zijn gegaan.'

'Mensen die bekrompen denken leiden vaak een bekrompen leven,' merkte Julian op.

'Daar ben ik het helemaal mee eens,' zei Secret.

'Jij bent te goed voor de kermis, Susan. Er is een hoop goedkope rommel te koop, en er zijn stompzinnige attracties. Die dingen zijn slecht onderhouden, dus ze zijn nog gevaarlijk ook. Dat je naar de kermis wilt, is beneden je waardigheid. Ik wil je mooie dingen laten zien...'

'Ik dacht aan iets anders,' zei ze. 'Over bekrompen denken.'

'Liefje,' begon haar moeder, die haar de mond wilde snoeren.

'O, ja? Wat dacht je dan?' Julian ontmoette haar blik in het spiegeltje. Hij had geestdriftige groene hondenogen, en dat gaf haar een rotgevoel – hij wilde dat ze hem aardig vond, en ze zou hem nooit aardig vinden. Hij had lang donkerblond haar en droeg het in een paardenstaart. Secret wist dat hij zichzelf sexy vond, alsof hij niet onder wilde doen voor de beroemdheden waar hij mee omging, maar zij vond dat hij er pretentieus uitzag. Ze vroeg zich af hoe hij zich zou voelen als hij wist dat hij een kleine kale plek op zijn achterhoofd had, ongeveer even groot als een zilveren dollar.

'Wat?' drong Julian aan, zijn blik nog steeds op haar gericht. 'Wat vind jij bekrompen denken?'

'Mensen die de hele tijd dingen kopen,' zei Secret zacht.

Julian deed er het zwijgen toe.

'Ik heb medelijden met ze,' vervolgde Secret.

'Susan, je bent dol op winkelen. Ga nou niet – '

'Nee, laat haar praten,' zei Julian op gekwetste toon. 'Ik wil het horen.'

'Niks,' zei Secret, helemaal in elkaar gedoken. 'Zodra jij een minuutje vrij hebt, rij je ergens naartoe om iets duurs te kopen. Hoeveel kostbare antieke meubels heeft een mens nou nodig?' Ze dacht aan het koetshuis, dat boordevol stond met mahoniehouten tafels, kastjes van rozenhout, banken van teakhout. 'Je zou zelf een winkel kunnen beginnen.'

'Ja, maar ik heb het niet nodig,' zei hij.

'Ik weet het,' zei Secret. Om de een of andere reden dacht ze aan Sarah Talbot; zij verkocht mooie spullen, maar dat deed ze om mensen gelukkig te maken. Ze wilde dat de studenten zich warm en veilig voelden, gewikkeld in dikke donzen dekbedden en zachte wollen dekens. Ze waren dan wel ver bij hun ouders vandaan, maar met de dingen uit haar winkel konden ze het toch gezellig en behaaglijk hebben. Ze vroeg zich af of Sarah naar de kermis was gegaan.

'Julian geeft je allemaal mooie spullen, schat, maar je klinkt niet bepaald dankbaar.'

'Papa geeft me alles wat ik nodig heb.'

Julian maakte een geluid door zijn neus.

'Wat?' vroeg Secret, en ze voelde iets hards in haar borst. Ze begon sneller adem te halen, en haar luchtpijp raakte verstopt.

'Je hebt gelijk, je hebt volkomen gelijk,' zei Julian.

'Waarom maakte je dan dat geluid?' Secret hijgde nu.

'O, zomaar. Het is waar, wat je over je vader zei. Hij zorgt dat je kleren hebt, en hij betaalt voor je eten. Maar –'

'Wat?' Secret gilde nu bijna.

'Het hangt er maar helemaal van af wat je voor kleren wilt dragen. Als jij tevreden bent met goedkope confectie, vind ik het best.'

'Ja, dat ben ik!'

'Je bent nog een beetje jong, Susan. Over een tijdje zeggen de namen Armani en Prada je misschien wel iets. Dolce & Gabbana, weet je wel? Ik wil je als een prinses behandelen. Ik heb zelf geen dochter. Ik heb niet gezien dat je die Gainsboroughs op de gang hebt gezet. Het is allemaal leuk en aardig om piloot te zijn, maar van zo'n salaris kun je geen mooie schilderijen kopen. Weet je wat ik bedoel?'

'Zo is het wel genoeg, Julian,' zei Alice.

'Ik wil gewoon dat ze het begrijpt.' Julian stak een hand uit en streelde het hoofd van zijn vrouw. 'Hoe de wereld in elkaar zit.'

'Laat haar vader erbuiten.' Alice liet haar stem dalen. 'Zeg nooit nare dingen over Will tegen haar.'

Haar moeder probeerde haar vader te verdedigen, maar het was al te laat. Secret had een astma-aanval. Ze snakte naar adem. De lucht raspte door haar luchtpijp naar haar longen. Ze onderdrukte een snik, zo alleen voelde ze zich op de achterbank. Haar moeder keek om, en vroeg Secret met haar ogen of het een beetje ging. Secret knikte, haar ogen glinsterend van de tranen. Ze staarden elkaar aan, allebei iets willend wat ze nooit konden hebben.

Toen haar moeder zich weer naar Julian omdraaide, opgewekt tegen hem begon te praten om zijn slechte humeur te verdrijven, was Secret heel ver weg. Haar ogen vielen dicht, en ze zeilde. De zeilboot vloog over het water van de Narragansett Bay, en de witte torenspits van de Trinity Church stak scherp af tegen de blauwe septemberhemel. Haar vader stond aan het roer, Fred zette het fokkenzeil vast, en Secret en de vrouw zaten lekker achterover, hun monden open van vreugde om de wind in te drinken. De vrouw was zo gelukkig, haar ogen glansden van liefde. Secret wist dat dit haar moeder hoorde te zijn, maar in haar fantasie was dat niet zo. In haar fantasie was haar moeder er met Julian vandoor om geld uit te geven.

Met haar ogen dicht zat Secret op de achterbank van Julians Range Rover, onderweg naar een paraplustandaard in plaats van naar de kermis, en ze balde haar handen tot vuisten om de dagdroom vast te houden. Het was een mooie dag, het water in de baai was kalm, haar vader en Fred lachten. De vrouw die naast haar zat had een thermosfles met warme cider meegebracht. Ze zeilden naar een eiland, een geheim eiland waar geen van hen ooit was geweest, en daar zouden ze gaan picknicken. Glimlachend zat de vrouw in de zon, en ze draaide zich opzij naar Secret, raakte haar hand aan, en nu kon Secret haar gezicht zien, haar lieve en berustende gezicht, het gezicht van Sarah Talbot.

Hoofdstuk 5

Sarah zat in een papieren jasschort op dokter Goodacre te wachten. Bij elk maandelijks bezoek moest ze altijd tijdenlang geduld oefenen. Hij was neurochirurg, en bij de meeste van zijn patiënten was het een kwestie van leven of dood. Als er sprake was van hersenletsel, wilde je dokter Goodacre. Hij behandelde de slachtoffers van frontale botsingen, de motorrijders die zonder helm uit de bocht waren gevlogen, de kinderen die in ondiep water waren gedoken en hun nek hadden gebroken, de ruiters die van hun paard vielen en een dwarslaesie opliepen, de mensen die wakker werden met een hersentumor.

Zijn assistente, Vicky, kwam binnen. Ze maakte een gespannen en gejaagde indruk. Met een geconcentreerde uitdrukking op haar gezicht opende ze een kast en begon iets te zoeken. Ze zuchtte en gaf het op, sloeg de deur dicht en probeerde een la. Ze was klein en slank, met kastanjebruin haar en een fantastisch figuur, en Sarah stelde vast dat ze buiten haar werk waarschijnlijk erg aantrekkelijk was. Door haar werk voor dokter Goodacre stond ze echter onder zware druk, zodat ze ongeduldig en venijnig overkwam.

'Hallo, Vicky,' zei Sarah.

'O, hallo,' zei Vicky afwezig.

'Zit hij je achter de vodden?'

'Hij heeft een operatiesetje nodig, en hij wil het eergisteren, weet je wel?'

Sarah lachte. Ze had de arts nu negen maanden lang in actie gezien, en ze wist precies wat Vicky bedoelde. Dat hij het soort dokter was waar je behoefte aan had als je leven op het spel stond, maakte hem als baas waarschijnlijk een nachtmerrie.

Sarah zat op de rand van de onderzoektafel en keek Vicky na toen ze de kamer uit vluchtte. Ze had willen vragen hoe lang ze nog moest wachten, of de verwarming misschien iets hoger kon worden gezet, maar dat slikte ze in. Haar reis door de ziekte had haar geleerd bepaalde details voor lief te nemen. Ze had zichzelf erop getraind om te focussen op de belangrijkste dingen, dan vielen de kleine dingen vanzelf op hun plaats.

Eindelijk kwam dokter Goodacre binnen. Hij was lang en uitzonderlijk mager, gekleed in een donker pak met een witte jas erover. Bij de nek was een lichtgele das zichtbaar. Hij had kort donker haar, en ondanks zijn ronde metalen brilletje en het ontbreken van een baard leek hij op Abraham Lincoln. Zonder te glimlachen pakte hij Sarahs kaart uit een vakje achter de deur.

'Hallo, dokter,' zei ze.

'Hallo, Sarah.'

'Wat heeft iedereen het druk vandaag.'

'Mmm.'

Met gefronste wenkbrauwen begon hij te lezen. Sarah schrok niet van zijn ernstige gezicht. Ze begreep dat dit gewoon zijn manier van doen was, zijn manier om te voorkomen dat hij te veel ging voelen voor de patiënten die er het slechtst aan toe waren. Dokter Goodacre had haar leven gered, en ze bewonderde hem met heel haar hart.

'Heb je pijn?'

'Alleen als ik het litteken aanraak.'

'Last van dode vingers? Tintelen?'

'Nee.'

'Geen attaques meer?' vroeg hij, kijkend naar de kaart.

'Niet meer sinds juli.' Sarah sloot haar ogen en zei een schietgebedje. De attaques waren vreselijk. Ze had er drie gehad, inclusief de eerste, die haar had gewaarschuwd dat er iets mis was. Negen maanden geleden was ze kerngezond geweest, ze rende tien kilometer per dag, trainde voor haar eerste marathon. Op een dag kwam ze bij toen ze in haar douche op de grond lag. Het warme water was op. Ze kon zich niet herinneren dat ze onder de douche was gegaan, en ze wist niet hoe lang ze daar had gelegen. Ze had er al haar kracht voor nodig gehad om naar de telefoon te kruipen en 911 te bellen.

Eerst dachten ze dat ze een hartaanval had gehad. Ze kon zich niet bewegen, kon nauwelijks praten. Haar ledematen voelden zwaar en ze zag dubbel. Cardiologen zwermden om haar heen, sloten haar aan op hartmonitors, gaven opdracht voor het maken van een elektrocardiogram, een EEG en een CT-scan. Uit de CT-scan bleek epileptische activiteit, en de cardiologen hadden haar overgedragen aan de afdeling Neurochirurgie. Binnen een dag hadden ze de hersentumor gevonden.

'Oké.' Hij liet de kaart zakken, en boog zich naar voren om in haar ogen te kijken.

Ze rook zijn kruidige geur en glimlachte. 'Als ik een vriendje had, zou ik willen dat hij die aftershave gebruikte.'

'Ga eens rechtop zitten en doe je ogen dicht,' zei hij zonder terug te glimlachen. 'Strek je armen voor je uit.'

Ze deed wat haar werd opgedragen, wetend dat hij controleerde of haar armen en handen niet trilden.

'Spreid ze nu eens opzij.'

Als vleugels, dacht ze, als een vliegtuig dat naar Maine vliegt.

'Raak met je linkerwijsvinger je neus aan. Nu met de rechter. Ogen dicht! Mooi zo.'

Sarah voelde zich net een klein kind bij de schooldokter. Met haar ogen dicht, zich bewust van dokter Goodacres vertrouwde geur, voelde ze zich veilig. Aanvankelijk was ze bij hem gekomen omdat ze een second opinion wilde. De eerste dokter, in een klein ziekenhuis aan de andere kant van de stad, had haar verteld dat ze een osteogeen sarcoom had, de meest dodelijke tumor die er is. Volgens hem zou behandelen het onvermijdelijke alleen maar uitstellen, zou ze zelfs als ze werd geopereerd niet meer dan tien weken te leven hebben. Hij had haar aangeraden om naar Parijs te gaan, de dingen te eten die ze lekker vond, en afscheid te nemen van haar dierbaren. Terwijl hij dit zei, had hij haar hand vastgehouden. Hij was een dagje ouder en had een goede reputatie, en had op ernstige toon gesproken, vol medelijden.

Hij had haar naar huis gestuurd. Sarah was in shocktoestand, dacht aan Parijs en Mike en over tien weken doodgaan, en ze had zich opgerold als een bal. Was dit wat haar moeder had doorgemaakt? Huilend had Sarah tot haar gebeden. Ze was zo ziek en verzwakt dat ze een wijkverpleegster nodig had gehad. Meg Ferguson was gekomen. Zes dagen na haar doodvonnis was Mike weggegaan naar Maine. Tien dagen erna stortte ze haar hart uit bij Meg, en ze had geluisterd naar haar opbeurende woorden en logische conclusie: zorg voor een second opinion.

Een second opinion: licht in het donker, hoop na de totale wanhoop. Opeens zag Sarah glashelder dat ze niet bereid was om de prognose te accepteren. Haar moeder was op het eiland te geïsoleerd geweest om tegen de ziekte te vechten, maar dat gold niet voor Sarah. Sarah was moeder, haar zoon was weggelopen naar Maine, ze wilde niet naar Parijs, ze kon niet doodgaan aan een hersentumor. Ze wilde niet doodgaan, ze zou niet doodgaan. Sarah zou níet doodgaan. Ze kon haar moeder bijna horen smeken dat ze moest vechten. Meg had haar de naam en het nummer van dokter Goodacre gegeven. En Sarah had hem gebeld.

'Ik overweeg om een paar dagen weg te gaan,' zei ze nu tegen dokter Goodacre.

'Waarheen?' vroeg hij terwijl hij de achterkant van haar hoofd onderzocht.

'Naar Maine. Om mijn zoon op te zoeken.'

'Aha.' Zijn vingers gingen over het litteken. De tumor had in het hersenvlies gezeten, tussen de schedel en de hersenen, en had zich vastgezet op de sinuszenuw. Het was een uitdaging geweest om de tumor operatief te verwijderen zonder dat Sarah zou sterven of verlamd zou raken. Maar dokter Goodacre had een klein wonder verricht en negenennegentig procent verwijderd. Om erbij te kunnen, had hij een grote flap in haar hoofdhuid gesneden. Het litteken was U-vormig, en zag eruit als een grote rode grijns op haar achterhoofd.

'Ik heb u over hem verteld,' zei ze. 'Mike, weet u nog? Toen ik voor de eerste keer bij u kwam was hij net naar Maine gegaan.'

'Om te studeren?' vroeg hij, turend naar de incisie.

'Nee, om bij mijn vader te gaan wonen.' Sarah sloot haar ogen. Ze probeerde zich niet gekwetst te voelen. Moest dokter Goodacre zich soms de trivialiteiten van haar leven herinneren, alleen maar omdat hij zoveel voor haar betekende? Dat was onmogelijk, met zoveel patiënten. Maar dat ze Mike in gedachten als een 'trivialiteit' had afgedaan bezorgde haar een schuldgevoel, en ze kroop in haar schulp.

'Vraag je aan me of ik vind dat je het moet doen?' wilde hij weten.

'Ja, dat vraag ik.'

'Ik zie niet in waarom niet.' Hij leunde tegen een kast, en voor het eerst sinds hij de kamer binnen was gekomen, keek hij haar echt aan: in haar ogen, alsof ze een mens van vlees en bloed was, geen verzameling lichaamsdelen die bestudeerd konden worden. 'Heb je het al aan dokter Boswell gevraagd?'

'Nee,' zei Sarah. 'Moet ik dat doen?' Dokter Boswell was haar oncologe. Hoewel ze een belangrijke rol had gespeeld bij Sarahs herstel, toezicht had gehouden op de bestraling en de chemotherapie, bleef dokter

Goodacre de Ware. Hij was degene die de diagnose grootcellig lymfoom had gesteld, aanzienlijk minder dodelijk dan osteogeen sarcoom, en die haar de mogelijkheid van langdurig herstel had geboden. Hij was degene in wie Sarah vertrouwen had, degene aan wie ze haar hoop en angsten toevertrouwde.

'Ik zal vragen of Vicky haar wil bellen,' zei de arts terwijl hij een aantekening maakte op Sarahs kaart. 'Als zij er geen bezwaar tegen heeft, vind ik het best.'

'Echt?' vroeg Sarah.

'Je weet wat de mogelijkheden zijn, Sarah. Je hebt alles gedaan wat we van je hebben gevraagd, en je hebt er goed op gereageerd.'

'Ik wil gewoon niet dat het terugkomt,' zei ze met een huivering. Klonk dat dom? Wie wilde nou dat het wél terugkwam?

'Dat weet ik. We kunnen niet voorspellen... De tumor zat op een heel ongelukkige plek, en was tamelijk agressief voor een lymfo –' Hij brak zijn zin af. De uitdrukking op zijn gezicht zei genoeg. Dokter Goodacre waardeerde Sarahs intelligentie en intuïtie, hij hoefde het niet uit te leggen alsof ze een klein kind was. Misschien zou ze blijven leven, misschien ook niet. Sarah wist wat het betekende om kanker te hebben; ze had haar eigen moeder zien sterven in haar bed op Elk Island. Ze had gezien dat haar vader bijna was weggekwijnd van verdriet.

'Ik wil mijn zoon graag zien,' zei ze rustig en emotieloos. 'Ik wil graag naar huis.'

Hij knikte. 'Wees op je qui-vive,' zei hij. 'Als je merkt dat bepaalde lichaamsdelen gevoelloos zijn of gaan tintelen, moet je me onmiddellijk bellen. Maar ik zie geen reden waarom je niet zou gaan.'

'Fijn,' zei Sarah, en ze gloeide alsof ze net een wedstrijd had gewonnen.

'Over een maand zie ik je terug,' zei dokter Goodacre even streng als altijd. Hij stond op het punt om weg te gaan, door naar een volgende patiënt, en zijn hand lag al op de deurknop.

'Dokter,' zei Sarah, en ze moest moed bijeenrapen om verder te gaan. Ze had hem nog nooit een persoonlijke vraag gesteld. 'Hoe is het met uw vader?' De laatste keer dat ze hier was, had ze Vicky horen zeggen dat zijn vader een hartaanval had gehad.

'Beter.' Hij bleef staan en keek Sarah nieuwsgierig aan, alsof hij zich afvroeg hoe ze dat wist. 'Maar hij woont in Florida, en ik kan niet bij hem zijn. Mijn oudere broer verzorgt hem.'

'Doet hij het goed?' vroeg Sarah.

'Hij is een engel!' zei de arts heftig. Opeens grijnsde hij, en hij keek Sarah recht in de ogen. Even ging zijn blik omhoog naar het plafond, vol emoties, en toen weer naar Sarah. Ze wist hoe het voelde om te houden van iemand die ver weg was, ziek te zijn van bezorgdheid en erop te moeten vertrouwen dat iemand anders voor hem zorgde. In zekere zin zorgde de broer van dokter Goodacre ook voor hem, de dokter zelf.

'Daar ben ik blij om,' zei ze. 'Dat u zo'n geweldige broer hebt.'

'Ik zou willen dat iedereen iemand had zoals hij.'

Sarah had de arts nog nooit zo meegemaakt, en ze knikte. Hij bleef nog even staan voordat hij wegging. De deur ging zacht achter hem dicht.

Eenmaal alleen in de kamer sloot Sarah haar ogen. Ze voelde het snelle kloppen van haar hart. Haar oefeningen werkten altijd rustgevend, dus strekte ze haar armen naar voren. Toen weer opzij, zoals ze net ook had gedaan. Sarah had nooit een broer gehad zoals die van de dokter, ze had nooit een engel in haar leven gehad. Maar toen dacht ze aan Will Burke, die haar in zijn armen had gehouden op de kermis, en die haar naar huis zou vliegen.

Naar Mike.

Will reed over de lange oprijlaan omhoog. Het pad liep zigzaggend tussen een woud van eiken en witte dennen tegen Windemere Hill op. Het had de nacht daarvoor gesneeuwd, en de takken bogen diep door. Boven aan de heuvel kwam het pad uit op een groot, met sneeuw bedekt gazon, omzoomd door gladgeschoren heggen met een witte hoed. Het was vrijdagmiddag laat, en hij kwam zijn dochter ophalen.

Julians indrukwekkende herenhuis rees vorstelijk op uit het witte landschap. In de lus van de oprijlaan stonden twee oude Ferrari's geparkeerd, en een Porsche 356 was zichtbaar in het koetshuis. Will stopte, en probeerde geen rancune te voelen omdat één man dit allemaal bezat, en dan ook nog Alice en Susan.

Tot zijn verbazing zag hij Alice uit de voordeur naar buiten komen, want hij had Susan verwacht. Zijn adem stokte zodra hij haar zag. Nog steeds was ze de mooiste vrouw die hij ooit had gezien, met haar roomkleurige huid, grote, amandelvormige blauwe ogen, zijdezacht goudkleurig haar, en een mooi, vrouwelijk figuur. Ze liep in korte zwarte laarsjes door de sneeuw.

Ze droeg nauwsluitende grijze sportkleding, waar al haar vormen in uitkwamen. In de vijftien jaar na de geboorte van haar dochter had ze onvermoeibaar geprobeerd om de lichte ronding van haar buik weg te krijgen. Onwillekeurig controleerde Will of het haar nu eindelijk was gelukt. Nee.

'Ze vroeg of ik tegen je wil zeggen dat ze iets later is,' zei Alice gejaagd, haar armen gekruist voor haar borst. Haar adem vormde witte wolkjes.

'Het geeft niet.' Will stapte uit zijn auto en leunde tegen het portier. Hij droeg een spijkerbroek en een oude groene trui. Het was ijskoud, en hij moest de impuls onderdrukken om haar het leren jack dat hij op de achterbank had gegooid aan te bieden.

'Ze heeft de laatste tijd veel last van astma.'

'Echt?'

'Het is natuurlijk volkomen psychosomatisch, dat weten we allemaal. Ze zorgt gewoon dat ze een aanval krijgt als ze wil onderbreken wat er gebeurt. Ik neem het haar niet kwalijk, ze heeft een hoop meegemaakt, maar ze moet wel altijd in het middelpunt van de belangstelling staan.'

'Dat wilde ik ook toen ik vijftien was,' zei Will glimlachend.

'Dat wil je nog steeds.'

Maakte ze een grapje? Will wist het niet. Haar gezicht stond streng, en ze staarde naar zijn schoenen. Het was een oud paar, het bruine leer was versleten en kaal, en ze waren net verzoold. Hij vroeg zich af of ze zich nog herinnerde dat ze die schoenen hadden gekocht voor hun eerste winter in Fort Cromwell, vijf lange jaren geleden.

'Zeg, ik wilde je iets vragen over Thanksgiving,' zei Will.

Haar hoofd kwam met een ruk omhoog. 'Thanksgiving? Ze blijft bij mij. We hebben plannen –'

'Rustig!' Will stak een hand op. Allemachtig, zelfs het onbenulligste gesprek verliep zo gespannen, alsof er over elk punt onderhandeld moest worden. Onwillekeurig dacht hij aan andere jaren, toen gesprekken met Alice over Thanksgiving gingen over de rol die Fred speelde in het toneelstuk op school, Susan die de dochter van de pelgrims speelde, of ze naar zijn ouders zouden gaan of naar de hare, of ze pastei met gehakt of met pompoen zouden eten, of allebei.

'Je weet dat ze in de vakanties bij mij is, Will. Dat hebben we afgesproken.'

'Ja, dat weet ik. Rustig nou maar, Alice. Ik wilde je gewoon wat vragen.'

'Goeie god. Alles lijkt wel een stompzinnig gevecht.' Ze sloeg haar armen zo mogelijk nog strakker over elkaar.

'Het is geen gevecht. Ik wil je alleen laten weten dat ik de stad uit ben.'

'Best.'

'Mooi zo.'

'Waar ben je dan?' Ze keek op, met een nieuwe emotie in haar korenbloemblauwe ogen. Bezorgdheid? Will had wel eens gehoord van vrouwen die wegliepen bij hun man, een heel nieuw leven begonnen, en dan opeens een enorme nieuwsgierigheid naar het leven van hun ex aan de dag legden. Was dat wat hij in Alices ogen las? Hij betwijfelde het.

'Ik heb een charter naar Maine. Ik wilde het je laten weten, voor het geval haar astma heel erg wordt, of als ze me ergens voor nodig heeft. Snap je?'

Alice knikte, en haar strenge gezicht stond nietszeggend.

'Maak je toch geen zorgen,' zei Will. 'Secret redt zich wel.'

'Secret? Jezus, Will!' barstte Alice uit. 'We hebben haar Susan genoemd. Jij wilde haar een naam met kracht geven, je wilde haar vernoemen naar iemand tegen wie ze op zou kunnen kijken.'

'Susan Mallory,' beaamde hij, denkend aan zijn grootmoeder.

'Waarom doe je dan mee aan die onzin van haar? Volgens mij is het ongezond, dat is mijn mening. Julian denkt dat ze weer in therapie moet.'

'Dan hoeft het dus niet.' Will voelde een puberale agressiviteit. 'Als Julian vindt dat het nodig is. Heb je hem niet verteld dat ze al bij een psychiater is geweest toen we net in Fort Cromwell woonden?'

'Natuurlijk wel. Hij kent dokter Darrow.' Ze maakte een gefrustreerd gebaar met haar hand, zodat haar juwelen fonkelden – de grootste diamanten ring die Will ooit had gezien, en een ring die waarschijnlijk haar trouwring was, bezet met diamanten en smaragden. Will ademde langzaam uit.

'Hai!' riep hun dochter, en ze stormde naar buiten met haar rugzak, plunjezak en een klein pakje.

Ze stond daar als een ster die opkwam op een podium: stralende glimlach, theatrale houding, grenzeloze energie, armen wijd gespreid om haar enthousiaste publiek te begroeten. Haar ouders waren te overstuur om te applaudisseren of zelfs maar te glimlachen, maar Will probeerde het wel. Hij glimlachte half naar haar en stak zijn linkerarm uit om haar te omhelzen toen ze door de sneeuw naar hem toe rende.

'Hai, Secret,' zei hij.

'Jezus,' mompelde Alice.

'Hai, pap. Vind je het erg om even door de stad te rijden? Ik moet iets afgeven bij een vriendin.'

'Geen probleem,' zei hij.

'Ik heb het nummer nodig waar je met Thanksgiving te bereiken bent,' zei Alice kortaf. 'Voor de zekerheid.'

'Ga je weg met Thanksgiving?' Secret tilde geschrokken haar hoofd op van zijn borst en keek hem zorgelijk aan.

'Voor mijn werk,' zei hij.

'Ga je wérken met Thanksgiving?'

'Ik vlieg de vriendin van Meg Ferguson naar Maine, Sarah Talbot.'

'Is dat je klant?' vroeg ze duidelijk verbijsterd, starend naar haar kleine pakje.

'Heb je je inhalator?' vroeg Alice, en ze trok haar dochter bij Will vandaan om haar een kus te geven. Dat zijn ex-vrouw hun dochter omhelsde bracht te veel herinneringen boven, en Will moest zijn blik afwenden. Hij staarde naar het koetshuis, en zag Julian naar buiten komen met een man in een blauwe overal. Tijd om te gaan.

'Ben je klaar, Secret?' vroeg Will terwijl hij haar tas pakte.

'Doe me een lol,' zei Alice. 'Ik heb zo'n hekel aan die naam. Als jullie met zijn tweeën zijn mogen jullie van mij spelletjes spelen, maar ik wil het niet hebben waar ik bij ben.'

'Je hoeft me geen Secret te noemen,' zei ze. 'Ik heb mijn naam veranderd. Sinds middernacht heet ik Snow.'

'Susan...' zei Alice dreigend.

'Hallo, allemaal,' zei Julian toen hij dichterbij kwam. Hij was lang, en bewoog zich op de soepele manier van een man die vaak traint of hardloopt, en hij had een stom paardenstaartje dat er idioot uitzag in combinatie met de rimpels in zijn gezicht. Hij moest een jaar of vijftig zijn, dacht Will. Hij droeg een duur suède jack met zijn eigen logo op de borst.

'Hallo, Julian.' Will gaf hem een hand.

'Weten jullie waarom ik Snow ben?' vroeg zijn dochter met een hoge, gespannen stem. 'Vanwege Fred. Hij hield van de winter, het was zijn lievelingsseizoen.'

'Susan, schat, hou op,' zei Will.

'Sleeën, skiën. Weet je nog dat we met z'n allen naar Mount Tom gingen? Hij vond het zo heerlijk daar, hij bleef de hele dag skiën, hij wilde zelfs niet ophouden om te lunchen, hij ging maar door totdat de liftjes gesloten waren en het al donker werd. En toen konden we hem niet vinden. Weet je nog?'

'Ik verdraag dit niet.' Alice was vuurrood aangelopen.

'In Newport speelden we dat we engelen waren. We lagen in de sneeuw bij de kerk, we keken uit over de haven, en we lagen op onze rug met onze armen en benen gespreid, zodat we een afdruk maakten in de sneeuw. Weet je nog?'

'Ik weet het nog,' zei Will, kijkend naar haar glinsterende ogen.

'Hou op, schat.' Alice pakte haar pols, en de tranen liepen over haar wangen. 'Je krijgt hem niet terug door je naam te veranderen.'

'Hij hield zo van de winter,' vervolgde ze alsof ze niets had gehoord. 'En als het sneeuwde en de steigers helemaal wit waren. Hij vond het niet erg. Sneeuw. Hij ging in september dood, dus was ik September, en hij bewaarde al mijn geheimen, dus was ik Secret, en hij was helemaal weg, weg, weg van sneeuw, dus nu ben ik Snow.'

'O, God.' Alice begroef haar gezicht in haar handen en begon te huilen.

'Kun je je dochter niet tot de orde roepen?' vroeg Julian scherp. Hij sloeg zijn armen om Alice heen en keek Will vernietigend aan.

Will zei niets. Hij nam de handen van zijn dochter in de zijne, keek haar diep in de ogen en probeerde haar te bereiken. Ze was wild, gek van verdriet om Fred. Will voelde het ook, net als Alice. Will was er kapot van geweest, had ontslag genomen bij de marine voordat ze hem eruit konden schoppen. Nu had hij weer dat allesoverheersende gevoel van verlies. Zijn hart bonsde, hij probeerde zijn dochter naar zich toe te trekken, maar ze verzette zich. Ze keek Julian aan met haat in haar blik.

'Hoe durf je zo tegen mijn vader te praten,' viel ze uit.

'Luister,' zei Julian. 'Ik heb er schoon genoeg van dat jij zo oneerbiedig bent tegen je moeder. Ik pik het niet langer. Als je vader er niets van zegt, dan doe ik het. Je doet je moeder verdriet, Susan. Als je terug wil naar dokter Darrow, dan zullen we daarvoor zorgen. Maar je houdt onmiddellijk op met dit gedoe.'

Will voelde het zelfs niet aankomen. De klap begon ergens diep vanbinnen, en tegen de tijd dat zijn hand was bereikt, lag Julian languit op de oprijlaan. De sneeuw kleurde roze door het bloed uit zijn neus. Alice gilde, de monteur wiegde geschrokken heen en weer, en Susan huilde. Wills knokkels deden pijn, alsof er iets gebroken was. Zijn hoofd bonsde, en nu al begon de emotionele kater.

'Het spijt me,' zei hij kalm tegen de man van zijn ex-vrouw. 'Ik verdraag het niet dat je zo tegen mijn dochter praat.'

'Stomme maniak,' zei Julian, terwijl hij worstelde om overeind te komen. 'Geen wonder dat de marine je eruit heeft geschopt. Je bent een bedreiging voor de samenleving.'

Will overwoog zijn hand uit te steken om de man overeind te helpen, maar hij wilde er niet ook nog een belediging aan toevoegen. Hij bleef nog even naar Julian kijken om te zien of hij zich normaal kon bewegen en niets gebroken had. Alice huilde nu nog harder, en hij schaamde zich ervoor dat hij dat op zijn geweten had. Toen draaide hij zich om naar zijn dochter, en hij probeerde haar met een glimlach gerust te stellen.

'Sarah vindt het een mooie naam,' zei zijn dochter, haar ogen groot van paniek. Ze keek alsof de wereld haar had bedrogen, alsof ze net uit een klooster of een gesticht kwam en vreselijk schrok van de echte wereld, van wat ze buiten aantrof. Maar ze had de naam Sarah uitgesproken, en dat raakte Will. De woede zakte weg. Hij wilde dat hij nu met haar samen was, samen met haar ergens heen vloog waar zij naartoe wilde, waar dat ook was.

'Sarah? Wie is Sarah?' vroeg Alice, maar niemand gaf antwoord.

'Kom op, Snow.' Will gebaarde met een trillende hand. 'We gaan.'

Zonder nog een woord te zeggen stapten ze in Wills oude blauwe Jeep en reden weg.

Het Keuls Filharmonisch Orkest speelde die avond in de concertserie van het Marcellus College, en Julian had een abonnement op die serie. Maar zijn neus was gebroken, en hij had een humeur om op te schieten, dus lag hij op de bank met een ijskompres en een fles Courvoisier terwijl Alice probeerde te lezen. Ze zaten in de bibliotheek en luisterden naar Sibelius. In de grote open haard knapte een vuur.

Toen ze hoorde dat Julian begon te snurken, liet Alice haar boek zakken. Ze legde het weg op een bijzettafel en keek naar haar slapende man. Hij hield zo veel van haar en deed zo zijn best. Zacht gaf ze hem een kus en liep op haar tenen de kamer uit. Ze zwierf door het enorme huis en luisterde naar het huilen van de wind. Dit was haar huis, haar thuis. Dat bleef ze tegen zichzelf herhalen terwijl ze langs portretten liep van mensen die ze nooit had gekend. Toen ze hier was komen wonen, had ze gedacht dat ze gelukkig zou worden. Ze had liefde gevonden, en die zou haar redden.

Er waren momenten in haar leven geweest, vreselijke momenten, dat ze had geleerd om keuzes te maken. Op haar vijfendertigste, bijvoorbeeld, vastgeroest in een patroon dat in de loop der jaren was ontstaan, omringd door mensen die ze meende te kennen. Ze had een gezin gesticht met een man, zijn kinderen grootgebracht, zijn naam gebruikt. Alles ging zijn gangetje, ze was niet gelukkig, niet ongelukkig, totdat de bodem eruit viel.

Haar enige zoon overleed. Het hele gezin was samen geweest toen het gebeurde. Het ongeluk was een nachtmerrie geweest, niemand deed wat ze van hen had verwacht en niemand ontwaakte op tijd. Iedereen reageerde op een onverwachte manier.

Niets kon hem terugbrengen, en Alice bleef achter met de ravage. Een dochter die niet kon ophouden met huilen, een man die zijn verstand verloor.

Haar man verdronk in zijn eigen hel en werd nalatig. Had ze eigenlijk ooit van hem gehouden? Ze wist het niet. Toen ze werd genegeerd terwijl ze hem zo hard nodig had, begon ze hem te haten. Hij nam ontslag, ontwortelde het gezin, en verhuisde naar een plek ver weg van alles wat vertrouwd of troostend was. Ze had hem gesmeekt om tot inkeer te komen, en hij hoorde haar niet eens. Ze had een baan genomen, gewoon om weg te zijn uit hun huis. Ze hield van haar nieuwe baan, ze hield van haar nieuwe baas.

En haar nieuwe baas hield van haar. Hij behandelde haar als een koningin, een geliefde, een vrouw. Ze hadden een verhouding, maar opeens draaide haar hele wereld om hem, dus 'een verhouding' was het verkeerde woord voor wat ze voor elkaar voelden. Dít was goed, dít was waarvoor ze was geboren, dít was altijd Gods bedoeling geweest. Zo voelde het, dus was ze bereid geweest om het hart van haar man te breken. Het gezin van haar dochter uiteen te rijten. Haar zoon was begraven, maar ze stelde zich voor dat hij haar zijn zegen gaf. Hij zou willen dat zijn moeder gelukkig was.

Heb ik het wel goed gedaan? Die vraag zou ze zichzelf haar leven lang blijven stellen. Ze hield van haar nieuwe man, koesterde hem met heel haar hart, ze lag 's nachts naast hem en was dankbaar voor haar gelukkige gesternte. Ze gaf haar baan op en ging als vrijwilligster in het ziekenhuis werken omdat ze nu zo rijk was. Maar er was zoveel pijn. Ze zag het elke keer dat ze naar het gezicht van haar dochter keek, ze zag de gebroken man die ze had achtergelaten en gaf zichzelf de schuld van al zijn slapeloze nachten. Ze wist dat hij die had, want niemand kende hem zo goed als zij.

Alice liep door het grote, lege huis en bleef maar denken aan Wills razernij, de woede in zijn ogen toen hij Julian tegen de grond sloeg. Hij had die woede heel lang opgekropt, had gewoon gewacht op een excuus. Ze gaf zichzelf de schuld. Net zo goed als ze zichzelf de schuld gaf van Susans bespottelijke naamsveranderingen, net zo goed als Will zichzelf de schuld gaf van Freds dood.

Haar voeten voelden lekker warm aan in haar met vacht gevoerde pantoffels toen ze als een gekwelde slaapwandelaar door het huis zwierf. Susan was bij Will, dus dit was misschien een goede gelegenheid om in haar kasten te kijken wat voor kleren ze nodig had. Kerstmis stond voor de deur, en ze wist dat Julian bijzondere dingen voor haar wilde kopen.

Maar toen ze bij Susans kamer kwam, bleef ze stokstijf staan.

In de gang, keurig naast elkaar tegen de notenhouten lambrisering, stonden de twee Gainsboroughs die Julian haar had gegeven. Alice staarde ernaar, de prachtige doeken in hun grote gouden lijsten. Het kleine meisje, de twee hondjes. Ze dacht aan wat Julian in de auto onderweg naar de veiling had gezegd, dat Will niet genoeg verdiende om dit soort schilderijen te kunnen kopen, en sloot haar ogen.

Dit was haar te veel. Het gewicht van haar dochters verdriet drukte zwaar op haar schouders, en ze liet zich op de grond zakken. Koude tochtvlagen bliezen door de kamers. Ze sloeg haar armen rond haar borst en boog haar hoofd. Omdat ze zich voortdurend zorgen maakte om Susan, was ze niet langer de vrouw op wie Julian verliefd was geworden. Ze zou alles kwijtraken: haar nieuwe huwelijk, haar geborgenheid, het respect van haar dochter.

Daar zat ze, moederziel alleen in de gang van Julians stenen château, en ze fluisterde één enkel woord: 'Help.'

Hoofdstuk 6

Op zaterdagochtend had Sarah net haar winkel geopend toen ze het tinkelen van de belletjes boven de deur hoorde. Fris, witgeel licht scheen in haar ogen, dus bukte ze zich om geen last te hebben van het zonlicht. Will Burke en zijn dochter stonden in de deuropening met twee witte zakjes van de bakker.

'We waren hier gistermiddag al, maar je was al dicht,' zei het meisje.

'Betrapt,' zei Sarah. 'Ik wilde naar de film in Wilsonia, dus heb ik de winkel iets eerder dichtgedaan. Wat zit er in die zakjes?'

'We hebben ontbijt voor je meegebracht,' zei Will. Hij zag er gebruind en sexy uit, dik ingepakt in een jagersgroen ski-jack. Zijn oren waren rood van de kou, en bij de hoeken van zijn grijsblauwe ogen vormden zich kraaienpootjes in het zonlicht.

'Kunnen jullie soms gedachten lezen?' vroeg ze met een grijns. 'Ik rammel!'

'Echt waar?' vroeg het meisje.

'Echt waar, Snow,' zei Sarah. 'Mijn maag knort.'

Snow ademde luid en dramatisch in, en sloeg een gehandschoende hand voor haar mond. Ze was bleek, met donkere kringen onder haar ogen. 'Hoe wist je dat ik mijn naam heb veranderd?'

'Je hebt me toch verteld dat je voor de winter "Snow" wilde zijn? Kijk eens naar buiten.' Sarah wees naar de met sneeuw bedekte straat, het verse poeder op de daken en de naaldbomen, op het beeld van generaal Jameson Cromwell in het plantsoen.

Snow en haar vader keken elkaar aan. Diepe emoties waren zichtbaar in de ogen van het meisje. Ze was zo nerveus geweest dat ze nauwelijks stil kon staan, maar nu begon ze te kalmeren. Ze haalde diep adem, trok de geruite das van haar hals en hing die over het met damast opgemaakte bed.

'Laten we hier gaan zitten.' Op het bureau maakte Sarah plaats voor de donuts, de koffie en het sap. Donuts kwamen niet voor op haar lijstje van gezonde etenswaren, ze waren te zoet en te vet, maar vanochtend zou ze zich door niets laten weerhouden en er een eten.

Gadegeslagen door Will en Snow pakte ze een donut en ze genoot met overgave van haar eerste hap. Dat was haar motto: als je iets doet, kun je er net zo goed van genieten. Keuzes waren niet altijd zo makkelijk, maar het was de moeite waard om het te proberen.

'Ik heb gehoord dat je naar Maine gaat,' zei Snow, en ze legde een klein wit zakje op het bureau. Sarah stak haar hand uit om het open te maken, maar Snow gebaarde dat ze moest wachten. Nieuwsgierig schoof Sarah het opzij.

'Naar Maine? Ja, dat ben ik van plan,' beaamde ze.

'Volgens de vijfdaagse voorspelling blijft het koud en helder,' vertelde Will. 'Geen storm op til.'

'Waarom ga je helemaal naar Maine?' wilde Snow weten.

'Ik ga naar mijn zoon.'

'Heb je een zoon?' Snow liet de donut die ze net had gepakt bijna uit haar hand vallen.

'Ja. Mike. Hij is maar een paar jaar ouder dan jij.'

'Woont hij dan niet bij je? Waarom niet? Woont hij in Maine bij zijn vader?'

'Snow,' begon Will.

'Het geeft niet. Ik vind het fijn om over hem te praten. Hij is erg uitgesproken in zijn meningen, eigengereid, een echte individualist. Een jaar geleden heeft hij zijn school vaarwel gezegd, en hij is naar Elk Island gegaan om mijn vaders farm te redden.'

'Ben je op een farm opgegroeid?' vroeg Snow.

'Ja.' Sarah gebaarde naar de stapel dekbedden in een hoek. 'Zie je die? Die zijn op onze farm gemaakt. Een jaar of zeventien geleden ben ik met net zo'n winkel als deze begonnen in Boston, omdat het slecht ging met de farm. Mijn moeder is een tijd ziek geweest, en toen ik veertien was is ze overleden. Mijn vader was zo verstrooid... vooral toen zij er niet meer was. Er was iemand uit Thomaston die alle ganzen wilde kopen, en een man uit Camden was geïnteresseerd in het land. Dat zat me niet lekker, dus heb ik mijn studie eraan gegeven en een eigen bedrijf opgezet om de farm te ondersteunen.'

'Zo moeder, zo zoon,' concludeerde Will.

'Precies. Ik heb het allemaal aan mezelf te wijten. Was dat wat je wilde zeggen?'

'Nee, ik wilde zeggen dat je vader van geluk mag spreken.' Will gaf haar een kartonnen bekertje koffie.

Sarah bedankte hem en nam een slok.

'Heb je de farm gered?' vroeg Snow, helemaal op het puntje van haar stoel.

'Dat woord zou ik niet willen gebruiken.' Sarah dacht aan de vervallen gebouwen, de vermoeide oude ganzen, de verzakte hekken, haar tante Bess met haar oude trapnaaimachine. 'Maar tot nu toe kan hij de boel net draaiend houden.'

'Nu nog steeds?' vroeg Will.

'Ja. Ze maken tien dekbedden per jaar, en die betaal ik. Ze verkopen ook ganzen. Alles bij elkaar is het net genoeg om de belasting te betalen.'

'Wat moet je vader veel van je houden! Hij zal wel dolgelukkig zijn dat Mike nu bij hem woont,' zei Snow. Die gedachte maakte haar zo blij. Ze stak twee stukjes donut in haar mond, in elke wang een, en sloot zonder te kauwen haar ogen, intens genietend bij de gedachte aan een dankbare oude vader.

'Eigenlijk weet ik niet hoe hij erover denkt,' zei Sarah.

'Vraag het hem dan!' Voor Snow was dat zo vanzelfsprekend.

Het klonk inderdaad simpel. Maar tussen Sarah en haar vader lagen jaren en vele lagen verbittering: onenigheid over de behandeling van haar moeder, de nasleep van haar dood, het feit dat Sarah het eiland had verlaten. Sarah probeerde te glimlachen.

'Waarom vraag je het hem niet?' vroeg Snow bezorgd.

'Ik zei net al dat Mike eigengereid is. Nou, dat heeft hij van zijn grootvader. En meestal botsen zijn meningen met de mijne.'

'Moeilijk,' zei Will op een toon alsof hij het begreep.

'Nou, en of.'

'Dat is nog geen reden om het niet te proberen,' hield Snow vol. 'Hij is toch ook een mens. Ik moet er niet aan denken wat er zou zijn gebeurd als ik jou had opgegeven, pap. Dat zou pas moeilijk zijn.'

'Hé,' zei Will. Maakte hij een grapje, of was hij gekwetst? Sarah kon het niet lezen in zijn blik.

'Erger dan moeilijk,' zei Snow, kijkend naar Sarah.

'Vaders hebben het niet makkelijk,' zei Sarah, hoewel haar gedachten om de een of andere reden afdwaalden naar Zeke, die het wel heel erg makkelijk had gehad; zodra Sarah hem had verteld dat ze in verwachting was, had hij haar niet meer willen zien. Haar vader was door het lint gegaan. Wel had zijn woede op Zeke hem in elk geval een beetje afgeleid van zijn verdriet om Sarahs moeder.

'Ze máken het niet makkelijk,' stelde Snow.

Will nam nog een donut. 'Wat heb ik dan in vredesnaam misdaan?'

'Toevallig heb ik het over het feit dat je weg bent gegaan bij de marine en mama en mij hebt meegesleept naar deze godvergeten negorij.' Snow keek hem verwijtend aan, maar omdat ze bang was dat ze Sarah beledigde, raakte ze zacht haar hand aan. 'Sorry. Sommige mensen vinden het hier fijn, maar wij hebben de oceaan nodig.'

'Ik begrijp precies wat je bedoelt. Mijn zoon zei vroeger altijd hetzelfde tegen mij, en hij had gelijk. Ik ben uit Boston verhuisd naar – hoe noemde je het ook al weer? Deze godvergeten negorij. Mike noemde het altijd de rimboe.'

'Als ik weg kon lopen naar een farm, zou ik het misschien wel doen,' zei Snow.

'Loop alsjeblieft niet weg,' zei Will.

'Hij heeft gelijk, Snow. Luister naar je vader. Het is het niet waard.' Opeens had Sarah het koud. Ze droeg een geborduurd zijden jasje met brokaat en trok dat stevig om zich heen. Ze keek naar Will, zag de abstracte angst in zijn ogen, en wist wat hij voelde – het idee dat dit kind zomaar uit zijn leven kon verdwijnen.

'Ik zie niet in waarom niet,' protesteerde Snow. 'Mike is weggegaan, en nu ga je hem opzoeken voor Thanksgiving, zodat de hele familie bij elkaar is. Zoals het hoort.'

'Dat zeg je nou wel, maar in werkelijkheid ligt het toch anders,' zei Sarah. 'Mijn vader gelooft eigenlijk nergens meer in, behalve in eb en vloed en de maanstanden. Hij heeft al jaren geen enkele feestdag meer gevierd – niet meer sinds de dood van mijn moeder.'

'Waarom heeft hij je dan uitgenodigd?'

'Haar zoon heeft haar uitgenodigd,' zei Will, ook al had ze hem dat niet verteld.

'Klopt,' beaamde Sarah. 'Hij weet dat ik meer van Thanksgiving hou dan van alle andere feestdagen, en hij weet dat ik dan de winkel sluit en een paar vrije dagen neem.'

'Meer dan alle andere feestdagen? Meer dan Kerstmis?' vroeg Snow ongelovig.

'Ja.'

'Altijd? Heb je Thanksgiving altijd het fijnst gevonden?'

'Nee, niet toen ik zo oud was als jij.'

'Sinds wanneer dan wel?'

'Waarom hou je er zo van?' vroeg Will.

'Dat is begonnen in het jaar dat mijn zoon werd geboren.' Sarah keek Will aan. Nu ze hem samen zag met zijn dochter vond ze hem nog aardiger; ze herkende zijn passie als ouder, en wist dat hij het zou begrijpen.

Will knikte peinzend.

'Van tevoren wist ik niet – ' Sarah viel stil om haar gevoelens onder controle te krijgen ' – hoe onvoorstelbaar het zou zijn. Dat het me van binnenuit zou veranderen.'

'Een kind.'

'Ik ben door Mike een ander mens geworden. Ik werd stapelverliefd op hem, en als je verliefd bent, lijkt alles even mooi. Je kijkt naar de zonsondergang, en je vindt het onverdraaglijk dat het niet eindeloos kan duren. Je denkt dat je hart zal breken. Weet je wat ik bedoel?'

Snow zweeg, alsof ze begreep dat deze vraag alleen aan haar vader was gericht. Ze zat roerloos op haar stoel, knieën opgetrokken tegen haar kin, en keek naar Sarah en haar vader. Will knikte.

'Ik was zo gelukkig,' vervolgde Sarah met glinsterende ogen. 'Opeens was de hele wereld goed. Als ik naar de vinkjes in het vogelhuisje keek, verbeeldde ik me dat God ze voor mij en Mike had gemaakt. Ik was dankbaar. Ik wilde zo graag dankzeggen, en zo kreeg Thanksgiving dat jaar voor mij een heel bijzondere betekenis.'

'Weet Mike dat?' vroeg Will.

'Ik heb het hem verteld, elk jaar weer.'

'Dat soort dingen kun je niet vaak genoeg zeggen,' zei Will. 'Je moet ook de hele tijd tegen ze zeggen dat je van ze houdt.'

'Daarom ga ik naar Maine.' Sarah boog haar hoofd.

'Het is te lang geleden,' zei Will.

Ze knikte. Eenmaal weer gekalmeerd keek ze op.

'Ik ben bang dat de farm niet goed voor hem is. Het is daar zo geïsoleerd, er zijn helemaal geen andere kinderen. Zijn vader kwam van het eiland, maar hij is dood. En mijn vader...' Ze keek naar Snow. 'Mijn vader is moeilijk. Mijn moeders dood heeft hem ongelukkig gemaakt. Hij heeft het nooit verwerkt. Nooit. Al die jaren hebben zijn pijn niet kunnen verzachten.'

'De dood blijft pijn doen,' zei Snow.

Sarah knikte. 'Hij is diep ongelukkig, en ik ben bang dat Mike dat van hem overneemt. Vroeger, toen mijn tante Bess nog in Providence woonde, was ze altijd even stralend, en je zou haar nu eens moeten zien. Door al die jaren alleen met mijn vader is ze in een oude zuurpruim veranderd.'

'Dat klinkt interessant,' merkte Snow op.

Sarah staarde haar aan. Snow moest wel een bijzonder meisje zijn als ze zo'n deprimerende toestand 'interessant' vond.

'Ik voel me er schuldig over dat ik ben weggegaan,' verzuchtte Sarah. 'Maar ik had geen keus.'

'Heb jij je moeder verzorgd?' vroeg Will.

'Hoe wist je dat?'

'Zo iemand ben je gewoon,' antwoordde Snow voor hem.

'Ja, ik heb haar verzorgd,' beaamde Sarah zacht, en ze dacht aan haar lieve moeder, de rust die er van haar uitging. 'Maar toen moest ik weg.'

'En nu ga je terug,' zei Will. 'Voor Mike.'

'Precies.' Onbewust ging Sarahs hand naar haar hoofd, waar de kanker was geweest. 'Ik wil met hem praten voor het te laat is.'

'Voordat hij in een jonge zuurpruim verandert,' concludeerde Snow.

'Voor hij vergeet waarom je zoveel van Thanksgiving houdt,' zei Will.

'Gooi de tank van het grote toestel maar vol, pap,' zei Snow. 'Want ik ga met jullie mee.'

'Nee!' zei Sarah snel. 'Het is een puinhoop op dat eiland. Er wordt in huis nauwelijks gestookt, en de ganzen stinken een uur in de wind.' Ze maakte zich zorgen, ze wilde niet dat dit een grote excursie zou worden. Het was duidelijk dat de Burkes zelf problemen hadden, en ze wilde niet dat vader en dochter deze gelegenheid aan zouden grijpen om eruit te komen.

Sarah had een doel. Ze beschouwde haar zoon als verloren, een stuk wrakhout ver in zee, en ze moest hem terugbrengen. Koortsachtig zon ze op iets wat ze kon zeggen om hun plannen de kop in te drukken. Snow had zelf veel aandacht nodig, en dat zou haar afleiden van Mike. Gelukkig sprak Will het verlossende woord.

'Je kunt niet mee, lieve schat,' zei hij. 'Het is mijn werk, geen vakantie. En je moeder zou er niet blij mee zijn. Ze wil dat je met Thanksgiving bij haar bent. Dat weet je.'

'Ze heeft Julian toch,' snoof Snow.

'Ja, maar ze heeft jou nodig,' voerde Will aan.

'Papa, ik – '

'Nee, Snow. Jij blijft bij je moeder, en daarmee basta.'

Sarah sloeg het tweetal gade, en voelde aan dat Will Snow net zo hard nodig had. Hij was groot en sterk, en hij had een donkere, rustgevende stem die veel verborg. Maar zijn liefde voor dit kind kon hij niet verbergen, dat wist Sarah. Zij kon haar liefde voor Mike immers net zo min verbergen.

Toen Sarah die avond thuis was, maakte ze het pakje van Snow open. Het was een klein doosje waterstofperoxide. Ze stond in de badkamer en staarde naar zichzelf in de spiegel. Het was een mal idee om haar haren te verven, maar het was al over minder dan een week Thanksgiving.

Ze stak de kaars aan die Meg haar voor haar laatste operatie had gegeven. De kaars gloeide van binnenuit. Starend naar de kaars dacht ze aan de rode schuur en het witte ganzendons van Elk Island, kaarsen en dekbedden, de mysterieuze band tussen het archaïsche en het moderne.

In gedachten zag ze Mike voor zich in de koude schuur. Ze hoorde het snateren van ganzen, zag hun veertjes dwarrelen in de wind, als sneeuwvlokken. Als klein jongetje was hij dol geweest op de ganzen. Hij had een keer gehuild omdat hij bang was dat zijn grootvader de ganzen pijn deed als hij hun veren plukte. Sarah had hem dicht tegen zich aan getrokken, haar gezicht begraven in zijn zoet ruikende nek, en ze had hem in het oor gefluisterd dat de ganzen het niet erg vonden, dat het plukken van hun veren te vergelijken was met het kammen van zijn haar.

Dat was een leugen geweest, en door zijn werk op de farm moest Mike dat inmiddels weten. Ze hield haar hoofd onder de kraan, voelde het warme water op haar huid, en vroeg zich af wat hij ervan vond.

Op de tast pakte ze het doosje, denkend aan Snow. Ze was de dochter van een andere vrouw, en Sarah hoopte dat ze voor haar eigen moeder net zo lief was als ze voor haar was geweest door haar aan te moedigen deze enge stap te zetten. Uit eigen beweging zou Sarah nooit haar haar hebben gebleekt. Ze vroeg zich af hoe ze er met blond haar uit zou zien, en probeerde te bedenken wat Will van haar zou vinden. Misschien vond hij het wel lachwekkend, een vrouw van tegen de veertig die er jong uit probeerde te zien.

Maar misschien vond Will het wel mooi. Zoals hij op de kermis had gezegd.

Het was akelig koud in het onheilspellende kasteel, en iedereen liet Snow precies weten hoe ze over haar dachten. Al die grote, lelijke, statige meubels die als padachtige gnomen tegen de muren hurkten en elke beweging die ze maakte volgden. Haar moeder en Julian zaten op de bank voor het vuur en dronken wijn. De oude portretten staarden haar kwaadaardig aan, Julians voorouders met hun vollemaansgezichten. Ze hielden niet van haar, en toch hielden ze haar gevangen.

'Ik wil mee,' zei Snow nog een keer
'Geen sprake van,' zei haar moeder.
'Arme papa. Jij laat hem helemaal naar Maine vliegen met een vreemde? Zodat hij met Thanksgiving niemand heeft die van hem houdt?'
'Hij is een volwassen man, Susan,' zei haar moeder. 'Hij heeft zelf voor die charter gekozen. Als hij in Fort Cromwell had willen blijven had hij je donderdag na het eten op kunnen halen, en dan had je het hele weekend bij hem kunnen blijven. Je kunt weer naar hem toe als hij terug is.'
'Het gaat om het diner,' betoogde Snow. 'Verleden jaar moest hij diepvriesmaaltijden met kalkoen eten. Wel zes!'
'We willen dat je bij ons bent.' Julian liet de wijn ronddraaien in zijn glas en bewonderde de kleur ervan in het licht van het vuur.
'Ja, dat zal wel,' hoonde Snow.
'Echt,' zei hij. 'Ik heb Pansy al gevraagd of ze dat gerecht met zoete aardappelen wil maken waar je zo dol op bent, met marshmellows en pecannoten – '
'Hazelnoten,' onderbrak Snow hem. 'Ik vind het lekker met hazelnoten.'
'Nou, dat zal ik dan tegen Pansy zeggen.'
Snow wilde het liefst naar hem toe lopen en die bête grijns van zijn gezicht vegen. Hij vond zichzelf een geweldige stiefvader omdat hij zijn kokkin vroeg haar lievelingseten te maken voor Thanksgiving, terwijl haar vader gedwongen was om naar de toendra te vliegen om het kind van een ander te redden.
'Ze willen graag dat ik meega,' hield Snow vol.
'Dat is niet wat je vader tegen mij heeft gezegd,' zei Alice.
'Alleen maar omdat hij het jou niet moeilijk wil maken, daarom

maakt hij geen ruzie over de vakanties. Ze hebben me nodig. Ik moet met Mike praten.'

'Wie is Mike?' vroeg Julian.

'De zoon van Sarah Talbot. Hij is naar Maine gegaan om de farm van haar vader te redden. Hij zorgt als een heilige voor zijn oude grootvader en tante Bess, maar hij verknalt zijn leven. Ze wil dat hij terugkomt voor het te laat is, en ik weet dat ik kan helpen. Kinderen onder elkaar, weet je wel?'

'Mike Talbot,' zei Julian met een schamper lachje.

Snow porde met een lange pook in het vuur. Het koperen handvat was gevormd als de kop van een lynx, met een kwaadaardige grijns op zijn kattengezicht, precies zoals Julian nu keek. Snow zou het liefst naar boven stormen om hem te laten zien dat ze niet eens naar hem wilde luisteren, maar haar nieuwsgierigheid kreeg de overhand.

'Ken je hem?' vroeg Alice. Ze had haar arm om hem heen geslagen en leunde met haar hoofd tegen zijn borst.

'Ja. Het is een junkie.'

'Echt waar?'

'Jazeker. Verleden jaar werkte hij voor me na school. Hij maakte de garage schoon.'

'Dat betekent nog niet dat hij aan de drugs is,' zei Snow. Ze was wel eens op Julians bedrijf geweest. Hij had een enorme garage waar race-auto's op de brug stonden, zodat de monteurs er goed bij konden, en jongens van school die zichzelf cool vonden hingen er rond, spoten schuim op de gemorste olie en veegden het weg met brede bezems.

'Nou, Mike Talbot wel. Mijn voorman heeft hem een keer betrapt toen hij een joint rookte en hem ter plekke ontslagen. In mijn bedrijf duld ik geen drugs.'

'Dat vind ik echt geweldig.' Alice keek hem aan alsof hij net een middel tegen kanker had ontdekt.

'Dank je,' zei hij, en schonk haar de Elvis-grijns die hij zelf zo sexy vond. Wat echter belangrijker was, en Snow gaf dat ongaarne toe, zijn ogen glansden van liefde als hij naar haar moeder keek. 'Ik vond het vreselijk om hem te ontslaan. Mike was een fijne knul. Een beetje nerveus, maar hij deugt wel. Zijn moeder heeft die leuke winkel met beddengoed in de stad.'

'Cloud Nine? Waar ze die dekbedden verkopen?' vroeg Alice.

'Ja. Ik ben een keer met haar uit geweest voordat ik jou leerde kennen.' Julian begroef zijn neus in haar hals. 'Vroeger was ze heel erg mooi, voordat ze ziek werd.'

'Ik wil geen woord meer horen over mooie vrouwen waar jij wel eens mee uit bent geweest,' protesteerde Alice quasi-verontwaardigd. Ze had haar hoofd opgetild, en Julian trok haar weer tegen zich aan.

'Ze was niets voor mij. Je weet vast wel wat ik bedoel als ik zeg dat ze uit New England kwam, hoge jukbeenderen en een haviksneus en dik, donker haar dat ze altijd opstak. Een soort Medici uit Boston, echt aristocratisch. Ik heb een paar kussens bij haar gekocht en ben een keer iets met haar gaan drinken, dat is alles. En ik heb haar zoon een baantje gegeven.'

'Gelukkig,' zei Alice.

'Ik heb gehoord dat ze heel erg ziek is geweest. Eerlijk gezegd ben ik blij om te horen dat ze zich goed genoeg voelt om weer te kunnen werken,' zei Julian.

'Zeg dat wel,' zei Snow.

'Sarah Talbot,' peinsde Alice. 'Die naam komt me bekend voor. Volgens mij heb ik haar in het ziekenhuis wel eens ontmoet.'

Snow zag dat ze zich Sarah voor de geest probeerde te halen. Sinds haar moeder met Julian was getrouwd, werkte ze niet meer en deed ze vrijwilligerswerk in het ziekenhuis. Net als andere welgestelde dames uit Fort Cromwell ging ze twee dagen per week naar het ziekenhuis om bloemen te schikken, zieke mensen te helpen bij het schrijven van brieven of hen te begeleiden als ze naar de recreatieruimte wilden. Snow bewonderde haar moeder erom, en ze vroeg zich af of ze Sarah ooit had geholpen. Maar op dat moment leek haar moeder het op te geven.

'Ik wens haar het allerbeste,' zei Julian.

'Ik ga naar Maine met haar en papa,' zei Snow.

'Susan,' zei Alice, en leunde naar voren, 'je bent niet uitgenodigd. Je mag niet mee. Je gaat niet.'

'Ik ga wel,' zei Snow zacht.

'Ik hoorde dat je genoeg hebt van Gainsborough.' Julian schonk voor zichzelf en Alice nog een glas wijn in. 'Je bent misschien toe aan iets nieuws.'

'Sorry,' mompelde ze.

'Wat je maar wil, Susan,' zei hij. 'Kies maar een schilderij dat je wil hebben. Wat van mij is, is van jou. Wil je zoete aardappelen met Thanksgiving, dan krijg je zoete aardappelen. Dit jaar mag jij de taarten kiezen. En weet je nog dat je verleden jaar iets met cranberry's had gemaakt? Dat was verrukkelijk. Dat wil ik dit jaar weer, en jij moet het maken. Als Pansy het maakt, smaakt het niet hetzelfde.'

'Ik wil bij mijn vader zijn,' fluisterde Snow. Ze keek naar haar moeder, die angstvallig haar blik ontweek.

Hoofdstuk 7

De dag voor Thanksgiving werd Sarah met lichte verhoging wakker. Ze had het warm, maar zodra ze het dekbed opensloeg kreeg ze het koud. Ze had spierpijn. Haar mond voelde droog, en als ze slikte deed haar keel pijn.

'Alsjeblieft, niet vandaag,' zei ze hardop. Ze kon niet uitgerekend nu door griep worden geveld, maar zo voelden de symptomen wel. Vandaag zou Will Burke haar naar Elk Island vliegen. Voor het vallen van de avond zou ze Mike zien. Langzaam kwam ze uit bed. Ze schoof de gordijnen open en zag de zon opkomen boven het huis aan de overkant. De lucht was stralend helder, nu al helemaal blauw.

Tegen de tijd dat ze had gedoucht en een glas sinaasappelsap had gedronken, voelde ze zich weer helemaal gezond. Haar huid voelde koel aan. De griep had haar alleen maar even aangeraakt, en was verder gegaan. Het had Sarah herinnerd aan haar ziekte, aan alles waar ze dankbaar voor kon zijn. Ze liet haar schouders rollen, strekte haar rug. Ze dacht aan auto-ongelukken waar ze op het nippertje aan was ontsnapt, aan een dappere witte roos die ze verleden week in haar tuin had gezien. Wezen de vermoeidheid en de pijntjes op kanker, in plaats van op griep? Zo weigerde ze te denken. Sarah had geleerd te geloven in de kleine wonderen des levens, en ze wist dat dit er weer een was.

Meg Ferguson haalde haar om negen uur op om haar naar het vliegveld te brengen. Sarah was klaar, gekleed in makkelijke warme kleren: een spijkerbroek, een Ierse visserstrui en een halflange jas van marineblauwe wol. Ze had twee grote tassen gepakt, een ervan met de spullen die Mike had achtergelaten. Even overwoog ze een oude rode vilthoed op te zetten, maar toen ze Meg zag stoppen voor de deur haalde ze diep adem en liet de hoed op de stoel liggen.

Meg stond met haar hoofd in de achterbak om ruimte te maken voor

Sarahs bagage, zodat ze Sarah niet meteen zag. Maar toen ze overeind kwam, viel haar mond open. Sarah was zo nerveus dat haar hart bonsde.

'O, hemel,' zei Meg.

'Is het bespottelijk?' vroeg Sarah, en bedekte haar hoofd met haar handen. Meg pakte haar ellebogen om haar armen omlaag te trekken. Sarah durfde haar nauwelijks aan te kijken.

'Het is beeldschoon. Laat me eens kijken.'

Meg, die nou niet bepaald een type was om zich om haar uiterlijk te bekommeren, nam haar vriendin keurend op. Zelf had ze steil bruin haar met een pony die ze opzij streek. Ze droeg haar gebruikelijke uniform van een rok met een trui en een witte jas erover. Haar stethoscoop bungelde uit de linkerzak. Op haar revers was een plastic kalkoen gespeld. Maar ze keek naar Sarah alsof ze een wereldberoemde stilist was en Sarah een zeldzaam voorbeeld van schoonheid.

'Het verschil is echt enorm,' zei Meg.

'Is het te veel? Ben ik nog wel mezelf?'

'Ik kende je vroeger niet,' zei Meg, en Sarah wist dat ze voor de ziekte bedoelde. 'En je ziet er echt anders uit. Ik bedoel, het is net Parijs. Je hebt toch al het gezicht van een fotomodel, en nu met dat witgouden haar... Wauw. Heel chic, Sarah.'

'Chic?' vroeg Sarah glimlachend.

'Ik hoop dat Will Burke nog naar de lucht kan kijken,' zei Meg.

Verlegen schudde Sarah haar hoofd. 'Will Burke? Wat maakt het voor hem nou uit? Hij ziet het vast niet eens.'

'O, jawel.'

'Meg, hij is gewoon een aardige piloot die me naar Maine brengt.'

'Larie,' zei Meg grijnzend. 'Mimi heeft een foto van jullie genomen op de kermis. De blik in zijn ogen...'

'Hij was gewoon aardig,' zei Sarah. 'Een paar jongens hadden mijn hoed gepikt.' Toch was ze benieuwd naar de blik in Wills ogen, en zou ze die foto maar wat graag willen zien.

'Nou, vandaag heb je die hoed echt niet nodig. Je ziet er prachtig uit. Ben je klaar?'

'Helemaal.' Sarah stapte in de auto.

'Heeft dokter Goodacre je het groene licht gegeven?' vroeg Meg toen ze achteruit wegreed van de oprit.

'Ja,' zei Sarah, en ze vroeg zich af of ze Meg moest vertellen van de koorts. Ze raakte haar voorhoofd aan; het voelde koel.

'Die assistente van hem is niet voor de poes,' zei Meg. 'Vicky. Ik heb haar een paar keer gebeld met vragen over het verversen van je verband, of hij wilde dat ik zilversulfadiazine-zalf bleef gebruiken of niet, en om te beginnen belde ze nooit terug, en toen ze dat eindelijk wel deed, was ze zo vals!'

'Ze hebben het erg druk,' zei Sarah, en ze glimlachte omdat ze de beschrijving van Vicky zo goed herkende. 'Ik hoop dat ze gelukkiger is als ze niet werkt.'

'Hoe dan ook, jij voelt je prima, en daar gaat het om.'

'Hmmm,' zei Sarah. De koorts was weg, de griep was aan haar deur voorbijgegaan, en ze besloot niets tegen Meg te zeggen. Ze waren halverwege het vliegveld, het was een stralende dag, en ze ging naar Mike.

'Wat is er?' Meg keek opzij.

'Als het terug zou komen,' zei Sarah met verstikte stem. 'Dat zou ik niet verdragen.'

'O, Sarah.'

Ze hadden het er wel eens eerder over gehad. Sarah wist dat de overlevingskansen veel kleiner waren als een tumor zoals de hare terugkwam en uitzaaiingen kreeg. De nieuwe behandeling zou net zo agressief zijn als de vorige, en de uitkomst zou onzeker zijn. Ze zouden haar in leven houden, proberen de uitzaaiingen tot staan te brengen terwijl zij wegkwijnde. De gedachte dat ze in cycli van pijn en ziekte zou moeten leven, steeds zwakker zou worden, was een schrikbeeld.

'Ik doe het niet nog een keer, weet je,' zei Sarah.

'Wat niet?'

'Bestraling of chemotherapie.' Sarah rilde. 'Dit is mijn kans, en die grijp ik met beide handen aan.'

'Grijp je kans, Sarah,' zei Meg met overslaande stem. Ze leunde opzij en sloeg een arm om haar vriendin heen. 'Dat is precies wat je moet doen.'

'Ik moet wel.' Sarahs hart bonsde, maar in de warmte van die omhelzing kon ze zich opeens ontspannen. De muizenissen losten op, ze voelde zich kalm. Ze was gezond, vrij, en op weg naar de plaats waar ze was opgegroeid. Sarah Talbot voelde zich even stralend als de dag zelf.

Will had het grote toestel volgetankt, en het was klaar voor vertrek. Hij had de meteorologische dienst gebeld en te horen gekregen dat ze voor de hele vlucht konden rekenen op helder weer en een staartwind van tien knopen. Ze hadden een hoog plafond, en de bewolking in het westen zou morgen pas het weer gaan bepalen. Vandaag hadden ze een hogedrukgebied, dus niets te vrezen.

Hij had zijn plunjezak in de bagageruimte gelegd, en een extra jas over een stoel gegooid. De Piper Aztec was een ouder vliegtuig, geschikt voor elk weertype, en had een behoorlijk bereik. Er waren zes stoelen voor passagiers, en genoeg instrumenten om in de mist de wereld rond te vliegen, dus hij voelde zich goed voorbereid.

Zelfs opgetogen. Het was Thanksgiving, en hij had geen plannen gemaakt. Aangezien zijn dochter bij haar moeder en Julian moest blijven, was er voor hem geen lol aan om in Fort Cromwell te zijn. Hij kon zich nog heel goed herinneren hoe het verleden jaar was gegaan. Hij had besloten om de feestdag te boycotten, die middag naar football gekeken en biertjes gedronken, maar halverwege de eerste wedstrijd had hij opeens trek gekregen in kalkoen. Bij de supermarkt had hij diepvriesmaaltijden met kalkoen gekocht, maar toen hij zat te eten voelde hij zich depressiever dan hij in jaren was geweest.

Hij zag de blauwe auto van Meg Ferguson aankomen, en deed de deur van zijn kantoor op slot. Hij had zijn kaarten. Hij klopte op zijn zakken om te controleren of hij zijn portemonnee en sleutels had. Sinds Freds dood was hij een beetje verstrooid. Voor ze bij hem wegging, had Alice meer dan eens plagerig gezegd dat hij wel erg vroeg met alzheimer begon. Soms had hij zich afgevraagd hoe zij het klaarspeelde, met zoveel verdriet al die feiten en details van het dagelijkse leven onthouden.

Zijn dochter had hem gesmeekt haar mee te nemen naar Maine, maar hij had voet bij stuk gehouden. Het was niet eerlijk tegenover Sarah, het was niet eerlijk tegenover Alice. Uiteindelijk zou het ook niet eerlijk zijn tegenover zijn dochter. Zelf zou Will het heerlijk hebben gevonden als ze mee was gegaan. Maar hij moest doen wat goed was. De gedachte aan de zoveelste feestdag zonder zijn beide kinderen raakte hem als een steek in zijn hart; hij voelde zelfs echt pijn en raakte zijn borst aan.

Dit is mijn Thanksgiving, dacht hij, kijkend naar de naderende auto. Ik vlieg een vreemde naar een eiland zodat ze bij haar familie kan zijn. Hij herkende het zelfmedelijden, en had meteen een hekel aan zichzelf. Maar toen stapte Sarah Talbot uit de auto, en alles veranderde. Die vrouw straalde. Ze keek om zich heen, keek van de lucht naar het vliegtuig en naar Will. Met haar blik op hem gericht, spreidde ze haar armen alsof ze hem vroeg of hij deze dag speciaal voor haar had gemaakt.

Will keek omhoog. Voor het eerst die dag zag hij het weer als meer dan gunstige omstandigheden om te vliegen: een helderblauwe lucht, stralende zonneschijn. Mica in het tarmac glinsterde, net als restjes sneeuw op het veld. In het zonlicht zou de oceaan eruitzien alsof er diamanten op flonkerden. Over een paar uur zou Will de Atlantische Oceaan zien, de zee waar hij zo intens van hield.

De twee motoren ronkten. De hemel omhulde hen met onafzienbaar blauw. De vleugels leken in het zonlicht van zilver, en zelfs met een zonnebril moest Sarah haar ogen tot spleetjes knijpen. Het beboste land in de diepte was uitgestrekt, met besneeuwde dennen op rotsige heuvels. In de verte rezen de bergen op.

Ze praatten niet met elkaar. Zwijgend keken ze naar het landschap dat zich beneden hen ontvouwde. Een radio kraakte, en er klonken stemmen uit een verkeerstoren. Af en toe gaf Will antwoord, altijd met hun roepletters. Sarah had het gevoel dat ze van de ene toren werden overgedragen aan de volgende, alsof de luchtverkeersleiders als beschermengelen hun reis van New York naar Maine begeleidden. Op een gegeven moment nam Will haar hand in de zijne. Hij bleef haar even vasthouden, totdat hij de radio moest gebruiken om zich te melden bij de verkeersleiding in Boston.

'Kijk,' zei Will, en hij leunde opzij naar Sarah om een kale adelaar aan te wijzen die beneden hen cirkelde. Zijn vleugels waren lang en breed, en hij zeilde moeiteloos door de lucht. Er ging een sterke emotie door Sarah heen toen ze hem over zijn nest zag vliegen.

'Wat een grote,' zei Sarah. 'Op het eiland hebben we ook adelaars.' Ze was een patriot, en het gaf haar altijd een gevoel van trots als ze een adelaar zag. Haar vader had in de Tweede Wereldoorlog gevlogen, en hij had haar het volkslied al geleerd toen ze nog heel klein was. Dit herinnerde haar aan iets wat Snow had gezegd, en ze draaide zich opzij naar Will. 'Je zat vroeger bij de marine, hè?'

'Ja.'

'Maar dat is niet waar je hebt leren vliegen?'

'Nee, ik heb altijd van vliegen gehouden. Ik ben opgegroeid in Waterford in Connecticut, in de buurt van een klein vliegveld, en ik had eerder mijn vliegbrevet dan mijn rijbewijs. Ik ben begonnen met charters naar Block Island.'

'Dit is dus niet nieuw voor je. Mensen naar eilanden vliegen.'

'Nee, het is oude koek,' grapte hij lachend.

'Snow vertelde dat je bij de marine ook hebt gevlogen.'

'Soms, ja.'

'Ze is zo trots op je,' zei Sarah.

Will zweeg even. 'Ik zou niet weten waarom.'

Sarah hoorde de zelfhaat in zijn stem. Wat er ook was gebeurd, het was voor iedereen een enorme klap geweest. Ze merkte het aan Snow, de manier waarop ze talmde als ze van school naar huis ging en bleef hangen in de winkel, het feit dat ze steeds haar naam veranderde. Ze kon het lezen in de diepe lijnen van verdriet op Wills gezicht, en dat hij haar naar Maine vloog in plaats van Thanksgiving te vieren met mensen die van hem hielden was ook veelzeggend.

'Het waarom is niet belangrijk,' zei Sarah.

'Alles is belangrijk.'

'Behalve "waarom",' betoogde ze. 'Waarom ze trots op je zijn, waarom ze van je houden, waarom ze je zo hard nodig hebben. Het enige wat ertoe doet, is dát het zo is.'

'Is het zo met jou en Mike?' Will keek opzij om haar gezicht te kunnen zien.

'Ik doe mijn uiterste best en probeer niet in te zitten over het resultaat.'

'Als je dat kunt, mag je van geluk spreken,' zei hij.

'Ik heb het nooit helemaal onder de knie gekregen,' gaf ze toe. 'Ik weet nog dat hij me vertelde dat hij wegging, en ik was razend, geloof me.'

Wills houding veranderde, en hij staarde ingespannen naar de lucht, alsof het een drukke snelweg in het spitsuur was.

'Kijk!' riep Sarah.

Daar in de verte, ver achter de laatste heuvel en de wolkenkrabbers van de laatste stad, was een zilveren streep zichtbaar.

'Wauw, Sarah.' Hij was zo in gedachten verzonken geweest dat hij leek te schrikken nu de zee zo plotseling opdoemde.

'Weet je hoe lang ik de zee al niet meer heb gezien?' Sarah leunde helemaal naar voren, haar vingertoppen tegen het dashboard.

'Nou, hoe lang?'

'Drie jaar. Minstens,' zei Sarah. 'Drieëneenhalf, in Marblehead. En jij?'

Will staarde naar de Atlantische Oceaan. De zilveren streep aan de horizon spreidde zich uit tot een zilverblauw laken. De zon stond achter het toestel, hoog aan de hemel, zodat het water in de verte fel glinsterde.

'Ik weet precies wanneer ik de zee voor het laatst heb gezien,' zei hij.

'Wanneer dan?'

'Toen we verhuisden uit Newport, vijf jaar geleden. Kort nadat ik ontslag had genomen bij de marine. Sindsdien heb ik de oceaan niet meer gezien.'

'Dus dit is de eerste keer.' Ze keek naar zijn gezicht, dat een harde trek van pijn kreeg toen hij Newport noemde. Hij voelde dat ze naar hem keek, dus draaide hij zijn hoofd naar haar toe.

Sarah herinnerde zich een voorval in het ziekenhuis, toen ze doodsbang op een tafel had gelegen vlak voor een MRI. Een jonge verpleegster die ze niet kende had haar hand gestreeld en haar aangekeken. Dat meelevende menselijke contact had haar zo gekalmeerd, en ze was het nooit vergeten. Nu pakte ze Wills hand, en ze trok haar zonnebril omlaag zodat hij haar ogen kon zien. Ze glimlachte.

'Ik wilde niet terug,' zei hij.

'Ik weet het.' Sarah voelde de angst uit hem stromen, hoewel ze niet wist waarom. De reden was ook niet belangrijk.

'Als ik de zee zie, denk ik aan hem.'

'Aan wie, Will?'

'Aan mijn zoon, Fred.'

'Wat is er met hem gebeurd?' voeg Sarah, ook al was ze bang voor het antwoord.

'Hij is verdronken,' zei Will. 'In de Atlantische Oceaan.'

'Wat vreselijk.'

Hij keek Sarah recht aan en knikte. Zijn gezicht stond nu niet langer hard of kwaad. De lijnen waren gladgestreken, en zijn ogen stonden uitdrukkingsloos.

Ze kwamen dichterbij. Hoewel het vliegtuig hermetisch was afgesloten, verbeeldde Sarah zich dat ze de zee rook. Ze kon het breken van de golven op de rotsen zien, met helderwit schuim. Schepen trokken een V-vormig kielzog. In de baaien lagen kleine dorpjes, en op elke heuvel leek een witte torenspits te staan.

Will meldde zich bij een nieuwe verkeerstoren, en ze werden met de vertrouwde tongval van New England begroet. Ze kregen toestemming om te landen en bij te tanken op het vliegveld van Portsmouth in New Hampshire. Hoewel Maine aan de andere kant van de Piscataqua River lag, hadden ze nog een lange vlucht naar Elk Island voor de boeg. Sarah sloot haar ogen toen Will het vliegtuig gereedmaakte voor de landing, en genoot bijna van de turbulentie.

Ze ging helemaal op in haar gedachten, de blijdschap dat ze de zee weer had gezien en steeds dichter bij Mike kwam. Welke prijs betaalde je om te overleven? Ze haalde diep adem en zei een stil gebed voor Will en een jongen die ze nooit had gekend, doordrongen van de ongemakkelijke dankbaarheid die elke moeder voelt als ze hoort dat het dierbare kind van een ander dood is, en niet het hare.

Snow kon het geen minuut langer ophouden. Ze had zichzelf zo klein mogelijk gemaakt en een extra grote dosis van haar inhalator genomen, want een astma-aanval in de lucht zou wel erg ongelegen komen. Ongeveer een uur geleden had ze erg in de rats gezeten toen haar neus begon te kriebelen. Als ze ook maar één keer nieste, zou haar vader rechtsomkeert maken en haar zonder pardon terugvliegen naar Fort Cromwell.

Het vliegtuig had een perfecte landing gemaakt, zoals ze het van haar vader gewend was. Weggekropen in haar schuilplaats achter de stoelen, toegedekt met een oude groene deken die haar vader gebruikte voor noodgevallen en picknicks, rekte ze zich uit. Ze stak haar hoofd boven de stoel uit en keek om zich heen.

Sarah liep naar de hangar, en haar vader stond te praten met de chauffeur van de tankwagen. Snow moest heel nodig naar de wc. Ze nam aan dat Sarah ook naar de wc moest, en als ze het perfect timede, en ze wist dat ze dat kon, zou ze achter haar vaders rug naar de hangar kunnen rennen en een wc binnen kunnen glippen voordat Sarah klaar was, zonder dat iemand haar zou zien.

Ze gebruikte andere vliegtuigen als dekking en rende naar de hangar. Aan het bord zag ze dat ze in Portsmouth waren, dus ze wist dat de zee niet ver kon zijn. Onder het rennen stak ze haar neus in de lucht, maar ze rook alleen kerosine. Eenmaal in de hangar waren de wc's snel gevonden. Onder een van de deuren zag ze Sarahs voeten.

Snow nam de wc helemaal aan het eind. Het was er ijskoud, en het tochtte. Ze voelde zich een beetje schuldig over haar stiekeme gedoe. Ze vond Sarah erg aardig, en het was niet leuk dat ze zich voor haar verstopte. In het vliegtuig had ze ingespannen naar haar vader en Sarah geluisterd, maar door het kabaal van de motoren had ze alleen stemmen op kunnen vangen, geen woorden. Erg frustrerend.

Nu hoorde ze Sarah doortrekken, en ze wist dat ze maar heel weinig tijd had om heimelijk weer in het toestel te kruipen. Ze tuurde door de kier van de deur, en schrok zo van wat ze zag dat ze een kreet moest smoren. Daar stond Sarah, met gebleekt en heel kort haar, en ze zag er adembenemend uit. Voor het eerst viel het Snow op dat ze eigenlijk nog heel jong was, en heel mooi, stijlvoller dan alle vrouwen die Snow ooit had gezien.

'Hai, Snow,' zei Sarah.

'Hoe wist je dat ik het was?' vroeg Snow vanachter de dichte deur.

'Ik herkende je stem.'

'Aan dat ene geluidje?'

'Ja.' Sarah kwam voor de beige metalen deur staan, met haar gezicht voor de kier.

'Ben je kwaad?'

'Daar gaat het niet om.'

'Ga je het mijn vader vertellen?'

'Het lijkt me beter van wel. Jou niet?'

'Niet doen, Sarah. Alsjeblieft.'

'Hoe lang wilde je je verborgen houden?'

'Tot het te laat is om terug te gaan.'

Sarah sloot haar ogen en liet haar hoofd hangen. Snow had het gevoel dat Sarah haar uiterste best moest doen om niet te gaan huilen of schreeuwen, dat ze worstelde met een enorme emotie. Het deed Snow denken aan haar eigen moeder, als ze vroeger knetterende ruzie had met haar vader. Het maakte haar bang om Sarah zo te zien. Maar toen Sarah sprak, klonk haar stem zacht.

'We gaan niet terug,' zei ze.

'Wist je al de hele tijd dat ik aan boord was? Had je niets in de gaten, of vermoedde je al dat ik er was?'

'Ik had rekening gehouden met de mogelijkheid, maar ik vermoedde het niet echt.' Sarah klonk niet erg vriendelijk.

'Het spijt me.' Langzaam opende Snow de deur. Diep in haar hart had ze verwacht dat Sarah blij zou zijn, haar misschien wel zou willen verstoppen tot ze er waren. Sarahs boosheid bracht haar in verwarring. Maar nu ze echt voor haar stond, kon ze haar eindelijk goed zien. Haar huid gloeide, haar wangen waren roze. Haar witte haar was als zijde, zo donzig dat je het aan wilde raken.

'Ik hapte naar adem omdat je er zo onvoorstelbaar mooi uitziet,' zei

Snow zacht, want ze wilde niet de indruk wekken dat ze Sarah probeerde te paaien.

'O.' Sarah keek weifelend in de spiegel.

'Echt waar. Het is net zo'n ervoor en erna in *Vogue*.'

'Dank je,' zei Sarah, en tot Snows verbazing werd ze opeens stevig omhelsd. Snow deed haar ogen dicht en sloeg haar armen ook om Sarah heen. Sarah voelde betrouwbaar en sterk, als een goede moeder. Eigenlijk wilde Snow haar helemaal niet meer loslaten, zo blij was ze dat Sarah geen hekel aan haar had. Ze bleef haar omhelzen, en haar keel werd dik van de tranen.

'Zonder jou had ik het nooit gedurfd,' zei Sarah.

'Verfde je moeder haar haren niet toen ze grijs werd?'

'Nee,' zei Sarah. 'En als je het eiland ziet, weet je ook meteen waarom.'

Snow glimlachte. Sarah had gezegd dat ze het eiland zou zien.

'We zullen je echt niet lastigvallen,' beloofde Snow.

Sarah leek erover na te denken. Zo te zien was ze niet meer boos, maar ze glimlachte ook niet.

'Kom, dan gaan we je vader zoeken.' Ze sloeg haar arm om Snows schouders.

Samen liepen ze naar de deur. Toen ze buiten kwamen in het felle zonlicht, haalde Snow de zonnebril die ze altijd bij zich had uit haar zak. Het had zo zijn voordelen om de dochter van een piloot te zijn. Met de zonnebril op haar neus voelde ze zich verborgen, en in een flits ging het door haar heen dat haar vader haar misschien niet eens herkende. Daar zag ze hem staan naast de Piper Aztec, met zijn rug naar hen toe.

'Nog één ding.' Snow trok aan Sarahs mouw.

'Nou?'

'Waardoor vermoedde je dat ik aan boord was? Zag je de punt van mijn schoen, of zo? Had ik me niet goed verstopt?'

Sarah schudde haar hoofd, en voor het eerst glimlachte ze echt. 'Nee,' zei ze, en haakte haar arm door die van Snow. 'Het is gewoon iets wat ik zelf zou hebben gedaan.'

'We hebben een verstekeling,' kondigde Sarah rustig aan.

Will draaide zich om, en stond oog in oog met zijn dochter. Hij probeerde zijn gezicht in de plooi te houden, streng te kijken, maar het lukte hem niet om zijn eerst reactie te verbergen: blijdschap.

'Susan!'

'Stuur me alsjeblieft niet terug, pap.'

'Wat is dit nou?'

'Ik wilde gewoon met je mee. Ik zat over je in.'

'Ik heb je moeder iets beloofd, Susan. Ze wil dat je in de vakanties bij haar bent, punt uit.'

'Ach, het is Thanksgiving maar, pap. Ze vindt eigenlijk alleen Kerstmis belangrijk, dat weet je toch.'

'Ze vindt alle feestdagen belangrijk, niet alleen Kerstmis. Verdorie, Susan!'

'Mag ik alsjeblieft mee? We zijn al over de helft – dit kun je Sarah niet aandoen.'

Sarah voelde een aan woede grenzende ergernis. Door haar ziekte had ze geleerd dingen te accepteren, zich aan te passen aan het schema van andere mensen, te leven met een onbekende toekomst. Ze was beleefd en gaf om anderen. Maar nu waren ze onderweg naar háár zoon, en stonden ze hun tijd te verdoen met een discussie over teruggaan naar Fort Cromwell. Ze voelde de lichamelijke kenmerken van boosheid, de lichte duizeligheid die aan de uitbarsting voorafgaat. Het kostte haar moeite om kalm te blijven, rustig adem te halen. Hoewel het niets met haar te maken had, begreep ze dat Will met een dilemma worstelde: hij wist dat hij Snow eigenlijk terug moest brengen naar haar moeder, maar hij wilde haar ook graag meenemen.

'Alsjeblieft,' zei ze zacht. 'We moeten weg. We moeten verder.'

'Wat?' vroeg Will.

'Dit is mijn charter. Heb ik hier iets over te zeggen?'

'Natuurlijk,' zei Snow meteen. 'Jij betaalt.'

Sarah keek van de ene Burke naar de andere. Snow had de ogen van haar vader. Op beide gezichten stond voorzichtige hoop te lezen.

'Als jij deze jongedame helemaal terugbrengt naar Fort Cromwell, is de halve dag al voorbij. Ik heb je gevraagd omdat je de beste piloot in de omtrek bent.' Sarah wees op Snow. 'Dat heeft ze me zelf verteld.'

'Dat is waar,' zei Snow schouderophalend.

'Nu zijn we onderweg. Ik wil naar het eiland, ik wil mijn zoon zien.'

'Juist,' mompelde Will.

'Ik wil dat je me naar Maine vliegt. Nu.'

Sarah deed een stap naar achteren. Met haar armen gekruist voor haar borst om warm te blijven, keek ze naar de Burkes en probeerde niet te gaan huilen. In feite was het beschamend; zij voorkwam dat de dochter van een andere vrouw voor Thanksgiving naar huis werd teruggebracht, en het enige waar ze aan kon denken was Mike. Ze trilde haast van spanning, ze waren zó dichtbij, vlak bij de grens met Maine, nog maar een paar uur van het eiland.

'Mama begrijpt het heus wel.' Snow deed een stap naar haar vader toe. 'Echt.'

'Bel haar dan maar. Vertel haar wat je hebt gedaan, en dan wil ik haar nog even spreken.'

Ze vonden een telefoon. Snow draaide het nummer, maar al na een paar seconden nam Will de hoorn van haar over. Hij wist dat het problemen zou geven, en wilde zijn dochter beschermen tegen de eerste uitval.

'Hallo?'

Verdomme, hij is het, dacht Will. 'Julian? Is Alice thuis?'

'Ja.' Hij aarzelde, voelde meteen aan dat er iets mis was. 'Wat is er? Er is toch niets met Susan?'

'Nee, maar ze is wel bij me. Ze gaat mee naar Maine, maar dat wil ik Alice graag zelf vertellen.'

'Oké.' Julian zei het snel en beleefd, en toen er een hand over de hoorn werd gelegd begreep Will dat hij het zo voorzichtig mogelijk aan Alice vertelde.

'Will?' Alices stem klonk hoog en nerveus. 'Wat is er aan de hand?'

'Alice, Snow is bij me.'

'Waar ben je?'

'In New Hampshire. Ik vlieg de charter waar ik je over vertelde, en ze is uit zichzelf meegegaan.' Hij was zich ervan bewust dat Sarah en zijn dochter naar hem keken, en koos zijn woorden met zorg. 'We zijn nu halverwege en we kunnen niet terug. Ze moet mee.'

'Was het jouw idee?' vroeg Alice. 'Will, ik zweer je, als jij –'

'Nee, nee,' zei Will snel, en tot zijn verbazing hoorde hij Julian die haar op de achtergrond probeerde te kalmeren, iets zei over Susans impulsiviteit, dat dit typisch iets voor haar was. 'Julian heeft gelijk,' zei Will, verbijsterd over zijn onverwachte bondgenoot. 'Ze heeft het zelf bedacht.'

'Ik ben woedend,' zei Alice.

'Dat kan ik je niet kwalijk nemen.'

'Ze zal ervan lusten als ze weer thuis is.'

Will schraapte zijn keel, zag de glinstering in de ogen van zijn dochter, haar stralende glimlach.

'Ik ben zo kwaad, eigenlijk wil ik haar niet eens spreken. Geef me haar maar heel even.'

Will hield de hoorn vlak bij Snows oor.

'Gedraag je,' hoorde hij Alice heel luid zeggen.

'Natuurlijk,' zei Snow. 'Tot gauw.'

Toen Will het gesprek voort wilde zetten, ontdekte hij dat Alice al had opgehangen. Hij draaide zich om naar Snow om haar te omhelzen, maar ze rende al uitgelaten over het tarmac, dat glinsterde in de zon. Ze was vijftien, maar ze rende als een klein meisje, in de wetenschap dat haar beide ouders innig van haar hielden, en ze bruiste van enthousiasme over dit geweldige avontuur met haar vader.

Will en Sarah keken haar na, zonder dat ze elkaar aan durfden te kijken. Hij had het gevoel dat er iets zou gebeuren als Sarah hem aankeek. Ze zou in lachen of huilen uitbarsten, een van de twee. Maar wat het ook was, hij wist dat het een heftige uitbarsting zou zijn, bijna onstuitbaar. Dus bleef ze strak voor zich uit staren. De uitdrukking op haar gezicht was neutraal, die van een vrouw die veel geld betaalde om een vliegtuig te charteren, en probeerde geduld te oefenen totdat ze eindelijk verder zouden gaan.

Hoofdstuk 8

Om de haverklap keek Mike Talbot naar de lucht. Hij had de schuur waar de ganzen werden geplukt geveegd en deed voor het eerst sinds hij naar het eiland was gekomen de deur op slot. Zijn grootvader was een gedreven man. Hij zou vierentwintig uur per dag werken, zeven dagen per week, als tante Bess niet om klokslag zes uur de etensbel luidde en pas ophield als de mannen de keuken binnenkwamen en hun laarzen uittrokken. Waarschijnlijk was hij van plan om ook op Thanksgiving te werken – omdat het immers een dag als alle andere was – maar Mike had andere plannen.

'Waar ben jij nou mee bezig?' vroeg de oude man, die achter twee ganzen aan over het besneeuwde pad liep. Zijn gezicht was verweerd en gerimpeld. Gelsey, de manke collie, hobbelde naast hem. Hij keek om zich heen. Zijn grootvader werkte harder dan goed voor hem was, zodat hij tenminste geen tijd had om na te denken. Mike had het hem zien doen.

'Ik sluit af,' zei Mike.

'Wie heeft gezegd dat je af moet sluiten?'

'Het was mijn eigen idee.'

Hij kneep zijn ogen tot spleetjes en pakte zijn pijp, maar stak hem niet aan. Mike voelde dat hij rood werd; hij was zijn boekje te buiten gegaan, en zijn grootvader keek hem afkeurend aan.

'Ik heb nooit eerder de indruk gekregen dat je stom bent, maar welke ganzenfokker gaat er nou dicht op de dag voor Thanksgiving?' bromde hij uiteindelijk.

'Het zijn geen kalkoenen, opa. Bovendien komt mama vandaag –'

'Vogels zijn vogels, Mike,' viel zijn grootvader hem nors in de rede. 'Sommige mensen houden van een lekker mals stuk gebraad, niet helemaal uitgedroogd zoals die grote, stomme kalkoenen. Alleen wit vlees. Bah.'

'Ja, maar – '

'Heb ik je verteld van die keer dat die hufters uit Butterball hier kwamen omdat ze vonden dat ik de ganzen weg moest doen en kalkoenen moest nemen? Rose moest me tegenhouden, ik had mijn geweer al gepakt...' Met gefronste wenkbrauwen ging hij op het hakblok zitten en staarde naar zijn schoenen. Hij was oud en buiten adem van deze woordenvloed, en worstelde met zijn herinneringen.

'Gaat het, opa?'

'Natuurlijk gaat het,' zei hij somber, en kwam weer overeind. Hij pakte de bijl en keek om zich heen of hij ganzen zag.

Het had die week elke dag gesneeuwd, zodat de witte vogels nauwelijks afstaken. Mike zag ze naar graan pikken bij de baai. Na al die tijd wenste hij nog steeds dat die stomme beesten het water in zouden waggelen en weg zouden zwemmen. Golven braken op de rotsige oever. Mike telde acht zeehonden, gekromd als bananen, die op de koude rotsen lagen te zonnen.

Mike herinnerde zich de verhalen van zijn moeder over een idyllische jeugd op een boerderij. Als hij in bed lag, klaarwakker door een nachtmerrie of zoiets, kwam ze naast hem zitten, streelde ze zijn haar en vertelde dat de ganzen gekamd werden voor hun veren. Het had allemaal zo fijn geklonken, het kammen van de ganzen zo vredig. Hij had zich voorgesteld dat het voor de ganzen net zo lekker voelde als wanneer zij zijn haar streelde. Een grotere leugen was nauwelijks denkbaar.

'Ik haal ze wel, opa.' Hij droeg nog steeds zijn bebloede lieslaarzen en gleed bijna uit op het ijzige pad naar het water. De ganzen snaterden luid. Mike liep door tot hij achter ze was en joeg ze op over het pad.

'Ga dan,' siste hij zodat zijn grootvader het niet kon horen. 'Ga ervandoor, stomme beesten. Vlieg weg!'

Maar natuurlijk vlogen ze niet weg, dat deden ze nooit. Goed van vertrouwen waggelden ze naar de schuur, en met hun zwarte kraaloogjes keken ze naar Mike. Hij had deze ganzen in de lente uit het ei zien komen, had gezien dat ze de hele zomer waren vetgemest, en telkens weer had hij tegen ze gezegd dat ze weg moesten zwemmen of vliegen. Hij had zijn best gedaan.

'Aan de slag,' beval zijn grootvader kortaf. 'Iemand van de Mayport Inn komt ze vanmiddag halen met de boot.'

De oude baas wankelde een beetje door zijn artritis. Bijna verloor hij zijn evenwicht, maar Mike ondersteunde hem. Hij schaamde zich ervoor dat hij hulp nodig had, zei nooit dankjewel, keek Mike nooit aan. Uit foto's van vroeger bleek dat George Talbot ooit bijna één meter tachtig lang was geweest, maar zijn beenderen waren gekrompen en zijn rug was gebogen. Hij was klein en verschrompeld, met haar dat even wit was als de ganzen, en een huid die even donker was als boombast.

Toch was George nog steeds snel. Hij greep een gans beet, legde de hals op het hakblok, en met een vreselijke klap hakte hij de kop eraf. De tweede gans was altijd erger, want Mike geloofde dat het beest dan wist wat hem te wachten stond. Maar zijn grootvader was zo snel, het was al gebeurd voordat je met je ogen kon knipperen.

'Heb je er nu geen spijt van dat je alles hebt schoongemaakt?' bromde George. Hij had zijn gebit niet in, en zijn lippen waren onzichtbaar, maar het deed Mike goed om hem te zien glimlachen. Zijn grootvader genoot ervan als hij gelijk had.

'Het is niet erg,' zei Mike.

Ze brachten de dode ganzen naar de schuur. Het was een kleine, vierkante ruimte, raamloos op een gat in de muur na. Dit was het domein van een oude stroper; dode muskusratten bedekten de muren. Nadat ze waren gevild, zodat de huid kon worden verkocht aan iemand op het vasteland, werden ze met hun poten aan de muur gespijkerd om te drogen. Mike vond het net vliegende eekhoorns boven een of ander veld.

Mike zette de generator aan, en de verenmachine kwam op gang. Zijn grootvader trok lieslaarzen aan, en ze deden allebei handschoenen aan. De oude man werkte zo snel dat Mike hem nauwelijks bij kon houden. Ze draaiden de gans rond over de machine, die als magische vingers de veren losmaakte uit de huid. Daarna konden de veren makkelijk met de hand worden geplukt.

Mike ging met een gehandschoende hand door de veren, en gooide ze door een gat in een aangrenzend hok. Het goede dons was het dikst op de borst, en Mike zorgde ervoor dat hij geen veertje oversloeg. Zijn vingers kamden de dode gans, en hij probeerde de veren schoon te houden. Hij hoorde zijn grootvader vloeken. Mikes moeder zou komen, en dat had een merkwaardig effect op hem.

'Deze heeft een hele hoop dons, opa,' riep Mike.

'Ja.'

'Meer dekbedden voor mama.'

'Ja.'

'Ze is nu onderweg,' zei Mike. 'Ze kan elk moment hier zijn.'

'Het is een wonder dat ze überhaupt komt,' zei hij, turend naar zijn handen.

'Ze komt toch.'

'Hoe laat komt ze eigenlijk?'

'Voor het donker. Meer heeft ze niet gezegd.'

'Zo is het nou altijd met haar,' foeterde hij. 'Je kunt nooit van haar op aan. Ze belooft je iets, maar als er iets tussen komt, vergeet het dan maar. Voor je het weet is ze al weer met iets anders bezig.'

'Volgens mij valt het wel mee.' Hij wilde niet onbeleefd zijn, maar hij was het niet met zijn grootvader eens. 'Als mama zegt dat ze komt, dan komt ze. Dat telt.' Hij was zelf bijna verbaasd dat hij haar verdedigde; meestal was hij degene die zijn moeder verwijten maakte.

'Er is op deze wereld een hele hoop dat telt, Mike.' Zijn grootvader sneed de gans open om de ingewanden eruit te halen.

'Dat is waar,' gaf Mike toe.

'Toen haar moeder doodging, wist ze niet hoe snel ze van het eiland moest komen.'

Mike wilde zelfs niet kijken. Bijna elke keer dat zijn grootvader het over zijn vrouw had, werd het hem te machtig. Als tante Bess een van oma Roses liedjes op de piano speelde, moest hij de kamer uit. Mike wist dat hij soms naar het graf van zijn vrouw ging; hij had hem meer dan eens op het kerkhof gezien.

'Gaat het, opa?' vroeg Mike.

De oude man knikte. Met gefronste wenkbrauwen snoot hij zijn neus, alsof hij zo kon verhullen dat hij het te kwaad had. Mike had niet geweten wat er zou gebeuren toen hij zijn moeder had gevraagd om te komen. Hij lag al sinds groep acht met haar overhoop. Zijn moeder en haar vader hadden al veel langer onenigheid, al voor zijn geboorte. Jarenlang had Mike aangenomen dat híj de reden van de breuk was; zijn ouders waren niet getrouwd, Mike was een onecht kind. Ze moest een enorm schandaal op het eiland hebben veroorzaakt, en misschien waren zij en opa daarom wel zo afstandelijk. Maar na verloop van tijd kwam hij erachter dat de problemen al eerder waren begonnen, rond de tijd van zijn grootmoeders ziekte.

'Eens even kijken.' Zijn grootvader tuurde naar de dode ratten aan de muur.

'Wat is er?' vroeg Mike.

'Pak die twee daar eens.' Hij wees.

Mike liep naar de muur en haalde de twee half verdroogde ratten van de muur. Hij kokhalsde bijna terwijl hij het deed.

'We zullen haar lekker te eten geven als ze hier is,' zei George. 'Gestoofde muskusrat is goed voor haar, dan is ze zo weer gezond.'

'Ze ís gezond,' zei Mike.

Hij keek hem vreemd aan, fronste terwijl zijn mondhoeken omhoogwezen, en zijn wenkbrauwen hingen voor zijn ogen. Hij spoelde de dode ganzen schoon, legde ze in een houten krat, en zette dat klaar bij de deur. Daarna liep hij naar het hok om de plastic vuilniszak met veren te pakken.

'Ze is gezond,' herhaalde Mike, want het maakte hem nerveus dat zijn opa niet reageerde.

'Heeft ze dat tegen je gezegd?'

'Eh, ja.'

'Dat bleef haar moeder ook steeds zeggen.' Nu nam de frons zijn hele gezicht in beslag.

'Maar –' begon Mike, en hij keek naar de helderblauwe hemel om te zien of er al een vliegtuig aankwam.

'Wat, ben jij nou al net zo als zij?' barstte hij uit, en plantte zijn voeten uit elkaar. 'Geloof je alleen wat je wil geloven? Mensen worden ziek en dan gaan ze dood, punt uit. Ben je na al die tijd hier nog steeds niet realistisch geworden?'

'Ik ben realistisch,' protesteerde Mike.

Zijn grootvader lachte.

'Echt waar.'

'Je moet nog een hele hoop leren.'

'Nee, ik –'

'Jij wilt sprookjes, dat wil je,' viel hij kwaad uit, en hij draaide zich om naar het pad dat tegen de heuvel omhoogliep naar het huis. Driftig haalde hij zijn pijp uit zijn zak, en brak zowat de steel toen hij probeerde de tabak aan te steken.

Mike bleef staan, voelde de kou door zijn laarzen opkruipen. Hoge pijnbomen omringden het land, en de zon was erachter weggezakt. Het waren zwarte silhouetten, en de schaduwen vielen tot ver in zee. Hij keek naar zijn grootvader die omhooghinkte, en door zijn boosheid zwaaide hij met de droge ratten alsof het peddels waren. Het huis was oud en scheefgezakt. Rook kringelde uit de aangebouwde schoorsteen omhoog.

'Hé,' riep Mike, maar zijn grootvader liet niet blijken dat hij hem had gehoord. Hij begon zo mogelijk nog sneller te lopen, zijn schouders gebogen, zijn ruggengraat gekromd. Heftig schudde hij zijn hoofd.

'Ik walg van het slachten van ganzen!' riep Mike, maar pas toen hij heel zeker wist dat zijn grootvader hem niet zou kunnen horen, en zelfs al had hij eigenlijk iets anders willen zeggen. Zijn hart bonsde. Zijn adem vormde boze kleine wolkjes. Mike Talbot bleef staan waar hij stond, zijn oren gespitst om te horen of hij al een naderend vliegtuig hoorde. Hij keek omhoog, turend naar de lucht op zoek naar zijn moeder.

Het was stil in huis. Bess deed een dutje. Ze nam de hele bank in beslag, en was van teen tot kin toegedekt met een oude gehaakte omslagdoek. Ze ademde door haar mond en snurkte zacht. De staande klok tikte luid. Er lagen verschillende katten in de kamer, die haar met hun gele ogen gadesloegen. Het grootste deel van de dag hield Bess de gordijnen dicht om te voorkomen dat alles zou verschieten, zodat de kamer schemerdonker en nogal somber was, vooral doordat de meeste meubels en het behang bruin met beige waren. De rook van Georges pijp paste bij het geheel.

George stond naast de bank naar zijn slapende zuster te kijken. Ze zag er allemachtig oud uit. Ter gelegenheid van Sarahs thuiskomst had ze haar haren blauw geverfd, en dat hielp geen zier. Haar gezicht was met rimpels overdekt, en ze had haar gebit niet in. Het vuur was uitgegaan, en hij staarde beschuldigend naar haar gezicht. Had hij niet tegen haar gezegd dat het lekker warm moest zijn in huis nu Sarah kwam? Mike had hem kwaad gemaakt, en alles was in zijn ogen verkeerd. Het rook niet lekker in huis, en het interieur herinnerde hem aan een rouwkamer die betere tijden had gekend. George zuchtte en besloot Bess op een aardige manier wakker te maken.

'Goeiemorgen, luiwammes.'

Bess bewoog een beetje. George was weer enigszins tot bedaren gekomen, en hij keek om zich heen. Overal lagen katten te slapen. Hij schuifelde naar Roses oude piano, en van dichtbij kon hij de citroengeur van de was ruiken. Niemand kon zeggen dat zijn zuster geen goede huisvrouw was. Alle fotolijstjes waren gepoetst, en ze stonden keurig in het gelid op de piano. Ze had de gordijnen gewassen, net als de geruite flanel van de honden- en kattenmanden, en de vloer in de was gezet. Toch rook het in de kamer nog steeds naar twee oude besjes en een tiener.

Hij stak zijn hoofd om de hoek van Bess' naaikamer, en leegde de grote zak veren in een rieten mand. Het was zo'n klein hokje dat hij zich nauwelijks kon bewegen zonder iets omver te stoten. Als hij weer eens last had van reumatiek en al zijn gewrichten pijnlijk en stram waren, was hij net een olifant in de porseleinkast. Hij trapte op een slapende kat, en het beest kermde. George vloekte hartgrondig. Hij moest zich aan een rol witte katoen vastgrijpen om niet te vallen, zodat hij de stof vuil maakte met de rat in zijn rechterhand.

'Stik!' zei hij bij het zien van de vlek. Nou, er was niets meer aan te doen, dacht hij. Toen hij zich omdraaide naar de kamer om te zien hoe het met Bess was, viel zijn oog op drie dekbedden, keurig opgevouwen op een stoel in de hoek. Deze waren nieuw gemaakt sinds de vorige partij naar Sarah was gegaan. Hij fronste toen hij ze zag. Waarom deed ze die stomme winkel van haar niet gewoon een paar dagen dicht, zodat ze een beetje kon ontspannen? Het kon je dood worden als je te hard werkte.

Terug in de zitkamer zag hij dat Bess opnieuw lag te snurken. Georges bloeddruk schoot omhoog. Hij probeerde op zijn horloge te zien hoe laat het was, maar er was niet genoeg licht. Dus keek hij op de staande klok. Kwart over drie! Sarah kon er nu echt elk moment zijn.

Boven Bess' hoofd sloeg hij de twee ratten tegen elkaar. Het klonk zoals het uitkloppen van de bordenwissers uit zijn jeugd, luid en dof. Alle katten stoven uiteen.

'Wakker worden!' brulde hij.

'George, wat is er?' Bess was op slag klaarwakker.

'Kijk eens hoe laat het is, Bess. Je nicht komt voor het eerst in tijden weer thuis. Wil je nou echt dat ze je verrast als je midden op de dag ligt te slapen?'

'Ik gun mijn ogen gewoon even rust.' Door te fronsen kreeg Bess wel een miljoen nieuwe rimpels.

'Er komt echt geen gestoofde muskusrat op tafel als jij je als de koningin van Sheba gedraagt. En wat is er verdomme met het vuur gebeurd? Het is hier zo koud als het graf.'

'In meerdere opzichten,' snoof Bess terwijl ze ging zitten. Ze schoof haar voeten in zwarte schoenen met gespen, fatsoeneerde haar haren en trok haar mouwen omlaag. George sloeg zijn zuster gade. Ze was altijd een dame geweest, elegant en beschaafd, een overblijfsel van haar jaren als getrouwde vrouw in Providence. Het kostte wel moeite om te gaan staan. George schoof zijn handen onder haar armen en probeerde haar overeind te hijsen.

'George, je doet me pijn!' protesteerde ze.

Meteen liet hij haar los, zodat ze omviel en hij achter haar aan op de bank tuimelde.

'Verdomme, Bess!' tierde hij. Ze zaten in de knoop met haar omslagdoek en elkaar, en ze begon te giechelen, wat hem woedend maakte. Ze hadden zich omgedraaid, alsof ze naast elkaar televisie zaten te kijken, helemaal onderuitgezakt, en probeerden overeind te komen. Het was net een race, een ingespannen worsteling op de bank, en George had het gevoel dat er een bloedvat zou kunnen springen.

'Hé, opa,' zei Mike toen hij de kamer binnenkwam. Bij het zien van het spektakel bleef hij abrupt staan.

'Wat is er?' vroeg George uitdagend, want hij verwachtte dat de jongen in lachen zou uitbarsten.

'Niets.' Mikes gezicht stond ernstig, en zijn grote ogen verrieden weinig. Hij stak een hand uit en George trok zichzelf overeind. Toen bukte Mike zich, en liet Bess zijn onderarmen vastpakken om haar voorzichtig te helpen.

'Bedankt, lieverd.' Bess pakte haar looprek en begaf zich waardig naar de keuken.

'Goed zo, Mike,' zei George.

'Graag gedaan, opa.'

'Die Bess. Ze is net een zak meel als je haar op moet tillen. Ze helpt je helemaal niet, ze hangt aan je als een lappenpop, dood gewicht. Als je niet oppast, trekt ze je omver.'

'Ze is lief,' zei Mike. 'Opa, die man van de Wayport Inn is er. Wil je dat ik hem een rekening stuur voor die twee ganzen?'

'Hemel, nee! Laat hem contant betalen. Je moet mensen geen krediet geven, al hebben ze nog zulke mooie praatjes. Nou, jongen, je kunt niet zeggen dat je ouwe grootvader je niet leert hoe de wereld in elkaar zit.'

'Dat zeg ik ook niet.' Mike liep al naar de deur.

'Is je moeder al in aantocht?'

'Nog niet,' zei Mike. Toen was hij weg.

George Talbot stond in de kamer met de muskusratten nog in zijn hand, en opeens overviel het hem. Zijn dochter was onderweg hierheen. Hij schuifelde naar Roses piano en ging zitten. George had nooit een noot kunnen spelen. De muziek was altijd gemaakt door de vrouwen in zijn leven. Zittend op de oude pianokruk voelde hij zich dichter bij zijn vrouw.

'Sarah komt,' zei hij hardop. Ze had kanker gehad, net als Rose. De gedachte daaraan was zo vreselijk, zo angstaanjagend; zijn hart deed pijn als hij er alleen al aan dacht. Hij boog zich over de piano en sloeg lukraak een paar noten aan. Hoe hielden mensen het toch vol, als ze zo aan elkaar gehecht raakten?

Nu was Mike er. Wat moest hij zonder die jongen beginnen? George vond het niet prettig om van anderen afhankelijk te zijn, maar hij was praktisch ingesteld en zag de feiten graag onder ogen. Die jongen was pas zeventien, maar hij was een geschenk uit de hemel. George had nooit verwacht dat hij naar het eiland zou komen. Hij wist dat hij het recht niet had om van Mike te verlangen dat hij bleef. Het was net als met zijn moeder, net als met zijn grootmoeder. Ze kwamen en gingen.

Beneden hen leek de zee net een oneindig groot donker satijnen laken, net niet blauw, bijna zwart. Het mysterieuze noorderlicht werd erin weerspiegeld. In de baaien waren besneeuwde eilandjes zichtbaar. De zon ging in oranje vuur achter het vliegtuig onder. Ze vlogen de nacht tegemoet, zagen de eerste sterren verschijnen. Sarah hield zich stevig vast aan haar stoel.

Will maakte een bocht naar rechts, in zuidzuidoostelijke richting, en trok het toestel weer recht. Sarahs blik gleed over de eilanden.

'Daar,' zei ze, en wees. Haar hart leek een salto te maken nu ze haar eiland zag.

'Dat daar?' vroeg Will. 'Ver in zee?'

'Ja, het verste eiland.'

Will knikte. Hij stelde de koers bij en pakte zijn microfoon om contact op te nemen met de verkeersleiding in Boston. Op Elk Island was niets, geen verkeerstoren of hangars, alleen een oude landingsbaan van gras. Mike had beloofd dat hij contact zou opnemen met meneer Blackburn, de beheerder van het eiland, om de baan die ochtend sneeuwvrij te laten maken.

Vanuit de lucht kon Sarah goed zien hoe afgelegen haar eiland eigenlijk lag. Op de kaart leek het net het stipje onder een vraagteken, het laatste van een sliert eilandjes die een krul vormden vanaf de punt van het Tamaquid-schiereiland. Maar vanuit de lucht zag ze dat de archipel en Elk Island door kilometers lege zee van elkaar gescheiden waren. Ze keek ernaar en huiverde. Er was geen plaats op aarde geweest waarvan ze zoveel had gehouden, en toch had ze het niet snel genoeg kunnen verlaten.

'Ben je daar opgegroeid?' Snow leunde tegen het raampje.

'Ja,' bevestigde Sarah.

'En daar is Mike nu?'

'In dat witte huis daar.' Sarah wees. Ze zag de farm, die de hele zuidoostelijke hoek van het eiland besloeg, tachtig hectare naaldbos en zoutpannen. Het oude huis lag naast een rode schuur, en tussen de hokken en velden stonden gammele witte hekken. Er kringelde rook uit de schoorsteen omhoog.

'Alle huizen zijn wit,' zei Snow terwijl ze telde. 'Alle veertien. Zijn er maar veertien gezinnen op het eiland?'

'Iets meer.' Sarah drukte haar voorhoofd tegen het raampje toen Will een bocht naar rechts maakte. Ze was zo opgewonden. Ze moest een zucht of een gesmoorde kreet hebben geslaakt, want ze voelde Wills hand op haar schouders.

'Gaat het?' vroeg hij.

'Ik ben zo blij,' zei Sarah met tranen in haar ogen. Toch glimlachte ze nog steeds. Ze had het gevoel dat ze zou kunnen vliegen als Will de deur van het vliegtuig opendeed en zij eruit zou springen. 'Ik verheug me er zo op om Mike te zien.'

Will kneep in haar hand voordat hij het toestel rechttrok en de landing inzette. Het kleine haventje lag rechts. De vuurtoren knipperde groen en wit, kort en lang. Boven hen twinkelden de sterren, en onder hen schoot het land voorbij. De dicht opeen groeiende naaldbomen leken net de haren van een borstel. Ze vlogen over de boomtoppen recht op een smalle landingsbaan af. Het uitklappen van het landingsgestel was hoorbaar.

'Dit is wat je noemt goed vertrouwen,' zei Will. 'Blind vertrouwen.'

'Wat bedoel je?' vroeg Sarah.

'Ergens landen waar ik nog nooit ben geweest, en er dan op vertrouwen dat de baan behoorlijk is vrijgemaakt.'

'Mike zei dat hij zou bellen –'

'Ik twijfel er niet aan dat hij dat heeft gedaan.' Wills kaken waren op elkaar geklemd, en zijn blik was op de baan gericht. Het was een smalle, groenbruine streep in een wit veld, en Sarah wist dat het vliegtuig zou slippen in de sneeuw als de baan niet zorgvuldig was schoongemaakt. Bang was ze niet; als Mike had gezegd dat hij meneer Blackburn zou bellen, dan had hij dat ook gedaan.

'Wacht Mike je op?' vroeg Will terwijl hij afremde.

'Dat denk ik niet. Hij wist niet hoe laat we zouden komen,' zei Sarah. 'Hoezo?'

Will stelde de vleugelkleppen bij. Hij bracht de neus omlaag en zorgde dat de vleugels recht bleven. De naaldbomen fluisterden onder hen, en Sarah kon de hoogste takken bijna tegen het landingsgestel horen tikken.

'Omdat er daar iemand staat.' Geconcentreerd keek Will voor zich uit. 'En die lijkt heel erg op jou.'

'Mike!' riep Sarah, haar handen plat tegen het koude glas, haar mond open van pure verrukking toen de wielen de bevroren grond raakten en het toestel over de baan hobbelde. Langs de kant stond een lange en knappe jongeman, zijn handen diep in zijn zakken, zijn mooie hoofd ontbloot, ook al had zijn moeder hem nog zo vaak op het hart gedrukt dat hij een muts moest dragen.

Hoofdstuk 9

Van een afstand zag Mike zijn moeders vliegtuig landen. Aangezien meneer Blackburn was geveld door jicht, had Mike de baan zelf sneeuwvrij gemaakt. Hij had het die dag twee keer gedaan, de eerste keer na de sneeuw die er vannacht was gevallen, en de tweede keer toen het ijs in de middagzon was weggesmolten. Zijn hart bonsde. Hij had nooit eerder een landingsbaan geploegd, en hij was bang dat hij het niet goed had gedaan. Het kleine vliegtuigje stuiterde en hobbelde flink, raakte elke voor die de ploeg had gemaakt. Mike hield zijn adem in totdat het helemaal tot stilstand was gekomen.

Hij startte de grote Jeep en reed door de sneeuw naar het eind van de baan. Daar stopte hij en stapte uit. Zijn moeder zat vast. De deur stond open en ze zwaaide als een krankzinnige naar hem, maar ze kon haar gordel niet loskrijgen.

'Hai, Mike!' riep ze.

'Hai, mam,' riep hij terug.

De piloot zwaaide even naar hem toen hij om het vliegtuig heen liep, en maakte zijn moeders gordel los. Het was een grote kerel met brede schouders en de donkere schaduw van baardstoppels, net een piloot uit de film. Mike zag hoe teder hij te werk ging en concludeerde dat hij waarschijnlijk verliefd op haar was. Weer een man. Wat een verrassing. Eindelijk was de gordel los, en ze sprong uit het vliegtuig.

'Mike!' joelde ze, en ze stormde door de sneeuw op hem af.

Hij sloeg zijn armen over elkaar. Dat was hij niet van plan geweest, en hij was er zelf verbaasd over. Al de hele week verheugde hij zich erop om haar te zien, dus hij begreep niet waarom hij nu opeens de behoefte voelde om weg te lopen. Kennelijk las zijn moeder het aan de uitdrukking op zijn gezicht, want ze omhelsde hem niet.

'Hai, mam,' zei hij nog een keer.

'Mike, je bent bijna tien centimeter gegroeid.'

'Zoiets, ja,' beaamde hij.

Haar blauwe ogen bewogen snel. Ze keek naar zijn ogen, zijn haar, huid, registreerde alles. Hij vroeg zich af of ze kon zien dat hij zich tegenwoordig om de dag moest scheren. Hij probeerde niet te laten merken dat hij met haar hetzelfde deed, dat hij haar aandachtig opnam om te zien of ze echt zo gezond was als ze beweerde.

'Wat zit je haar leuk,' zei ze. 'Moet je het van opa zo kort laten knippen?'

'Ik wil het zelf.' Hij haalde zijn schouders op.

Hij liet zijn armen omlaagvallen naar zijn zij. Wat hem betrof mocht ze hem nu omhelzen. Dat deed ze niet. Hij glimlachte voorzichtig, maar zij keek heel ernstig. Ze hield haar hoofd schuin en zei niets. Haar half geopende mond vormde een kleine O.

'Wat is er?' vroeg hij.

'Ik kijk naar je,' zei ze. 'Dat is alles.'

De wind was aangewakkerd en blies sneeuw over het veld. Zo ver in het noorden werd het vroeg donker; over een uur zouden ze te laat zijn geweest. Mike was naar de baan gereden zodra hij het vliegtuig had gehoord. Als het toen niet was gekomen, zou hij vuurbakens hebben aangestoken als landingslichten, en met brandende koplampen in de auto zijn blijven wachten. Maar dat soort maatregelen waren niet nodig geweest.

De piloot zette het vliegtuig vast. Hij had vier enorme haringen en een grote hamer. De lichtbundel van de vuurtoren verlichtte de hemel. Elke hamerslag klonk luid en metaalachtig. Mike gebaarde naar de piloot.

'Blijft hij hier?'

'Ja,' zei Sarah. 'Als hij me alleen had afgezet, had hij weer helemaal terug moeten komen om me op te halen.'

Uiteraard ging ze weer weg. Zelfs al voor ze er was, had ze haar vluchtroute zeker gesteld. Zijn moeder had het eiland al heel lang geleden vaarwel gezegd, precies zoals opa had gezegd. Ze had iemand meegebracht die haar een paar dagen gezelschap kon houden en haar weer terug kon vliegen. Mike verwoordde zijn gedachten niet. Hij liep weg om de piloot te gaan helpen. Die man werkte snel, net zo efficiënt als Mikes grootvader. Mike stond te kijken toen hij de haringen in de bevroren grond hamerde, touw spande door de vleugels en de wielen, en het toestel met de precisie van een volleerde zeeman verankerde.

'Hulp nodig?' vroeg Mike.

'Graag.' De piloot gaf hem een rol touw, een haring en de hamer. 'Wil jij de staart vastzetten?'

'Best,' zei Mike.

'Ik ben Will Burke,' zei de piloot.

'Mike Talbot.'

Ze gaven elkaar een hand. De piloot glimlachte maar kort. Zijn handdruk was stevig, maar niet verdacht ernstig. Inwendig slaakte Mike een zucht van opluchting. Hij had maar al te vaak idioten meegemaakt die zijn moeder in bed probeerden te krijgen door hem, Mike, in te palmen, maar zo te zien was deze Will anders. Mike vroeg zich af wat zijn grootvader ervan zou vinden dat de piloot bleef.

Mike schatte de juiste afstand om het vliegtuig zo stevig mogelijk vast te zetten. Met zijn voet schraapte hij de sneeuw weg, hij zette de pin rechtop en dreef die diep de ijzige grond in. Hij haalde het nylon koord door het stalen oog en zette het met een trompetsteek vast. Toen hij opkeek, stond zijn moeder naast hem. Ze had die trotse blik in haar ogen waardoor ze er haast slaperig uitzag, alsof ze elk moment kon gaan huilen om het volkslied, of zoiets.

'Wat is er?' vroeg Mike, nog steeds gehurkt.

'Ik ben zo –' ze slikte '– zo blij om je te zien.'

'Ja,' zei hij. 'Ik ook.'

'Geef me dan eens een zoen,' zei ze.

Mike liet de hamer vallen, klopte de sneeuw van zijn handschoenen en sloeg zijn armen om haar heen. Zonder te bewegen bleven ze staan, heen en weer gewiegd door de wind. Zijn moeder voelde heel klein, net een vogeltje, tien pond lichter dan de laatste keer dat hij haar had gezien. Hij had zijn ogen dichtgeknepen. Ze huilde. Hij voelde het trillen van haar lichaam. Tranen brandden in zijn eigen ogen. Met de berichten die hem het afgelopen jaar hadden bereikt, had hij een paar keer getwijfeld of hij haar ooit nog terug zou zien.

'Mike,' wist ze uit te brengen.

'Kom op, mam,' zei hij. 'Niet doen.'

'Ik weet het.' Ze boog haar hoofd en deed een halve stap achteruit. Ze zocht in haar zak naar papieren zakdoeken. Die had ze nooit. Als hij vroeger als jochie een snotneus had in de speeltuin, was zij de enige moeder zonder zakdoekjes in haar tas. Mike was eraan gewend geraakt om voor zichzelf te zorgen, dus stak hij een hand in zijn jack en gaf haar een zakdoek.

'Dank je.' Ze snoot haar neus als een gans, en gaf hem de witte, gesteven zakdoek terug. 'Niemand doet de was zoals tante Bess.'

'Klopt.' Hij stak de zakdoek weer in zijn binnenzak, en wilde net voorstellen om naar huis te gaan, toen zijn adem stokte. Het was als een stomp in zijn maag, hij kon geen adem meer halen.

'Wie is dat?' vroeg hij met een blik over zijn moeders schouder.

Een beeldschoon jong meisje kwam uit het vliegtuig. Ze had enorm grote ogen en een glanzende mond, en haar huid leek te gloeien. Ze droeg een groot marineblauw jack, een strakke spijkerbroek, en gloednieuwe gympen. Haar nagels waren bruin en oranje gelakt. Ze rekte zich uit alsof ze net wakker was. Nieuwsgierig keek ze om zich heen, maar toen ze Mike zag glimlachte ze en kwam naar hen toe.

'Dat,' zei zijn moeder, ook met een glimlach, 'is Snow.'

'Snow?' vroeg Mike.

'Jij moet Mike zijn,' zei Snow met een stem die op cd's zou moeten worden vastgelegd.

'Klopt,' zei Mike. 'Hai.'

'Wij zijn vrienden van je moeder,' legde ze uit. 'Mijn vader en ik.'

'O.' Mike bloosde omdat ze zo mooi was en totaal niet verlegen.

'Goede vrienden,' verduidelijkte zijn moeder, en ze sloeg een arm om Snows schouders. Snow was maar een paar centimeter kleiner dan zijn moeder, en omdat hij háár net had omhelsd, kon Mike zich goed voorstellen hoe het zou voelen om Snow vast te houden. Zijn gezicht werd nog roder.

'Mmm,' bromde Mike.

'Je moeder popelde om hier te zijn,' zei de piloot.

'Vind je het gek!' riep zijn moeder uit, en ze trok Snow steviger tegen zich aan. Mike zag aan het glinsteren van zijn moeders ogen hoe gelukkig ze was. Ze keek hem aan, alsof ze hém wilde omhelzen in plaats van dit nieuwe meisje, alsof ze wilde dat de afstand tussen hen bij toverslag op zou lossen. Mike deed een stapje naar haar toe, maar er bleef afstand.

'Je ziet er anders uit,' zei Mike.

'Is dat zo?' vroeg zijn moeder met een gekwetste uitdrukking op haar gezicht. Hij wist niet hoe hij haar moest vertellen dat ze er mooi uitzag, dus staarde hij alleen maar.

'Sarah, mag ik hem vragen of hij...' Snow ging op haar tenen staan en fluisterde zijn moeder iets in het oor. Het was raar om te horen dat een meisje van zijn eigen leeftijd 'Sarah' tegen zijn moeder zei. Mike dwong zichzelf te kijken alsof het hem niet interesseerde wat ze hem wilde vragen.

'Ga je gang,' zei zijn moeder.

'Wat vind je van haar haar?' vroeg Snow.

'Hè?' Mike fronste zijn wenkbrauwen. Hij keek naar het haar van zijn moeder, en zag wel dat er iets was veranderd. Het was heel erg kort en heel erg blond. Het stond haar goed, misschien kwam het ook gedeeltelijk daardoor dat ze zo mooi was. Hij knikte. 'Het staat leuk,' zei hij met een glimlach.

'Mijn idee,' vertelde Snow glunderend.

'Ja,' zei de piloot, ook met een glimlach. 'Het staat erg leuk. Het is anders, hè?'

'Ja,' bevestigde Sarah lachend.

'Wat ben je toch blind, pap. Je bent helemaal met haar naar Maine gevlogen, en je ziet het nu pas?' Liefhebbend schudde Snow haar hoofd. 'En jij ook, Mike. Stekeblind!'

'Sorry,' zei Mike gepikeerd. Hij staarde naar Snow, vastbesloten om direct oplettender te worden. Aandachtig keek hij naar haar grote ogen, het lange, zacht krullende kastanjebruine haar dat over haar schouders golfde. Hij zag haar hals, zo blank en rank. Onwillekeurig slikte hij, en hij moest zijn blik afwenden om te voorkomen dat hij zo oplettend werd dat hij ontplofte.

'Het is koud,' zei Mike. 'Laten we naar huis gaan.'

'Fijn! Ik bevries.' Snow straalde alsof hij haar held was.

'Ik haal de bagage,' zei de piloot, en hij liep naar het toestel.

Zonder iets te zeggen ging Mike hem helpen, en zijn moeder en het beeldschone meisje stapten vast in de Jeep om warm te worden.

Ze stopten voor de oude boerderij. Sarah en Will liepen voor de kinderen uit. Alle jeugdherinneringen overspoelden haar. Hier had ze gewoond tot ze ging studeren. Tot haar elfde was ze zelfs nooit van het eiland geweest. Haar moeder was in dit huis gestorven, in de slaapkamer aan de voorkant.

'Ik kan bijna niet geloven dat ik hier ben,' fluisterde ze. Haar handen trilden.

'Je klinkt haast bang,' antwoordde hij fluisterend.

'Dat ben ik ook!'

'Het is je ouderlijk huis.'

'Juist daarom,' zei ze, en het klonk zo grappig dat ze er zelf om moest lachen. Will sloeg een arm om haar heen. Ze bleven staan op het betegelde pad, zodat zij op adem kon komen. Nu ze iets rustiger was, keek ze pas echt naar het huis. Het was een van de oudste huizen in Maine, net een antieke zoutkist. De historische gedenkplaat was van de muur gevallen, zodat er alleen nog spijkergaten zichtbaar waren. De witte verf bladderde af. Een van de treden van het trapje was in het midden gebarsten.

'Ik heb nog geen tijd gehad om die tree te vervangen,' zei Mike.

'Jij?' vroeg Sarah verbaasd. Haar vader had altijd het onderhoud aan het huis gedaan. Ze had haar vader jaren niet gezien, en opeens besefte ze dat ze bang was voor wat ze zou aantreffen.

'Wat ben je dan, een klusjesman?' vroeg Snow.

'Ja,' antwoordde Mike trots.

'Klaar?' vroeg Will, en hij legde een hand op Sarahs arm.

'Ja.' Ze liet de grote koperen klopper drie keer neerkomen, draaide aan de knop en ging naar binnen.

George Talbot stond in de gang. Kennelijk had hij de koplampen gezien, en was hij naar de gang gegaan om hen op te wachten. Hij had de deur open kunnen doen, hallo kunnen roepen, hen kunnen begroeten toen ze over het pad liepen, maar zo was hij niet. Sarah staarde haar vader aan. Wat is hij oud geworden, dacht ze. Mijn vader is een oude man.

'Zo,' zei hij tegen haar. 'Ben je daar, Sarah.'

Sarah voelde het bloed naar haar wangen stijgen. 'Hai, pap.'

'Wat is dit nou? Heb je de troepen meegebracht?' vroeg hij met een verstoorde blik op Will en Snow.

'Ik ben Will Burke, meneer.' Will gaf hem een hand. 'En dit is mijn dochter, Snow.'

Sarah glimlachte omdat hij 'Snow' had gezegd in plaats van 'Susan'.

'Hoe maakt u het. Bent u het nieuwe vriendje?'

'De piloot, opa.' Mike kwam nu ook binnen.

'Uw dochter heeft mijn vliegtuig gehuurd,' legde Will uit.

'Dat zal wel een lieve duit kosten, een privé-piloot helemaal van New York naar Elk Island.'

'Daar blijkt wel uit hoe graag ze wilde komen,' zei Will.

'Mmm,' bromde George Talbot. Sarah zag de verwarde uitdrukking in zijn ogen. Hij had zo weinig contact met andere mensen dat het voeren van een gewoon gesprek hem moeilijk viel. Hij was ontzettend verlegen, maar dat kwam altijd als vijandigheid over. Sarah geneerde zich een beetje, en om hem te beschermen liep ze naar hem toe om zijn handen in de hare te nemen.

Ze voelden droog en benig, alsof het oude boomwortels waren. Zacht kneep ze erin, terwijl ze hem bleef aankijken. Zo lang ze het zich kon herinneren had hij grijs haar gehad, en nu was het helemaal wit geworden.

'Hai, papa,' zei ze nog een keer.

'Hai, Sarah,' zei hij. Zijn lichtblauwe ogen lagen diep in de oogkassen, het gevolg van een heel leven aan zee. Doordat zijn scherpe kin naar voren stak zag hij er altijd strijdlustig uit, alsof hij je uitdaagde. Hij was zeker vijf centimeter gekrompen, zodat hij nu bijna oog in oog stond met Sarah. Zijn houding was die van een mannetjesputter, maar zijn lichaam was zo oud geworden.

'Mijn vrienden vliegen me zondag weer naar huis, dus leek het me beter als ze hier bleven. Ik maak wel bedden voor ze op –'

'Je komt helemaal hierheen, en dan blijf je maar vier dagen?' vroeg hij.

'Ja. Er staat iemand in de winkel die het voor het eerst doet, en ik wil haar niet te lang alleen laten.'

Haar vader nam haar op, toen ging zijn blik naar Mike. Hij deed een stap naar hem toe, alsof hij een verbond sloot met zijn kleinzoon. Sarah kon haar ogen niet van hem afhouden. In de schemerdonkere gang keek ze naar haar knappe, sterke zoon, en ze kon zien dat hij genegenheid voelde voor haar vader. George gaf hem een por met zijn elleboog, en Mike deed alsof hij naar voren klapte terwijl hij hem een por teruggaf.

'Laat dat, Mike,' zei haar vader streng. 'We hebben bezoek, dus gedraag je dan een beetje. Hou je van gestoofde muskusrat, jongedame?'

'Wie, ik?' vroeg Snow.

'Ja, jij.'

'Eh, ik ben vegetariër.'

'Eet je alleen groente?' vroeg hij.

'Ja. Ik geloof er niet in om dieren op te eten.'

Mike leek zich slecht op zijn gemak te voelen, en zijn grootvader stond perplex.

'Bent u niet bang dat ze te eenzijdig eet?' vroeg hij aan Will.

Lachend schudde Will zijn hoofd. 'Ze houdt er haar eigen ideeën op na, meneer Talbot. Ze is mijn dochter, maar ze heeft een eigen wil.'

'Ik weet er alles van, meneer Burke,' zei hij met een dreigende blik op Sarah. 'Alles. Heeft u ook zoons?'

'Nee,' zei Will.

Sarah las noch op zijn gezicht, noch op dat van Snow verdriet over de overleden jongen. Fred. Ze leunde opzij naar Will en raakte per ongeluk zijn schouder aan met de hare. Bijna automatisch deden ze een stap bij elkaar vandaan, en ze keken elkaar niet langer dan een seconde aan.

'Jongens zijn makkelijker,' zei haar vader. Vreemd, dacht Sarah, want hij had nooit een zoon gehad. Maar toen zag ze dat hij naar Mike keek. 'Nou, laten we maar eens naar beneden gaan voor het eten. Bessie is zo doof als een kwartel, anders was ze jullie wel komen begroeten. We moeten haar niet vergeten.'

'Oké, papa.'

Haar vader bleef nog even staan en keek haar lang aan. Zijn ogen leken een zachtere uitdrukking te krijgen, en opeens glinsterden er tranen in. Hij was ontzettend sentimenteel, en Sarah wist dat zij hem aan het verleden herinnerde. 'Is het niet raar dat je moeder er niet is, Sarah? Ik kan er maar niet aan wennen, ook al is het nog zo lang geleden.'

'Ik ook niet, papa.' Sarah kwam naar voren om haar armen om hem heen te slaan, maar het was al te laat. Hij had zich omgedraaid en schuifelde naar de trap.

'Ze maakt zoveel groente voor je klaar als je wil,' zei Mike tegen Snow.

'Ik wil niemand tot last zijn.' Snow liep achter Mike aan.

Sarah en Will waren alleen. Hun tassen stonden opgestapeld bij de deur, en hun kinderen waren met haar vader meegegaan naar de keuken in het souterrain. Flakkerende vlammetjes van tinnen olielampjes gaven nauwelijks meer licht dan kaarsen. Sarahs hart bonsde, zowel van vreugde als van angst over haar thuiskomst.

'Gaat het?' vroeg Will.

Sarah knikte. Ze wilde glimlachen, ja zeggen, maar als ze op dat moment zou spreken of bewegen, zou ze gaan huilen. Ze hoorde Mikes stem van beneden toen hij Snow voorstelde aan tante Bess, en hij klonk zo beheerst en volwassen en onvoorstelbaar. Ze kon nauwelijks geloven dat dit dezelfde jongen was met wie ze een jaar geleden zo'n ruzie had gehad.

'Je hoeft hem nu niet meer te missen, Sarah,' zei Will. 'Hij is hier.'

'Ik weet het. Bedankt.'

'Omdat ik je heb gebracht? Dat is –'

'Omdat je bij me bent,' zei Sarah.

Geëmotioneerd pakte Sarah zijn hand. Het gebeurde zo snel, voordat ze de kans kreeg erover na te denken, en haar hart klopte snel. Hij keek haar niet aan, staarde in plaats daarvan naar hun ineengeslagen handen, hun verstrengelde vingers. Hij bracht haar hand omhoog naar zijn lippen, drukte er een kus op, en liet haar los. Nu pas keek hij haar aan, en hij glimlachte.

'Dat geldt ook voor mij,' zei hij. 'Bedankt.'

'Niets te danken.'

Samen gingen ze de smalle trap af naar de keuken.

De keuken besloeg de hele lengte van het huis. Vijf grote ramen boden uitzicht op de baai, met eronder een brede vensterbank waar je op kon zitten. Er lag een lang kussen op, met allemaal kleine donzen kussentjes in fleurige hoezen met opgestikte sterren. Het huis was gebouwd op een steile rots, en hier aan de achterkant was het een hele verdieping dieper dan aan de voorkant. In de grote open haard knapte een vuur. Trofeeën hingen aan de witte muren: koppen van everzwijnen, herten en elanden. Hoeven waren uitgehold en werden nu gebruikt om er keukengerei in te zetten. Geweien deden dienst als kapstok.

De tafel was gemaakt van een enorme omgevallen eik, en onder de vele lagen glimmende lak waren de jaarringen zichtbaar. De stoofschotel zat in een gietijzeren pan. Tante Bess stond bij het fornuis en hield toezicht op Mike, die het gerecht in kommen van grof bruin aardewerk schepte. Tante Bess was mollig, even rond als haar broer mager was, en ze bewoog zich met behulp van haar looprek door de keuken. Sarah keek naar haar en vroeg zich af hoe ze de trap op en af liep. Het leven op een boerderij kon hard zijn, zoals haar tante bewees. Ze was op haar paasbest in een donkerblauwe jurk met witte stippen, en kwam met een brede glimlach op haar gezicht tussen Sarah en Snow aan tafel zitten. Ze rook naar een mengeling van zweet, mottenballen en Arpège.

'Het is zo gezellig dat er weer eens meisjes zijn,' zei ze. 'Het is zo saai met altijd alleen mannen.'

'Ik vind het heerlijk om je weer eens te zien, tante Bess,' zei Sarah.

'Dat is wederzijds, Sarah.' Ze keek van Snow naar Will. 'Sarah is net de dochter die ik nooit heb gehad.'

'Sarah had een moeder.' George keek zijn zuster met gefronste wenkbrauwen aan.

Sarah kon hem niet eens aankijken, zo verbaasd was ze dat hij zijn zus willens en wetens zoveel verdriet deed. Tante Bess wapende zich, rechtte haar schouders. Maar toen ze zag dat Sarah naar haar keek, trok ze haar wenkbrauwen op en haalde ze haar schouders op. De stemming aan tafel was precies zo gespannen als Sarah het zich van vroeger herinnerde, en onwillekeurig keek ze naar haar zoon. Ze begreep niet hoe hij het uithield.

'Dit vlees is verrukkelijk,' zei Will.

'Een specialiteit hier in Maine,' zei George.

'Ik ben blij dat u het lekker vindt,' zei tante Bess, in haar nopjes met het complimentje.

'Jij weet niet wat je mist, jongedame,' zei George tegen Snow. 'Je wordt sterk van gestoofde muskusrat.'

'Ik ben heel tevreden met mijn eten.' Snow had een bord met wortels, raapjes en kool, gesneden door Mike en gestoomd door Bess.

'Dit gerecht is typerend voor New England,' zei George.

Snow liet haar vork zakken en hield haar hoofd schuin. 'Wij aten nooit gestoofde muskusrat, en wij komen uit New England.'

'Echt waar? Ik dacht dat jullie uit Fort Cromwell kwamen,' zei tante Bess.

'Snow is in Newport geboren, op Rhode Island,' legde Will uit. 'Toen zat ik nog bij de marine.'

'Newport? Ach, hemeltje, mijn man en ik woonden in Providence, en we kwamen graag in Newport. Ons favoriete restaurant was De Pier – kent u het?'

'Kreeftensoep,' zei Snow. 'Voordat ik vegetariër werd, was ik dol op de kreeftensoep van De Pier. En Fred was gek op hun gevulde schaaldieren. Weet je nog dat hij altijd gevulde kreeft nam, pap?'

'Natuurlijk,' zei Will.

'We gingen bijna elke zaterdag met de auto naar Newport. We genoten van de rit en de oude huizen, en we gingen altijd naar De Pier. O, ik –'

'Dus u zat bij de marine?' viel George tante Bess in de rede, en hij nam Will met nieuwe belangstelling op.

'Ja, meneer.'

'Actief gevochten?'

'Een paar keer.'

'Waar?'

'In de Perzische Golf!' zei Snow trots.

'Echt?' vroeg Mike.

'Ja,' beaamde Will, zijn blik gericht op George, die tegenover hem zat. 'Sarah heeft me verteld dat u in de Tweede Wereldoorlog hebt gevochten.'

'Jazeker. Bij de luchtmacht, Eighth Air Force in Europa.'

'Mijn grootvader vloog op kop van de formatie,' vertelde Mike.

'Op D-day was het zijne een van de eerste toestellen in Normandië,' vulde Sarah aan, al net zo trots als Snow. Nog steeds vond ze het geweldig dat haar vader een echte oorlogsheld was geweest. Hij had zich met overgave ingezet voor de goede zaak. Ze zag dat hij haar venijnig aankeek.

'Ik ben verbaasd dat je dat nog weet,' zei hij.

'Natuurlijk weet ik dat nog,' zei ze zacht. Ze had alle verhalen gehoord, de meeste van hemzelf, maar ook een paar van haar moeder, vlak voor haar dood. Verhalen over het bombardement op Keulen, en dat hij de kathedraal ongemoeid had gelaten, en over de bemanning waar hij in Colorado mee had getraind; ze waren neergeschoten boven de Noordzee en allemaal omgekomen, behalve haar vader. Sarah bewaarde zijn onderscheidingen – de Air Medal, het Distinguished Flying Cross – thuis in Fort Cromwell, in een klein juwelenkistje met roze satijn.

'In de Perzische Golf, hè?' vroeg George aan Will alsof de anderen er niet bij waren.

'Ja, meneer.'

'Welke rang?' vroeg hij met een glinstering in zijn ogen.

'Kapitein-luitenant-ter-zee.'

Sarah zag het gezicht van haar vader betrekken. Hij vond het vreselijk als iemand anders een hogere rang had dan hij. Ze vroeg zich af of hij zou vertellen dat hij bij zijn vertrek uit de luchtmacht tot eerste luitenant was bevorderd, maar dat deed hij niet. Hij schoof zijn stoel naar achteren, liep naar de ijskast en haalde er een grote kan uit. Hij schonk voor zichzelf een groot glas melk in, en een voor Mike.

'Nog iemand melk?' vroeg hij.

'Graag, meneer,' zei Will.

Van opzij keek George hem aan. Hij had het 'meneer' gehoord, het respect waarmee het werd gezegd, en probeerde terwijl hij nog een glas melk inschonk te bedenken of hij het Will zou vergeven dat hij zo'n hoge rang had gehad. Sarah keek naar hem toen hij de kan terugzette, ze zag dat zijn ogen hard stonden van boosheid. Waarom was het leven toch zo wreed voor haar vader? Ze had het nooit begrepen. Terwijl zij zulke gelukkige jaren had gehad op het eiland, leek haar vader er juist onder gebukt te gaan.

'George was maar een paar jaar ouder dan Mike nu toen hij dienst nam,' zei Bess tegen Snow. 'Hij was zo dapper, en we waren allemaal zo bezorgd. Mijn vader was de gemeenste kreeftenvisser die je ooit hebt gezien, hij had er geen enkele moeite mee om de boeien van andermans fuiken door te snijden, maar o, hij huilde als een kind toen we George naar de trein brachten.'

'Zo is het wel genoeg, Bess,' bromde George.

Dit keer lukte het hem echter niet om haar stemming van nostalgische genegenheid te bederven. Met een liefhebbende glimlach op haar gerimpelde gezicht keek ze hem aan, haar broer die was gaan vechten in Europa. Inmiddels waren broer en zus, George en Bess, allebei bejaard, maar aan de manier waarop ze naar elkaar keken zag Sarah hoe hecht hun band was.

'Ze bedoelt er niets mee,' zei Snow.

'Waarmee?' vroeg George.

'Ze plaagt u gewoon. Zo zijn zusjes. Ze doen het niet om gemeen te zijn,' legde ze uit.

De diepe, geërgerde zucht die George slaakte kwam gevaarlijk dicht in de buurt van een boos fluiten. Hij keek haar nijdig aan, maar slikte een giftige opmerking in. Hij hield er niet van dat hem de les werd gelezen, en als dat gebeurde, haalde hij meestal fel uit. Maar Snow was nieuw voor hem, te gast in zijn huis, een jong meisje. Alleen op grond daarvan ontzag hij haar, en volstond hij met een boze frons. Met ontzag en bewondering sloeg Sarah Snow gade.

'Jullie mogen van geluk spreken dat jullie elkaar nog hebben. Op jullie leeftijd,' zei ze.

'Geluk?' snoof George. 'Ha! Ze is een blok aan mijn been.'

Dit ging zelfs Bess te ver. 'Ik heb geluk dat hij nog kan werken, maar daar houdt het wel mee op,' zei ze. 'Ik bid dat ik doodga voordat hij er de brui aan geeft.'

Will keek heimelijk naar Sarah, en probeerde niet te glimlachen. Mike grijnsde openlijk.

'Dat moet u niet zeggen,' zei Snow op vertrouwelijke toon tegen Bess. 'U zult hem missen als hij er niet meer is.'

Bess keek op en haar blik kruiste die van George. Hij staarde met gefronste wenkbrauwen naar het openhartige meisje. Zijn gebit zakte omlaag, en met zijn duim duwde hij het terug. In de haard viel een houtblok om, en een melkweg van oranje vonken ging omhoog de schoorsteen in.

'Hoor je wat ze zegt?' vroeg George aan Bess.

'Jazeker,' zei Bess.

'Dan kun je maar beter wat aardiger voor me zijn.'

'Dat moet jij zeggen. Je eigen dochter komt je na tien jaar opzoeken, en jij gedraagt je als een humeurige brombeer. We hebben gasten, en wij kibbelen als gaaien.'

'We zijn geen gaaien,' zei George, en zijn toon was zachter bij wijze van halve verontschuldiging. 'Nee toch, Mike?'

'Helemaal niet.' Mike en zijn grootvader wisselden een knikje uit, en daar meende Sarah uit op te kunnen maken dat grootvader en kleinzoon Bess beschermden. Haar zoon maakte deel uit van dit huishouden op Elk Island, en hij zorgde er wel voor dat iedereen het wist. Sarah kon bijna voelen dat hij zijn blik van haar afwendde.

Hoofdstuk 10

De lucht was kristalhelder op de vroege ochtend van Thanksgiving, en het was heel erg koud. De zon kwam hier op als de donder, en Sarah zorgde er wel voor dat ze op tijd wakker werd om de zonsopgang te kunnen zien. Weer voelde ze zich een beetje koortsig. Er ging een rilling door haar heen toen ze zich aankleedde. Haar vader was zuinig met olie, en het huis werd 's nachts niet verwarmd. Hoewel het ijskoud was in haar kamer, gloeide haar huid. Ze stond naakt naast haar bed, met een waas van zweet over haar huid, en probeerde zich haar dromen te herinneren. Het waren verwarde en hartstochtelijke dromen geweest, zodat ze de hele nacht had liggen woelen, vechtend met het beddengoed. Ze herinnerde zich het gezicht van Will, alsof hij verantwoordelijk was voor de koorts.

Tegen de tijd dat ze thermisch ondergoed, een spijkerbroek, een coltruitje en een dikke trui had aangetrokken, voelde ze zich weer normaal. De koorts was gezakt. Het was doodstil in huis. Voor Mikes slaapkamerdeur bleef ze staan, en ze luisterde naar zijn zware, regelmatige ademhaling. Het geluid gaf haar een gevoel van tevredenheid, zoals altijd. In de wetenschap dat hij er zou zijn als ze terugkwam, verliet ze het huis en liep over het besneeuwde pad naar de baai.

Sterren flonkerden nog aan de diepblauwe hemel, als gloeilampen die iemand had vergeten uit te doen. Sarah stond aan de rand van het water, handen diep in haar zakken. De ganzen begonnen te snateren in de schuur, en de zeehonden blaften op de rotsen. Opnieuw ontroerde het haar diep dat ze terug was op een plaats waar ze zoveel van hield, terwijl ze had gedacht dat ze het eiland nooit meer zou zien. Uit dankbaarheid voor de dageraad, Maine, de farm van haar familie en haar geweldige zoon spreidde ze haar armen.

Maar ze was niet alleen. In het donker had ze de zittende man op een rots niet opgemerkt. Toen hij haar voetstappen hoorde, stond hij op en liep over het drooggevallen zand naar haar toe. Ze zag hem aankomen, afgetekend tegen het koude poollicht. Zodra ze zijn vriendelijke gezicht kon onderscheiden, ogen die de afgelopen nacht duidelijk niet veel slaap hadden gehad, glimlachte ze.

'Goeiemorgen,' begroette Will haar.

'Wat ben jij vroeg op.'

'We zijn hier zo ver in het oosten, dus had ik bedacht dat ik als de eerste burger van de Verenigde Staten de zonsopkomst zou kunnen zien als ik maar vroeg genoeg opstond.'

'Vind je het vervelend als ik je gezelschap hou?'

'Nee.' Hij kwam naast haar staan, en allebei keken ze uit over zee. 'Helemaal niet.'

Zijn leren jack kraakte toen hij zijn over elkaar geslagen armen liet zakken. Ze luisterden naar het rumoerige ontwaken van de dieren nu het lichter begon te worden aan de horizon. Vijftig meter verderop braken de golven op de rotsen. Het was eb, en Elk Island stond bekend om de extreme getijden. Een heel stuk zeebodem stond nu droog, en achtergebleven plassen stroomden over de geribbelde, zilverkleurige modder terug naar het water. Kreeften en krabben vluchtten weg onder het zeewier. Stenen veranderden van vorm en gleden het water in.

Sarah raakte Wills hand aan en wees. 'Zeehonden.'

'Die stenen?' vroeg hij. De dieren zagen er inderdaad uit als stenen, glad en grijs in een rommelig patroon bij elkaar, met het water dat om hen heen op kwam zetten.

'Een hele kolonie,' zei ze. De dieren kromden hun ruggen en staken hun neus in de lucht, vijftig of zestig volwassen zeehonden en zeker tien jongen.

'Ik weet niet wat ik zie,' zei hij.

'Hadden jullie dan geen zeehonden in Newport?'

'Soms waren er een of twee die overwinterden in Narragansett Bay, maar daar bleef het bij. Als iemand er een zag ging het nieuws als een lopend vuurtje rond, en dan smeekten de kinderen ons om ze mee te nemen naar Castle Hill of Beavertail, zo graag wilden ze die beesten zien. Wacht maar tot Susan ze ziet.'

'Alle kinderen zijn weg van zeehonden,' beaamde Sarah. 'Toen Mike klein was, was hij niet bij de rotsen vandaan te slaan. Hij wilde de hele dag achter zeehonden aan zitten.'

'Het is een leuke knul,' zei Will. 'Hij had die baan gisteren perfect in orde gemaakt. En hij is blij je te zien.'

'Hmmm.' Sarah probeerde sterk te zijn, maar haar onzekerheid had toch de overhand. 'Hoe weet je dat?'

'Dat merk ik gewoon. Zoals gisteren, toen hij iets zei over het repareren van die kapotte tree. Hij wil je laten zien dat hij onmisbaar is. Hij gedraagt zich een beetje als de heer des huizes. Hij wil dat je trots op hem bent.'

'Daar denk ik... anders over.'

'Wat dan?'

'Dat hij me wil laten zien dat hij me helemaal niet nodig heeft. Hij heeft mijn vader en Bess als zijn nieuwe familie geadopteerd, en nu is hij van hen.'

De zon hing nu als een rode bal boven de zee, scheen op de andere eilanden in de baai, en de hoge, puntige dennen staken zwart en scherp af tegen het gouden licht. Het was nog steeds erg koud, en Sarahs armen voelden verdoofd nu ze dacht aan Mikes nieuwe leven in het huis waar zij was opgegroeid.

'Waarom is hij hier?' vroeg Will zacht.

'Hij is weggelopen.'

'Van huis?'

Sarah dacht aan hun laatste en ergste ruzie. 'Van mij.'

'Dat is toch normaal op die leeftijd? Elke jongen heeft een periode dat hij zijn moeder niet uit kan staan. Of in elk geval niet kan laten blijken dat het niet zo is.'

'Hij had al zijn spullen gepakt.' Sarah sloot haar ogen, en de herinneringen kwamen boven. 'Hij was van plan om naar Maine te liften, en in Bethlehem de boot hierheen te nemen. We hebben ruzie gehad, en ik ben hem achternagegaan naar de grote weg. Ik heb hem gevraagd om aan zijn toekomst te denken, bij me te blijven tot aan zijn eindexamen, en hij keek me aan en zei dat hij dat niet kon. Hij wilde zelfs niet naar me luisteren.' Ze slaakte een zucht. 'Hij keek me aan alsof hij me haatte.'

'Waarom zou hij?'

'Redenen genoeg,' zei Sarah.

Will reageerde niet meteen, hij leek in gedachten verzonken naar de zeehonden te kijken. Nu de zon hoger klom, waren ze beter zichtbaar. Ze zagen eruit alsof ze één waren met de rotsen, als baby's aan de moederborst. Sarah moest haar ogen neerslaan.

'Hij haat je niet,' zei Will.

Sarah keek hem weer aan. Zijn gezicht was donker van de baardstoppels, sexy en vriendelijk; hij had zich nog niet geschoren. Hij keek zorgelijk, alsof hij vurig hoopte dat zijn woorden waar waren.

'Hoe weet je dat nou?' Ze bad dat hij iets zou zeggen dat niet al te veel pijn deed.

'Omdat geen mens jou kan haten,' zei hij.

Sarahs hoop werd de kop ingedrukt. Geleidelijk was ze gaan trillen, zonder dat ze er iets aan kon doen. Ze had een duidelijk voorbeeld willen horen, iets wat Will was opgevallen aan de manier waarop Mike met haar omging, een of andere onthulling waar ze zelf in zou kunnen geloven. Ze zei niets, maar dat hoefde ook niet. Will voelde aan dat hij haar meer moest geven.

'Omdat een jongen die zijn moeder haat haar niet vraagt om helemaal naar Elk Island te komen voor Thanksgiving,' zei Will.

'Verleden jaar wilde hij niets van me weten. Ik weet wel dat het niet de reden was dat hij wegging, maar ik hoorde dat ik kanker had, en hij wist niet hoe snel hij moest maken dat hij wegkwam.'

'Hij was bang,' betoogde Will.

Sarah knikte. Dat had er zeker mee te maken; diep in haar hart wist ze dat elke zoon bang zou zijn om zijn moeder te verliezen, ook al was hij nog zo zelfstandig, ook al was hij al jaren uit school thuisgekomen in een leeg huis, omdat zij hard moest werken om de huur te kunnen betalen en de farm te steunen.

'Hij wil je niet kwijt, Sarah. Dat wil niemand.'

'O, wat is die zonsopkomst mooi.' Sarah zag de hemel van donkergrijs in blauw veranderen, zag de laatste ster oplossen in het licht van de nieuwe dag.

'Happy Thanksgiving, Sarah.'

'Happy Thanksgiving, Will.'

Nu verlangden ze allebei naar koffie en het ontbijt, en naar hun kinderen, en langzaam liepen ze over het bevroren pad naar het nog steeds donkere huis.

Alle volwassenen waren druk bezig met de voorbereidingen voor het Thanksgiving-diner, en Snow besloot dat ze een rondleiding over het eiland wilde. Dik ingepakt in haar parka keek ze in alle kamers van het oude huisje. De naaikamer van tante Bess vond ze de leukste. Het lag er vol met kleine witte veertjes. Ze kleefden overal aan, ook aan de ouderwetse zwarte naaimachine. In de hoek lag een stapel dekbedden klaar, en Snow vond het een fijn idee dat ze straks op de planken in Sarahs winkel zouden liggen om verkocht te worden aan mensen die zich eronder heerlijk veilig en warm zouden voelen.

Uiteindelijk vond ze Mike bij de baai. Hij kwam naar buiten uit een klein schuurtje, en zodra hij haar zag keek hij schuldig. Hij hield een grote mand met veren vast.

'Zijn hier soms geheime schatten verborgen?' Ze liep nieuwsgierig naar de deur.

'Eh, nee,' zei hij.

'Waarom ben je dan zo bang dat ik de deur opendoe?'

'Geloof me, dat wil je niet.'

Snow bleef heel stil staan. Met haar hoofd schuin nam ze hem op. Ze had die ochtend niet voor niets twintig minuten in een ijskoude badkamer voor de spiegel gestaan. Om acht nul nul uur uit bed, en meteen optutten. Oogschaduw, donkere eyeliner, mascara, en lipgloss in de wildernis, een uithoek van Maine, en terwijl ze ermee bezig was, had ze de hele tijd aan Mike gedacht, en hoe leuk ze hem vond. En nu stonden ze oog in oog. Hij was groot, donker, en wauw.

'Waarom niet?' vroeg ze. 'Wat is het dan?'

'De schuur voor het plukken.'

'Waarom mag ik dan niet naar binnen?'

'Het is nogal smerig.'

'Smerig? Hoezo?'

'De ganzen worden hier geplukt.'

'Echt?' Met twinkelende ogen keek ze naar de mand. 'Lopen er dan allemaal blote ganzen rond?'

'Nee. Ze zijn dood.'

'Dood?' herhaalde ze ongelovig.

'Ja.'

'Moet je ze doodmaken? Om hun veren te kunnen plukken?'

'Eh, ja.'

'O, mijn god,' zei Snow. Dit wierp een heel nieuw licht op Sarahs winkel. Snow vond het vreselijk om dieren dood te maken. Ze weigerde vlees en kip te eten, zelfs vis. Ze verafschuwde rijke vrouwen die bontjassen droegen, zonder stil te staan bij het dierenleed. Het maakte niet uit dat het knaagdieren waren. Ze dacht aan de jas van sabelbont die Julian haar moeder had gegeven, en huiverde. En met ganzen ging het al net zo. Dit had ze van Sarah nooit verwacht.

'Gaat het?' vroeg Mike.

'Nee,' zei Snow. 'Het gaat helemaal niet. Weet je moeder ervan?'

'Waarvan?'

'Dat de ganzen dood worden gemaakt.'

'Ja, natuurlijk weet ze dat. Ze is hier opgegroeid.'

'Ik kan het gewoon niet geloven.' Snow was misselijk. Vergeleken met alle andere volwassenen die ze kende, zelfs vergeleken met haar eigen moeder, was Sarah beter dan wie ook. Maar nu bleek ze producten te verkopen waarvoor je zulke mooie vogels af moest slachten! Een paar ganzen waggelde voorbij, en doordat ze met hun hals langs Mikes laarzen streken, viel het Snow opeens op dat er roodbruine vlekken op zaten.

'Is dat bloed? Op je laarzen?' vroeg ze.

'Ja,' zei hij met een vluchtige blik omlaag.

'Vort!' riep Snow tegen de ganzen. Ze zwaaide met haar armen en joeg de vogels op over het pad. Ze renden voor haar uit en keken om alsof ze een krankzinnige vrouw met een bijl was. Helemaal naar de rand van de inham, die nu het vloed was snel volliep. Vlak voor het water maakten ze rechtsomkeert, en Snow keek ze na toen ze terugrenden naar Mike.

'Ze kunnen niet vliegen,' legde hij uit. 'Hun vleugels zijn gekortwiekt.'

'Nog meer wreedheid,' zei ze. 'Ik kan gewoon niet geloven dat ze moeten sterven voor hun veren. Voor dekbedden!'

'We doden ze om ze op te eten,' zei Mike. 'Mijn grootvader en tante zouden van honger omkomen als ze geen ganzen konden verkopen.'

'Niemand hoort van honger om te komen,' zei Snow edelmoedig, en met trillende onderlip staarde ze naar de ganzen. 'Maar voor dekbedden!'

'Ik weet precies wat je voelt,' zei Mike. 'Toen ik klein was, vertelde mijn moeder me dat de ganzen het fijn vonden om geplukt te worden. Ik stelde het me als iets heel sereens voor, het kammen van de ganzen... maar zo gaat het jammer genoeg niet.'

'Sinds wanneer weet je dat?'

'Ik kwam er pas achter toen ik hier kwam wonen,' zei Mike.

'O.' Snow onderdrukte een huivering. Weer hield ze haar hoofd schuin, want opeens had ze medelijden met Mike. Wat vreselijk om zoiets te ontdekken. En nu zat hij gevangen op dit eiland, moest hij voor zijn gemene oude grootvader zorgen en ganzen slachten. Hij zag er nu heel zorgelijk uit, omdat hij wel besefte hoe ontredderd Snow was.

'Op een dag gaf mijn grootvader me een bijl, en hij vertelde wat ik moest doen,' legde hij uit. 'Als we het geld niet zo hard nodig hadden, zou ik nooit meer een gans doodmaken.'

'Als je het zo vreselijk vindt moet je het niet doen,' stelde Snow. 'Je hebt toch principes.'

Mike haalde zijn schouders op. Hij keek alsof hij een lach moest onderdrukken, maar in plaats daarvan werd hij serieus. 'Voor mij is het ook een principiële keuze. Ik zorg dat de farm blijft bestaan.'

Opeens deed hij Snow zo aan zijn moeder denken. Hij had echt prachtige ogen, waar een of ander diep en verbijsterend verlangen in te lezen stond. Er was iets wat hij heel graag wilde; Snow had het gevoel dat ze bijna in zijn ziel kon kijken. Ze had dezelfde intensiteit op Sarahs gezicht gezien. Aanvankelijk hadden ze zich daardoor tot elkaar aangetrokken gevoeld. Nu Snow zich dat gevoel herinnerde, vergaf ze het Sarah bijna van de ganzen. Wat ze het allerliefst wilde, was Sarah en haar zoon herenigen, oprecht en voorgoed.

'Je hoeft geen ganzen meer dood te maken,' zei Snow zacht.

'Wat bedoel je?'

Snow deed een stap naar hem toe. De zon scheen in haar ogen, en ze voelde dat ze begon te glimlachen. Ze stond zo dichtbij dat ze de warmte van zijn lichaam kon voelen, en er ging een huivering langs haar rug. Ze wilde er zo graag voor zorgen dat alles goed kwam tussen Mike en Sarah.

'Je kunt met ons mee naar huis gaan,' zei ze, 'als we zondag teruggaan. Er is genoeg ruimte in het vliegtuig.'

Mike haalde grappig adem. Zijn mond stond een eindje open, en hij likte langs zijn lippen. Aan de manier waarop hij knipperde en zijn ogen neersloeg, zag ze dat hij heel erg nerveus was, en ze vroeg zich af wat hij dacht. Ze droegen allebei handschoenen, maar ze raakte de huid van zijn pols aan, tussen de manchet van zijn mouw en de bovenkant van de handschoen. Het contact kwam voor allebei als een schok.

'Ik kan niet met jullie mee terug.' Zijn stem klonk hees en krakend.

'Waarom niet?'

'Omdat ik hier moet blijven.'

'O...' Snow hield haar hoofd naar achteren.

Mike stond tegenover haar, verlamd door haar aanraking. Hij liet de mand vallen, en die belandde met een plof op de grond. Witte donsveertjes dwarrelden als een kleine sneeuwstorm omhoog. De veertjes zeilden door de lucht, meegevoerd door de wind, en bleven plakken aan alles waarop ze terechtkwamen.

'Sorry,' fluisterde Mike, en hij bleef haar aankijken.

'Waarvoor?' fluisterde ze terug.

Hij kon nauwelijks praten doordat hij hijgde. 'Omdat het mijn schuld is dat je veren in je haar hebt.'

'Ik vergeef het je.'

En toen bleven ze allebei zwijgen, totdat Snows nek pijn ging doen omdat ze de hele tijd omhoogkeek naar Mike, terwijl ze haar gevoelens probeerde te verklaren. Ze stonden nog steeds tegenover elkaar toen tante Bess de bel luidde om aan te kondigen dat het eten klaar was.

Als hoofdgerecht was er gans, goudbruin geroosterd, met een knapperig vel. Sarah had de appelvulling van haar moeder gemaakt, en Will had de aardappels gepureerd. Er waren raapjes en wortels uit de kelder, en Bess had gedroogde pruimen klaargemaakt, geweekt in cognac en gevuld met ganzenlever, een recept dat ze had onthouden uit de tijd dat ze de vrouw van een juwelenfabrikant was en vaak gasten ontving.

'Is dit niet een beetje overdreven?' George keek met gefronste wenkbrauwen naar de tafel. Hij leek zich vooral te ergeren aan de lange, witte kaarsen, die Bess uit een van haar dozen uit Providence had opgediept.

'Het is een feestdag, George,' zei Bess.

'Ik hou niet van kaarsen. Ik wil kunnen zien wat ik eet.'

'De pelgrims aten bij kaarslicht,' merkte Snow op.

'De pelgrims hadden geen elektriciteit, maar wij wel,' betoogde George. 'En daar moeten we dankbaar voor zijn.'

'Ik vind kaarsen romantisch,' zei Snow, en Sarah zag dat Mike begon te blozen.

'Snijd jij de gans eens aan, George,' riep Bess.

'Ik heb de schaal op tafel gezet. Ik stel voor om Will de eer te gunnen.'

'Bedankt,' zei Will toen George hem een vleesmes en -vork aangaf.

Allemaal hadden ze hun mooiste kleren aan. Snow droeg een korte geruite trui, en Will een grijze ribfluwelen broek met een marineblauwe trui. Tante Bess had dezelfde blauwe jurk van de vorige dag met parels gecompleteerd, en Mike had zich verkleed in een schone kakibroek en een blauw overhemd. Sarah droeg een lange jurk van jagersgroen fluweel.

Haar vader was in een grijze flanellen broek en een wit overhemd beneden gekomen. Het overhemd was oud en vergeeld en het kraakte van de stijfsel. Sarah wist dat hij het in geen jaren had gedragen, en het ontroerde haar dat hij zo zijn best deed. Ze vroeg zich af of haar moeder het nog had gestreken. Hij hinkte door de keuken naar de open haard, en Sarah zag dat hij het haardstel omverstootte toen hij een nieuw blok op het vuur legde.

'Verdomme,' mompelde hij, want hij brandde zijn hand toen hij de pook uit de vlammen trok.

'Kom eens hier.' Sarah trok hem mee naar de gootsteen en draaide de kraan open. IJskoud water uit de bron stroomde uit de kraan, en ze hield haar vaders hand eronder.

'Je ziet ook geen barst met die stomme kaarsen,' mopperde hij.

'Het is pas drie uur, papa, klaarlichte dag. Laat tante Bess toch als ze het fijn vindt om kaarsen te hebben.'

'Het is aanstellerij,' gromde hij. 'Ze wil de gasten gewoon laten zien dat het vroeger bij haar een sjieke boel was, daar in Providence, toen die ouwe hoe-heet-hij nog leefde.'

'Oom Arthur.'

'Die dikdoener. Kijk eens naar de gevulde pruimen. Typisch zo'n liflafje voor een dure club. Tegen de kerst heb je er nog steeds diarree van. Het maakt me zo kwaad. Blaas die kaarsen eens uit, Sarah, wil je?'

'Mama hield van kaarslicht,' zei Sarah.

Ze had haar vaders ruwe hand onder de kraan gehouden, verbaasd over de kracht en de spanning in zijn pols en onderarm, maar opeens verslapte zijn hele arm. Elke weerstand week uit hem zodra Sarahs moeder werd genoemd. Zijn hele lichaam ontspande. Voor het eerst sinds Sarah weer thuis was, kon ze naar haar vader kijken zonder boosheid te zien.

'Dat is waar,' gaf hij toe.

'Vooral op feestdagen,' zei Sarah. 'Met Thanksgiving en Kerstmis hadden we altijd kaarsen, weet je nog? Van die mooie lange, net als deze.'

'Ze moesten wit zijn,' vulde haar vader aan. 'Boten en kaarsen, zei ze altijd, hoorden wit te zijn. Ik mis haar nog elke dag.'

'Dat weet ik, papa.'

Zijn boosheid was terug, of iets wat erop leek. George Talbot keek zijn dochter aan alsof hij haar op een leugen wilde betrappen. Als ze vroeger als tiener soms terugkwam van een feest op het vasteland, keek hij op dezelfde felle manier naar haar, met een mengeling van achterdocht en bezorgdheid, alsof hij in haar ogen kon lezen welke jongens ze had gekust, en of ze bier had gedronken.

'Hoe is het met die ziekte van je?' vroeg hij.

'Prima.'

'Wat bedoel je, prima? Dat kan niet. Het is over of niet. Maar het kan niet prima zijn.'

'Papa, er is op medisch gebied heel wat veranderd sinds mama's dood.' Sarah had de kraan dichtgedraaid, maar ze bleef zijn hand vasthouden. Ze wilde hem ervan overtuigen dat ze weer helemaal beter was, en ze begreep niet waarom haar hart zo wild bonsde. En toen zag ze Mike. Hij leunde aan de andere kant van de keuken tegen het buffet. Will sneed de gans aan, en Snow was naar Mike toe gelopen met het vorkbeentje, maar hij keek over haar hoofd heen naar zijn moeder en luisterde aandachtig.

'Het gaat goed met me,' zei Sarah.

Haar vader gebaarde met zijn hand. 'Al die dubbelzinnigheden. Als je niet gewoon antwoord kunt geven, stel ik ook geen vragen meer. Blaas die kaarsen uit, Bess. Ik meen het. Nu.'

Maar de kaarsen bleven branden. Iedereen ging aan tafel zitten, op dezelfde plaatsen als de avond daarvoor. Het voelde nu al als een traditie. Will had zich vereerd gevoeld over het verzoek om de gans te snijden, en het deed hem genoegen dat Sarah en Bess hem complimenteerden met zijn werk terwijl ze de borden opschepten. Hij was een beetje bang geweest dat Snow haar moeder zou missen, maar hij had zich geen zorgen hoeven maken. Haar puberale bewondering voor Mike was overduidelijk, want ze kon haar ogen niet van hem afhouden.

Het verging Will al net zo met Sarah. Ze droeg een prachtige fluwelen jurk die perfect om haar lichaam sloot, en het liefst had hij haar in zijn armen genomen om haar op een heel intieme manier te bedanken. Toen ze een zilveren schaal van een hoge plank pakte, zag hij haar sleutelbeen, fijn gevormd onder de bleke huid, en hij stelde zich voor dat hij er een kus op zou drukken. Terwijl ze rondliep door de keuken, bleef ze met die donkerblauwe ogen steeds maar weer naar hem kijken.

Ze kwam tegenover hem zitten. Will had zich in geen jaren prettig gevoeld met Thanksgiving, maar vandaag wel. Meer dan prettig. Het maakte hem gelukkig om bij Sarah te zijn. Ze wond hem op terwijl ze hem tegelijkertijd kalmeerde, en dat gevoel had hij al heel lang niet meer gekend. Hij had het gevoel dat hij haar heel goed kende, al zijn hele leven, beter dan wie dan ook, en zij kende hem ook. Het was onmogelijk, en toch was het zo.

George was naar de schuur gegaan om een kan cider te halen, en ze zaten allemaal te wachten tot hij terugkwam. Bess leek zich te ergeren aan het slechte humeur van haar broer, maar de kinderen hadden niets in de gaten, en Sarah leek zich er niets van aan te trekken. Will vroeg zich af of ze wist dat haar vader zich zo gedroeg omdat hij haar moeder zo miste. Hij vroeg zich af of George het zelf wel wist. Hij nam aan van wel; ze hadden lang genoeg de tijd gehad om het te bedenken.

Will was er zelf nog niet zo lang achter. Van zijn immense verdriet om Fred was nog een doffe pijn over. Nu pas, na vijf jaar, had hij het gevoel dat hij ermee om kon gaan. Hij herkende de leegte in de ogen van Sarahs oude vader. Hij had dezelfde wezenloze blik in zijn eigen ogen gezien in de badkamerspiegel. Will was ontdaan geweest toen hij George aan Sarah had horen vragen hoe het met haar ziekte was, maar niet lang. Het ging goed met haar, dat had ze zelf gezegd. Haar heldere ogen getuigden ervan, haar gloeiende huid, haar verbijsterende energie.

Ten slotte kwam George terug, slaand met de deuren, en hij zette de kan op tafel.

'We krijgen een sneeuwstorm,' meldde hij. 'Er komen heel snel hoge wolken binnendrijven, en de eerste vlokken vallen al.'

'De winter begint dit jaar veel te vroeg,' zei Bess.

'Krijgen we een sneeuwstorm?' vroeg Sarah. 'O, ik hoop het zo. Jullie zullen het prachtig vinden,' zei ze tegen Will en Snow. 'Zo sneeuwt het nooit in Fort Cromwell.'

'Volgens de verwachting begint het rond middernacht flink te sneeuwen,' zei Will. Hij had de meteorologische dienst gebeld met het oog op hun reisplannen. De sneeuwstorm zou de volgende dag aan het eind van de ochtend gaan liggen, en plaats maken voor droge poollucht, dus de terugvlucht zou geen problemen opleveren. Hoewel, als hij om zich heen keek in de warme keuken en de twinkeling in Sarahs ogen zag, zou hij het helemaal niet erg vinden om een paar dagen ingesneeuwd te zitten.

'Het is pas november, en we hebben al twee zware sneeuwstormen gehad,' vertelde Bess op zorgelijke toon.

'Wat verwacht je nou eigenlijk?' zei George. 'We zijn hier in Maine, niet in Florida.'

'Geen zorgen,' zei Mike. 'We hebben de ploeg, en er is genoeg brandhout gehakt om het tot de lente te kunnen uithouden.'

'Onze mooie gans wordt koud,' zei Bess met een zucht.

'Laten we gaan eten.' George was het bij wijze van uitzondering met haar eens.

'Ik wil graag bidden,' zei Sarah.

George leunde met een norse blik achterover, maar alle anderen vouwden hun handen en bogen hun hoofden. De kaarsen flakkerden. Will sloot zijn ogen. Hij hoorde dat Sarah haar keel schraapte en diep ademhaalde.

'Zegen ons, o, Heer,' zei ze. 'Wij zijn dankbaar voor het eten op onze tafel, en dankbaar voor onze gezondheid. Wij zijn U dankbaar dat U ons samen hebt gebracht op dit eiland, wij zijn dankbaar voor elkaar. Dank U, Heer, voor onze dierbaren, vooral voor hen die nu niet bij ons kunnen zijn.'

'Fred,' fluisterde Snow.

'Fred,' herhaalde Will.

'Mama,' zei Sarah.

'Ja,' zei George. 'Mijn Rose.'

'Arthur,' zei Bess.

'Mag ik iets zeggen?' vroeg Mike, die onmiddellijk alle aandacht had.

'Natuurlijk, schat.' Sarah keek hem aan met zoveel hoop en liefde in haar ogen dat Will haar het liefst in zijn armen wilde nemen om haar nooit meer los te laten.

'Alleen dit.' Mike vouwde zijn handen en boog zijn hoofd nog dieper dan daarvoor. 'Ik ben dankbaar dat je gezond bent. En dat je hier bent.' Hij zweeg even en keek haar doordringend aan. 'Oké?'

'Oké,' zei Will, want Sarah kon opeens geen woord uitbrengen. 'Amen.'

'Amen,' zeiden ze in koor.

Wills blik kruiste die van Sarah, en ze bleef hem aankijken. De tafel stond vol met het heerlijkste eten, het vuur warmde de gezellige keuken, en zes mensen van drie generaties waren bij elkaar. Sarah was thuis met haar zoon, en terwijl Will naar haar keek, had hij opeens het verbijsterende gevoel dat ze allemaal deel uitmaakten van dezelfde familie. Ze werden door een mysterieuze en naamloze liefde met elkaar verbonden. Zelfs Fred was bij hen.

Later, toen het stil was in huis en iedereen naar bed was, ging Sarah beneden bij het vuur zitten. Ze was te geëmotioneerd om te kunnen slapen. Het huis was vol oude herinneringen aan haar moeder en vader, aan het kleine gezin dat ze eens waren geweest. En het was onbeschrijflijk om Mike weer te zien. Ze zat op de brede vensterbank, starend in de gloeiende kooltjes, en voelde zich rustig en tevreden omdat ze met hem onder één dak was.

'Ik dacht dat ik als eerste op zou zijn, en als laatste naar bed zou gaan, maar nu versla je me alweer,' zei Will, toen hij tot haar verbazing de keuken binnenkwam.

'Kun je niet slapen?'

'Ik heb het nog niet geprobeerd.' Hij kwam dichterbij, en ze zag dat hij zijn parka en laarzen droeg, allebei bestoven met sneeuw. 'De storm barst los. Ik ben even naar buiten gegaan.'

'Zorg dan maar dat je gauw weer warm wordt.' Sarah klopte naast zich op de bank.

Will trok zijn laarzen uit en zette ze naast de deur. Hij hing zijn jas op de kapstok, maar bleef nog even in de schaduw staan. Sarah zag dat hij iets uit de zak van zijn parka haalde en dat in de zak van zijn spijkerbroek stopte. Hij was heel groot maar erg gracieus, en ze besefte dat ze het fijn vond om naar hem te kijken.

'Wil je niet liever alleen zijn?' vroeg hij.

'Helemaal niet,' zei Sarah. 'Ik ben in Fort Cromwell al vaak genoeg alleen.'

Will knikte. 'Het is stil als zij er niet zijn.'

'Zeg dat wel.' Sarah wist dat hij het over de kinderen had.

Buiten sneeuwde het. De wind van zee blies de vlokken tegen de ramen. Het bijna gedoofde vuur knapte zacht. Sarah keek naar Will en glimlachte.

'Gezellig,' zei hij.

'Ja. Ik ben blij dat je bij me bent komen zitten.'

'Nee, ik bedoel alles. Thanksgiving met jouw familie. Bedankt voor je uitnodiging.'

'Jullie zijn meer dan welkom,' zei Sarah. 'Ik voel me een beetje schuldig dat jullie door mij zo ver van huis zijn. Ga je meestal ergens naartoe?'

Will gaf niet meteen antwoord. 'Vroeger wel.'

'Waar naartoe?'

'We vierden Thanksgiving altijd bij mijn ouders. Wij woonden in Newport en zij in Connecticut, dus dat kon makkelijk. We gingen elk jaar naar ze toe.'

'Kookte je moeder?'

'Ja,' bevestigde Will. 'Ze kon erg lekker koken. Ze had iets met Thanksgiving – er moest voor iedereen iets lekkers zijn. Dus als de een van een bepaald soort cranberrysaus hield en iemand anders van een andere, maakte ze er twee.'

'Echt ouderwetse gastvrijheid,' zei Sarah.

Will knikte afwezig. Misschien had hij het gevoel dat hij er genoeg over had gezegd, maar hij scheen het fijn te vinden om te praten. 'Mijn vader kwam uit Mamaroneck, in Westchester County, en bij hem thuis was het de gewoonte om de kalkoen te roken. Dus in plaats van te kiezen tussen gerookte of gebraden kalkoen, hadden we het allebei. Toen ik met Alice trouwde, vroeg mijn moeder haar de oren van het hoofd over het Thanksgiving-diner bij haar thuis. Zoals zoete aardappels, romige maïs, en chocoladetaart. Dat waren dingen die bij ons niet op tafel kwamen. We hebben onze eigen gerechten niet afgeschaft, maar de hare er gewoon aan toegevoegd.'

'Dat klinkt erg gezellig,' zei Sarah, die opeens nieuwsgierig was naar Alice.

'Dat was het ook. Ik mis ze. Mijn ouders zijn vijf jaar geleden overleden, een halfjaar na elkaar.'

'Dat is nog niet zo lang geleden.'

'Nee. Het verdriet zit er nog steeds,' vertelde Will. 'Mijn moeder ging als eerste, een plotselinge hartaanval op een ochtend in de lente. Mijn vader kon niet zonder haar. Het was zo duidelijk – hij wilde niet meer. Hij kwam de deur niet meer uit, had nergens meer zin in. Hij heeft die zomer niet eens zijn boot in het water gelegd. Op een nacht in september is hij in zijn slaap overleden.'

'Je hoort wel vaker van dat soort echtparen,' zei Sarah. 'Ze houden zoveel van elkaar dat ze zonder elkaar niet kunnen leven.'

'Voor hen was dat zo,' beaamde Will.

'Mijn vader is niet doodgegaan toen mijn moeder overleed,' zei Sarah. 'Maar hij is wel veranderd. Hij is niet altijd zo – ' ze zocht naar het juiste woord ' – zo hard geweest. Hij was woedend op God, hij heeft het niemand ooit vergeven. Vooral mij niet.'

'Wanneer is ze overleden?'

'Toen ik veertien was.'

'Waarom is hij vooral kwaad op jou?'

'Ik doe hem aan haar denken,' zei Sarah, hoewel ze wist dat dit niet het juiste antwoord was.

Will knikte. Gedurende een paar minuten luisterden ze samen naar de storm. Het vuur ging langzaam uit, en het begon koud te worden in de keuken. Sarah wilde nog blijven praten, dus liep ze naar de haard en porde in de gloeiende houtskool. Mike had eerder die avond een stapel houtblokken binnengebracht. Sarah koos een klein blok en legde dat op het vuur. De schors was droog en vatte onmiddellijk vlam.

'Heeft Alice het Thanksgiving-diner overgenomen, na de dood van je moeder?' vroeg Sarah.

Will schudde zijn hoofd. 'Alice is niet erg traditioneel. Ze vindt het fijn als iedereen bij elkaar is, maar ze zou met rosbief net zo gelukkig zijn als met kalkoen. En toen mijn moeder vijf jaar geleden overleed, was Fred ook dood. Thanksgiving vervaagde gewoon.'

'Dat kan ik me voorstellen.'

'Thanksgiving leek... zinloos,' verzuchtte Will. 'Zonder Fred.'

Sarah dacht aan Mike, en ze vroeg zich af wat zij zou doen als hem iets overkwam. Ze kon zich niet voorstellen dat ze dan ooit nog een feestdag zou vieren.

'Daarna was het met ons snel afgelopen,' zei Will. 'Met Alice en mij.'

'Wat naar,' zei Sarah.

'Ik geloofde in het huwelijk,' zei hij. 'Echt. Ik dacht dat het juist was bedoeld om elkaar te steunen.'

'Ik weet wat je bedoelt.' Sarah had er zelf weliswaar geen ervaring mee, maar zo had ze er wel altijd tegenaan gekeken.

'Toch was dat niet zo,' zei Will. 'Ons huwelijk viel in duigen.'

'Weet je ook waarom?'

'Ik kon Fred niet redden.'

Sarah wachtte, luisterde. Ze hoorde dat Will sneller ademhaalde. De sneeuw tikte tegen het raam. Kon het nou echt zo simpel zijn? Was het einde van een heel huwelijk werkelijk in die vijf vreselijke woorden samen te vatten?

'Zij was er ook bij,' vervolgde Will. 'Ze heeft gezien dat ik haar zoon niet kon redden.'

'Wat is er precies gebeurd?' vroeg Sarah.

'We waren gaan zeilen, met zijn vieren. De giek ging over de boot, en Fred zag het niet. Hij werd zo hard geraakt... Zelfs een volwassen man zou zijn gevallen. Hij sloeg overboord.'

'O, Will.' Sarah nam zijn hand in de hare.

'Het was zo'n geweldige knul.'

'Vertel eens iets over hem.'

'Hij was dol op sport. Honkbal, hockey. Hij kon geweldig zeilen, hield van het water. We woonden in Newport, dus hij was elke dag wel aan het water. Hij spijbelde van school om te gaan vissen, en ik kon niet eens kwaad op hem worden.'

'Spijbelen om te gaan vissen.' Sarah glimlachte om de beschrijving van een jongen die ze vast heel erg aardig gevonden zou hebben.

'Als ik er niet was, en ik was vaak weg, dan paste hij op zijn moeder en zus. Fred schreef me brieven, vertelde dat Susan had leren zwemmen of dat ze een spelwedstrijd had gewonnen. Hij hoorde zijn moeder zeggen dat ze niet genoeg geld had voor nieuwe autobanden, en toen schreef hij mij om te vertellen dat hij bang was dat ze zou slippen.'

'Heb je gezorgd dat die banden er kwamen?'

'Ja.'

'Dankzij Fred. Wat een fijne zoon,' zei Sarah.

'Zeg dat wel.'

Sarah keek naar het vuur. Ze nam aan dat hij aan zijn huwelijk dacht. Wat was Alice voor een vrouw? Tot haar verbazing merkte ze dat ze jaloers was op een vrouw die ze nooit had ontmoet, de ex-vrouw van een man die ze nauwelijks kende. Als Snow op haar moeder leek, moest Alice erg mooi zijn. Die grote ogen, dat prachtige dikke haar. Sarah dacht aan zichzelf, haar magere lichaam en pluizige witte haar, haar uilenogen, en ze bloosde.

'Ik weet maar weinig van het huwelijk,' zei Sarah, 'maar echtparen zoals onze ouders zijn in mijn ogen ideaal. Ze steunen elkaar door dik en dun, en als een van de twee overlijdt, is dat het einde van de wereld.'

'Ja,' beaamde Will.

'Je vroeg me vanochtend waarom ik denk dat Mike me haat. Dat is een deel van de reden. Ik was niet getrouwd met zijn vader. Mike werd geboren toen ik nog heel jong was.'

'Heeft hij het daar moeilijk mee?'

Sarah knikte. 'Toen hij op de kleuterschool zat, ging ik een keer naar school voor een ouderavond. Zijn juf vroeg me wanneer mijn man terugkwam van zee. Mike had haar verteld dat zijn vader ontdekkingsreiziger was, dat hij rond de wereld reisde in een vissersboot.'

'Wat zijn die leraren van tegenwoordig toch goedgelovig,' zei Will glimlachend.

'Dat vond ik nou ook.'

'Maar het is nog geen reden om jou te haten.'

'Hij schaamde zich.'

'Waarvoor? Er zijn zoveel kinderen met gescheiden ouders.'

'Dat weet ik, maar wij zijn helemaal nooit samen geweest. Niet getrouwd althans.' Ze kromp ineen, trok haar knieën op tegen haar borst en sloeg haar armen strak om haar benen. Ze herinnerde zich nog hoe gekwetst ze was geweest, hoe hard ze had gehuild. Haar vader had in deze keuken met een pook staan zwaaien, had gedreigd dat hij Zeke zou vermoorden. Zelfs nu, na al die jaren, ging Mike nog steeds onder die schaamte gebukt. Ze vroeg zich af hoe Will over haar dacht, en keek hem over haar knieën heen aan.

'Wat naar,' zei Will.

Sarah haalde haar schouders op en probeerde te glimlachen. 'Arm kind.'

'Hmmm.'

'Hij vond het vreselijk als ik er niet was. Ik werkte hard, en... ik was jong. Ik had relaties. Zijn vriendjes kwamen uit gewone gezinnen, en dat wilde hij ook. Als de vaders van zijn vriendjes ergens naartoe gingen, ging hij mee, wat ze ook zeiden of deden.'

'Hij had een vaderfiguur nodig.'

'Precies,' bevestigde Sarah. 'Hij was altijd en overal op zoek naar vaders. De mannen met wie ik uitging spraken hem niet aan. En als hij ze wel leuk vond, hield de relatie geen stand. Er was altijd wat.'

Will staarde haar aan. Sarah wist dat er geen haar in haar ogen kon vallen, daar was het te kort voor, maar hij strekte zijn arm en ging met zijn hand zacht langs haar wang alsof hij een losgeraakte lok naar achteren streek. Ze deed hetzelfde bij hem. Kijkend naar elkaar luisterden ze naar het aanzwellen van de storm.

Er klonken voetstappen op de trap, en ze keken allebei op. Mike kwam de keuken binnen. Toen hij zag dat het vuur nog brandde, bleef hij verbaasd staan.

'Hai.' Sarah werd warm vanbinnen zodra ze hem zag.

'Ik schrik van je,' zei hij.

'Hallo, Mike,' zei Will. 'Ik hou je moeder even gezelschap.'

'O.' Het klonk net niet nors.

'Wat kom je hier doen, schat?' vroeg Sarah. Hij was altijd een vaste slaper geweest. Vroeger viel hij bijna elke avond op de bank in slaap. Dan moest ze hem wakker maken, vragen of hij zijn huiswerk af had, en hem naar bed sturen. Als hij al sliep en Sarah was nog niet thuis van haar werk, werd hij zelfs niet wakker als de telefoon ging of als er werd aangebeld. Toch was hij nu uit bed gekomen.

'Ik wilde zien of het vuur nog brandde,' zei hij. 'Ik hoorde dat er wind op kwam zetten, en er rammelt iets bij de steiger. Ik wil het zeil beter vast gaan zetten.'

'Ik help je wel.' Will stond al op.

'Dat hoeft niet,' zei Mike zonder enig enthousiasme. 'Ik kan het best alleen.'

'Dat weet ik.' Will trok zijn laarzen aan. 'Maar ik heb behoefte aan een frisse neus, als je het tenminste niet erg vindt dat ik meega.'

'Je moet het zelf weten.' Mike klonk onverschillig, maar hij keek Will wel aan. Er ging een golf van verdriet door Sarah heen. Door het gesprek met Will, en het besef dat ze haar zoon in de steek had gelaten, voelde ze zich triest.

'Bij de marine gingen we altijd met zijn tweeën aan dek, vooral 's nachts,' zei Will. 'En met zo'n storm natuurlijk. Altijd.'

'Hier kan je niets overkomen. Wat denk je nou? Dat een van opa's muskusratten tot leven komt?' vroeg Mike schamper. 'Wegvliegt uit de schuur en ons aanvalt?'

'Die arme beesten,' zei Sarah. Dit had ze zo vaak meegemaakt; de mannen waar ze mee omging die aardig probeerden te zijn tegen Mike, haar zoon stoer en grof, zijzelf in het midden. Ook nu voelde ze die nervositeit van ertussen zitten, en Will en zij hadden niet eens een relatie. Ze bleef gewoon praten. 'Uitgedroogd en vastgespijkerd. Jaagt hij nog steeds op ze?'

'Als hij het opbrengt.' Mike klonk beschermend. 'Hij loopt steeds erger mank. Ik ben altijd bang dat hij zal struikelen in het bos. We zouden niet weten waar we hem moeten zoeken.'

'Daarom neem je nou juist iemand mee.' Will gaf Mike een klopje op zijn rug.

'Ik dacht dat je behoefte had aan frisse lucht,' zei Mike. 'Ik neem je niet mee.'

'Ben je altijd zo vervelend tegen vrienden van je moeder?' vroeg Will.

Mike staarde hem aan. Hij leek te schrikken van Wills woorden; jarenlang had hij mannen een grote mond gegeven, en meestal verdwenen ze in plaats van iets terug te zeggen.

'Het was niet mijn bedoeling om brutaal te zijn,' zei hij, en hij keek naar zijn moeder om te zien wat zij op Wills opmerking te zeggen had. Sarah dwong zichzelf er het zwijgen toe te doen. Ze deed gewoon of ze stokdoof was.

'Zit er maar niet over in. Ik heb heel lang bij de marine gezeten. Ik ben het wel gewend dat mensen grof zijn. Maar volgens mij ben jij een fijne knul. Misschien groei je er wel overheen.'

Mike zei niets. Hij pakte zijn handschoenen en een zaklantaarn, en ging Will voor naar de achterdeur.

Sarah bleef stil zitten en keek de twee mannen na toen ze verdwenen in de nacht. Ze hoorde de sneeuw, voelde haar eigen ademhaling in haar borst. Niemand had ooit zo tegen Mike gepraat. Ze had gevoeld hoe gespannen hij was, dat hij Will waarschijnlijk het liefst een dreun had verkocht. Maar dat had hij niet gedaan; hij was gekalmeerd en samen met Will naar buiten gegaan om het zeil vast te zetten.

Ze dacht aan trouw en loyaliteit, verschuivingen, wisselingen, oude banden die werden verbroken. Haar zoon was naar haar eiland gegaan om zijn vader te zoeken, en hij moest voor George zorgen. En nu was Will buiten in het donker met hem, haar vijandige zoon, terwijl zijn eigen Fred was verdronken, opgeëist door de zee.

Het vuur was weer bijna uit. Sarah haalde diep adem. Een windvlaag van de deur die open en dicht was gegaan sneed door de keuken. Ze stond op, liep naar de haard en legde er een nieuw houtblok op. Ze wilde dat het knus en warm zou zijn als de mannen terugkwamen.

Hoofdstuk 11

Mike lag op zijn rug op de grond. Ze zaten allemaal bij elkaar te wachten tot de storm voorbij zou zijn. Zijn moeder en Will deden samen een legpuzzel. Mike deed alsof hij sliep, maar gluurde door zijn wimpers om hen te kunnen zien. Het zat hem nog steeds dwars dat hij gisteravond vervelend was genoemd.

Zijn eerste reactie was schrik geweest, toen woede. Hij had verwacht dat zijn moeder tegen Will zou uitvaren, dat ze zich in elk geval uit zijn naam tegenover Mike zou verontschuldigen, maar ze had niets gezegd. Dat was nieuw. Zijn moeders houding tegenover Will zette hem aan het denken. Will hield er duidelijk een eigen mening op na, en hij glimlachte niet voortdurend.

Mike had respect voor mannen die niet al te veel grijnsden. Zijn moeder ging altijd uit met mannen die op alles ja en amen zeiden. Ze deden altijd alsof ze het met hem eens waren, al zei hij nog zulke stomme dingen, en ze accepteerden het klakkeloos als Mike brutaal tegen hen was. Meestal waren het van die superfatsoenlijke types, de apotheker en de accountant, de advocaat en de planoloog. Kerels met een baan van negen tot vijf, en Mike vermoedde dat zijn moeder ze uitkoos zodat hij tegen hen op kon kijken.

Er was altijd wel iemand geweest. Mike wist nog dat hij een keer aan haar had gevraagd hoe bruggen werden gebouwd, en het volgende moment kwam ze thuis met een ingenieur. Hij had een keer iets gevraagd over het melkwegstelsel, en binnen een maand had ze iets moois met een professor in de astronomie. Hij vermoedde dat ze niet graag alleen was, en ze wilde een vaderfiguur voor hem, dus probeerde ze twee vliegen in één klap te vangen.

Het had Mike altijd geërgerd. Inmiddels was het een gewoonte geworden om vijandig te zijn tegen de mannen waar ze mee thuiskwam.

Hoe kon hij nou respect hebben voor ambtenaren als zijn vader een vrij-gevochten kreeftenvisser was geweest? Als jongetje had hij zijn vriend-jes altijd verteld dat zijn vader een soort Jacques Cousteau was, dat hij over de hele wereld oceanografisch onderzoek deed op een vissersboot.

Heimelijk gluurde hij naar Will en zijn moeder, benieuwd of hij er-gens uit kon opmaken of ze meer waren dan alleen vrienden. Ze gaven niets prijs. Hij had het gevoel dat Snow hetzelfde deed, net als hij pro-beerde in te schatten of hun ouders soms romantische gevoelens voor elkaar koesterden. Mike vroeg zich ook af wat ze van hem dacht, en hij wilde dat hij haar beter kon zien. Daar zat ze, aan de andere kant van de kamer, maar als hij haar echt goed wilde zien, zou hij zijn hoofd moeten bewegen. Dan zou iedereen weten dat hij niet sliep, en was het uit met de pret.

Will was iemand voor wie je respect kon hebben. Een piloot bij de marine was niet al te erg. Door naar het eiland te komen, had Mike in-middels gehoord dat zijn vader niet de held was geweest van wie hij vroeger had gedroomd. Maar dat hoefde hij verder aan niemand te ver-tellen.

Elk Island lag van de kliffen in het noorden tot aan de baai onder een de-ken van sneeuw, en het sneeuwde nog steeds. Alle katten uit de schuur waren nu binnen, op zoek naar de warmte van de haard, en ze lagen op-gerold op al hun geheime plekjes: boven op de boekenkasten, in de piano, in de la met truien, tussen de veren van de oude bank, in de man-den met dons. Gelsey, de oude collie, lag aan de voeten van tante Bess, op het gevlochten kleedje waar ze aan werkte.

Al die dieren en zoveel veren, en Snow had niet één astma-aanval ge-had! Haar luchtwegen voelden schoon, en ze haalde moeiteloos adem. Ze voelde dat de vredigheid en liefde van Elk Island bezit namen van haar lichaam, en ze fantaseerde dat ze hier altijd zou blijven. Ze lag op de bank te lezen bij het vuur, keek naar de vallende sneeuw en stelde zich voor hoe het zou zijn.

Haar vader zou bij haar blijven. Hij en Sarah konden het goed met el-kaar vinden, dus hij zou iemand van zijn eigen leeftijd hebben. Boven-dien hadden hij en George allebei in het leger gezeten. Tante Bess vond iedereen aardig. Sarah zou als een moeder voor haar zijn, een soort moe-derlijke hartsvriendin, en uiteindelijk haar schoonmoeder worden. Snow zou met Mike trouwen.

Hij lag languit op de grond met een kussen over zijn ogen. Snow nam hem aandachtig op, zag het bewegen van elke spier in zijn prachtige armen. Zo sterk. Ze stelde zich voor dat hij haar liefdevol in zijn armen nam, haar optilde tegen zijn borst, haar over de drempel droeg. De hele familie zou zo gelukkig zijn.

Sarah en haar vader waren bezig met een legpuzzel. Ze zaten voor het raam aan een kaarttafeltje, hun hoofden gebogen over de half voltooide foto van een bergketen. Een van de katten wilde geaaid worden en gaf Sarahs wang aanhoudend kopjes, zodat de puzzelstukjes in de war raakten. Haar vader fluisterde iets, en Sarah moest erom lachen.

Had ze haar ouders wel eens samen zien lachen? Snow pijnigde haar hersens, probeerde het zich te herinneren. Zwijgen, boosheid, onuitgesproken verwijten, toen uitgesproken verwijten – dat was wat ze zich van haar ouders' huwelijk herinnerde. Lang geleden, toen Fred er nog was, hadden ze van elkaar gehouden en plezier gemaakt. Maar de details van die tijd waren wazig, verdwenen uit het zicht als het vasteland vanaf een zeilboot.

Snow dacht met een zucht aan haar moeder.

Sarah keek opzij en glimlachte vragend naar haar. 'Gaat het goed met je?' vroeg ze.

'Mmmm.' Snow glimlachte terug.

'Verveel je je?'

'Helemaal niet!' antwoordde Snow. Wist Sarah wel hoe fantastisch dit was, ingesneeuwd zitten op een eiland met mensen die lief voor haar waren? Snow lag onder een prikkende geruite deken, omringd door schurftige katten, en ze vroeg zich af of Sarah wel wist dat zij het middelpunt van alles was, degene die hen allemaal bij elkaar had gebracht. Ze was Mikes moeder, Georges dochter, Bess' nicht, de vriendin van Snow en haar vader. Het leek zo'n rijk leven, zelfs al werden er ganzen gedood.

Snow dacht aan haar moeder, die helemaal opging in Julian en hun egoïstische leven, en dat maakte haar verdrietig. Inwendig kromp ze ineen, en voor het eerst sinds ze op het eiland was kreeg ze het benauwd.

'Heb je je moeder al gebeld?' vroeg Sarah zacht, alsof ze haar gedachten had gelezen. Hoe had ze dat gedaan? Kon iemand echt helderziend zijn?

Nog steeds perplex schudde Snow haar hoofd. Ze probeerde zich voor te stellen wat haar moeder op dit moment deed. Misschien sneeuwde het in Fort Cromwell ook wel, en manicuurde ze boven in haar slaapkamer haar nagels. Of misschien waren Julian en zij er wel op uitgegaan met de skimotor. Of misschien, en dit beeld kwam haar het levendigst voor ogen, zat ze wel te huilen op haar bed omdat ze Snow en Fred miste.

'Waarom bel je haar niet even?' opperde Sarah.

'Dat is een goed idee, lieverd,' zei haar vader.

'De telefoon staat in de gang,' zei Sarah.

'Ik laat je wel zien waar.' Mike had zich opgericht, steunde even op zijn ellebogen, en kwam toen overeind. Hij liep naar de bank en keek op haar neer, met die zachte mond van hem halfopen, en Snows raspende ademhaling klonk meteen weer normaal. Ze glimlachte naar hem, en hoopte dat ze er met het haar dat voor haar ogen was gevallen verleidelijk en mysterieus uitzag.

'Vind je het niet erg?' vroeg ze, haar stem donker en wonderlijk genoeg niet piepend.

'Helemaal niet.'

'Wat lief van je,' zei de toekomstige mevrouw Talbot, en ze volgde hem de kamer uit, het grote onbekende tegemoet.

Hoewel de lucht grijs bleef en er nog steeds sneeuwvlokken omlaagdwarrelden, was het ergste voorbij. Na al die uren binnenshuis trokken ze allemaal, uitgezonderd George en Bess, dikke kleren aan om te gaan wandelen. De takken van de naaldbomen en bergiepen torsten een dik pak sneeuw. Het dak van de schuur boog door onder het gewicht ervan. Vinkjes en mussen hadden beschutting gezocht in de struiken naast het huis, en rook kringelde uit de schoorsteen omhoog. De zee was donker en glad.

In het schuurtje stonden sneeuwschoenen en langlauf-ski's, maar geen vier paar van elk. De mannen bonden sneeuwschoenen onder, en Sarah en Snow namen de ski's. Ze gingen op weg naar het pad dat hen naar Great South Head zou brengen. Sarah was dolblij dat ze buiten was en kon bewegen, en haar hart bonsde. Skiën in een dik pak poedersneeuw was qua inspanning te vergelijken met vele kilometers op de trimbaan, maar ze wist dat ze het aankon. Vluchtig dacht ze aan dokter Goodacre, en ze nam zich voor op te houden als ze moe werd.

Mike ging op kop. Hij en Will wekten de indruk dat het lopen op sneeuwschoenen makkelijk was, maar dat was het niet. Will liep naast haar, en liet haar geen moment een te grote voorsprong nemen. Sarah voelde dat er iets tussen hen gebeurde. Ze keek opzij en glimlachte naar hem boven de das die ze rond haar kin had geknoopt.

'Wedstrijdje?' vroeg ze.

'Hoeveel voorsprong moet ik je geven?' zei Will.

'Geen. Ik versla je met gemak.'

Hij lachte. In een vrij hoog tempo kwamen ze achter de kinderen aan, baanden ze zich een weg door ongerepte sneeuw. Ze staken een groot veld over en gingen tegen een landtong op, met het naaldwoud links van hen en een gammele omheining rechts, en het pad werd smaller. Het land liep glooiend omhoog. Allemaal ritsten ze hun jacks open, want ze hijgden en zweetten. Hier ging het in ganzenmars.

Naarmate het pad steiler werd, probeerden ze verschillende technieken uit. Sarah en Snow liepen zijwaarts, hun ski's loodrecht op het pad. Will en Mike gingen sneller, tenen naar buiten, en de sneeuwschoenen maakten een visgraatpatroon in de sneeuw. Het oude hek moest gerepareerd worden, en hier en daar was het helemaal kapot. De klif was steil, met de zee dertig meter in de diepte. Sarah beschermde Snow, duwde haar dichter naar de bomen toe. Ze vond het bijna angstig om naar haar onbevreesde zoon te kijken. Hij schoot vooruit, daagde Will uit. Opeens bleef hij staan.

'Hé, mam,' riep Mike, en hij wachtte tot ze hem had ingehaald. Hij wees omhoog. 'Daar is hij.'

'Wie?' vroeg Snow.

Een kale adelaar cirkelde door de lucht. Hij woonde op de kliffen in het noorden, helemaal aan de andere kant van het eiland, en was hierheen gekomen om te vissen in de baai. Sarah stond hijgend naast Mike. Met hun hoofden in de nek keken ze omhoog, naar de adelaar die met wijd gespreide vleugels door de lucht zeilde.

'O, Mike! Weet je nog... die keer...' Sarah was nog steeds buiten adem. Haar lichaam trilde van inspanning, en met elke diepe ademhaling deed haar borst pijn. Ze leunde voorover, haar handen tegen haar dijen.

Mike wist wat ze bedoelde, en hij viel haar in de rede zodat ze niet hoefde te praten. 'De eerste keer dat we hem zagen? Natuurlijk weet ik dat nog.'

Mike was elf geweest. Ze waren naar het eiland gekomen voor de zomervakantie, en ze hadden een week lang genoten van kreeften vangen en kijken naar adelaars.

'Het kan toch niet dezelfde zijn,' zei ze.

'Adelaars worden heel oud,' zei Mike. 'Het is hem echt.'

'Maar is het echt wel dezelfde?' De vurigheid waarmee ze dat hoopte verbaasde haar.

'Echt,' zei Mike. 'Er ontbraken altijd een paar slagpennen. Zie je wel?' De laatste lange veren aan zijn vleugels, net vingers. Mike had gelijk; Sarah zag een gat waar verschillende slagpennen hoorden te zijn. Ze knikte en snakte naar adem. Ze drukte met haar rechtervuist vlak onder haar borsten in een poging de pijnlijke steken van elke ademhaling te stoppen.

'Mijn conditie is... slecht.'

'Je doet het geweldig, mam,' verzekerde hij haar.

'Vind je?' vroeg ze, genietend van zijn compliment.

'Absoluut.' Hij had omhooggekeken naar de adelaar, maar nu keek hij haar recht in de ogen. Zijn gezicht was rood van de kou, maar zo knap en volwassen dat het haar nog meer de adem benam. Ze kon het kind dat hij was geweest nauwelijks herkennen. Zijn wangen waren mager, zijn kaak was sterk, zijn ogen rustig als die van een volwassen man, niet langer vragend als een jongetje.

'Heus,' zei hij. 'Anderhalve kilometer in de sneeuw? Dat is meer dan geweldig.'

'Ik voel me echt stukken beter.' Sarah herinnerde zich maar al te goed hoe ziek ze was geweest.

'Gingen papa en jij wel eens skiën? Of lopen met sneeuwschoenen?' Sarah schudde haar hoofd. 'Nee. Hij was er altijd op uit om kreeften te vangen.'

'Iedereen op het eiland kan zich hem herinneren,' zei Mike.

'Het is een klein eiland,' zei Sarah behoedzaam, en ze vroeg zich af wat mensen haar zoon over zijn vader vertelden.

'Waarom kleineer je hem toch altijd?' vroeg Mike fel.

'Het spijt me, Mike,' zei ze snel.

Plotseling begon Snow te gillen. Met haar skistok wees ze naar de zee, en ze begon op en neer te springen. Het volgende moment viel ze, maar ze bleef wijzen. Sarah keek uit over de zee, zag de wijde, donkere baai. Het water was diep blauwgrijs, glad als ongepolijst staal, zonder golven of witte koppen. Dit was de stilte na de storm, en er speelde nauwelijks een briesje over het wateroppervlak. De enige beweging was een reeks grote, concentrische kringen, met een epicentrum dat aan een aardbeving deed denken.

Sarah en Mike keken elkaar aan, want als oude rotten op dit eiland wisten ze precies wat ze zagen. De walvis kwam voor de tweede keer boven, helemaal uit het water. Het gladde, gigantische lijf, glinsterend van het water, wees naar de hemel en kwam met een enorme plons terug in zee.

'Kijk dan!' gilde Snow.

Mike liep naar haar toe om haar overeind te helpen. Ze pakte zijn handen beet, zo onverwacht snel dat ze hem omver trok. Hij landde boven op haar, te verbaasd om zich te bewegen.

'Wat is het?' vroeg Snow.

'Een walvis,' antwoordde Mike.

'Het is een bultrug,' zei Will, die met een brede glimlach op zijn gezicht naar zee keek, in de hoop dezelfde walvis, of de andere helft van het paar, nog een keer te zien. 'We zagen ze heel vaak als ze de Atlantische Oceaan overstaken.'

'Hoe weet je dat nou?' vroeg Snow. 'Hoe weet je nou dat het een bultrug is, pap?'

'Aan de witte staartvin,' legde Mike uit.

'Precies,' bevestigde Will.

'Het waren net vleugels,' zei Snow. 'Engelenvleugels, die witte dingen.'

'Engelenvleugels,' herhaalde Sarah nu ze eindelijk weer normaal kon ademhalen. Vleugels. Ze stond achter de anderen, en tot haar verbijstering besefte ze opeens hoeveel ze hield van deze drie mensen, die nog steeds in de ban waren van een verdwenen walvis.

'Daar zette mijn vader zijn fuiken uit,' vertelde Mike de anderen, en hij wees op de baai.

'Kreeftenfuiken?' vroeg Will.

Mike knikte zwijgend. Hij staarde naar het deel van de baai waar eens de boeien van zijn vader hadden gedobberd. Mike had ze nooit gezien, dus iemand moest het hem hebben verteld.

'De kreeftenvissers van Elk Island gaan er alleen in de winter op uit,' zei Mike.

'Dan zijn het taaie kerels,' zei Will.

Mike draaide zich om, zijn ogen tot spleetjes geknepen alsof hij de oud-marinier van sarcasme verdacht. Maar Wills gezicht had een open en vriendelijke uitdrukking. Sarah zag hoe aardig hij was voor haar zoon, en opeens voelde ze haar keel dik worden, zonder te weten waarom.

'De taaiste kreeftenvissers van Maine,' zei Mike.

Vanaf de top van Great South Head gingen ze het binnenland in. Will en Sarah vormden de achterhoede, en ze lieten het aan de kinderen over om een pad te kiezen. Bomen groeiden dichter opeen. Er lag hier minder sneeuw, maar toch nog een pak van tien centimeter. Ze volgden het spoor van de sneeuwschoenen en de ski's, en Will ging nu langzamer, want hij had het gevoel dat Sarah moe was.

'Wil je uitrusten?' vroeg hij.

Ze schudde haar hoofd. Haar wangen waren roze, haar ogen glinsterden. Ze zag er geweldig uit in haar zwarte stretchbroek, een dikke rode trui met een patroon van sneeuwvlokken, een zwarte kasjmier sjaal om haar nek, en een zwarte hoofdband rond haar korte witte haar. Haar ogen waren groot en donker.

'Ik voel me prima,' zei ze.

'Ik ook,' zei hij glimlachend. Hij bleef staan om haar de kans te geven even op adem te komen.

Ze knikte. 'Jij en mijn zoon hebben de strijdbijl begraven. Bedankt voor wat je zei over de kreeftenvissers hier.'

'Ik meende het.'

'Hij ging gisteravond echt te ver.'

'Hij beschermt jou, dat is alles.'

'Het spijt me.'

'Dat hoeft niet.' Will wilde niet dat ze zich zorgen maakte. Hij had absoluut geen last van de slechte manieren van een jongen van zeventien, en ging ervan uit dat het vanzelf wel over zou gaan. Het enige waar hij nog aan kon denken was Sarah, zoals ze er nu uitzag. Hij was blij dat de kinderen vooruit waren gegaan. Er groeide iets tussen hem en Sarah, en hij wilde met haar alleen zijn.

Ze gingen verder. Eerst konden ze de stemmen van de kinderen nog horen, maar na een paar minuten, toen ze nog langzamer gingen, stierf het geluid weg. De dennengeur was sterk en prikkelend. Ze kwamen bij een omgevallen boom, en Will bleef staan. Zonder het te vragen veegde hij de sneeuw eraf, en ze gingen zitten.

Sarah maakte haar sjaal los. Ze deed haar ogen dicht en liet haar adem in een grote wolk ontsnappen. Haar wimpers waren blauwzwart tegen haar bleke huid. Het was zo stil in het bos. Hij kon zijn blik niet van Sarah af houden.

'Zorg je altijd voor adelaars en walvissen?' vroeg hij.

'Alleen voor jou.'

Will pakte haar skistokken aan en legde ze naast de stam. Ze leek te glimlachen, alsof ze wist wat hij van plan was. Wat merkwaardig was, want Will wist het zelf niet eens.

Hij sloeg zijn armen om haar heen en kuste haar. Ze voelde zo klein, teer als een kind, maar haar omhelzing was zo krachtig dat hij haar hart voelde kloppen onder de dikke trui. Haar lippen waren koud, maar haar kus was heet. Will stond meteen in vuur en vlam, met een passie die hij nog nooit had gevoeld. Haar wimpers streken langs zijn koude wang, en zijn ogen vlogen open.

Ze glimlachten naar elkaar en leunden een eindje achterover, maar zonder elkaar los te laten.

'Adelaars en walvissen zijn niets,' zei hij, 'vergeleken met jou.'

'Die walvis was een engel, zoals Snow al zei.'

'Denk je dat?'

'Ik weet het zeker.'

Hij kuste haar nog een keer, en zijn hand ging omhoog naar haar hoofd. Zijn vingers voelden een lang, hard litteken onder het haar. Zijn hart sloeg over, maar ze kalmeerde hem door niet ineen te krimpen, niet weg te duiken. Sarah Talbot hield niets verborgen. Ze kuste hem met heel haar hart, liet hem weten wat ze voelde. Will bleef haar strelen en trok haar dichter tegen zich aan.

'Dit is reuze interessant,' zei ze na een tijdje.

'Vind je?'

Ze had haar handen tegen zijn wangen gelegd en keek hem recht in de ogen. Er klonk humor in haar stem, en haar ogen twinkelden, maar de onderliggende ernst was onmiskenbaar. Will wachtte op wat ze te zeggen had.

'Ze vroegen me wie je was, wat je hier deed, met mij en mijn vader en mijn zoon, en ik heb naar volle waarheid geantwoord dat je mijn piloot bent. En ook een goede vriend.'

'Ja, ik ben een goede vriend.' Will stopte een plukje zilver glanzend haar onder de zwarte band.

'Maar, o,' zei Sarah, 'Will.'

'Meer dan vrienden?' vroeg hij.

'Denk jij dan van niet?'

Als iets zo goed voelde, klopte opeens alles. Nu hij Sarah in zijn armen hield, wist Will dat hij met het verleden had afgerekend. De dood van Fred had hem innerlijk verscheurd. Hij was kapot geweest, al die jaren, en had gewacht op een soort verklaring. Een vertaling die aan hem zou openbaren wat Gods bedoelingen waren en hoe het universum in elkaar zat, de sleutel tot het mens-zijn en zoveel pijn voelen.

Sarah was die sleutel, dat begreep Will nu. Hij liet haar los, gewoon om te zien of hij het kon. Ze keken elkaar aan, hun neuzen vijftien centimeter van elkaar. Twintig. Sneeuw viel met een plof van een boomtak, en dat betekende het eind van het oogcontact. Een besneeuwde uil vloog tussen de bomen door, achter een veldmuis aan. De muis wist te ontkomen. Will keek naar Sarah, die de uil volgde met haar blik, en hij wist dat ze deze dag nooit van hun leven meer zouden vergeten.

Een gil verbrak de vredige stilte.

Het was Snow, die in de verte om hulp riep.

Meteen kwamen ze overeind, en Will en Sarah gingen er zo snel mogelijk op af.

Hoofdstuk 12

De kinderen waren driehonderd meter verderop. Will volgde de sporen, en de echo van zijn dochters kreten weergalmde in zijn oren. Sarah skiede achter hem aan, hield hem bijna bij. Ze kwamen uit het bos op een uitgestrekt wit veld. Snow stond in haar eentje aan de rand van een verzonken cirkel, net als de rest van het landschap bedekt met sneeuw, maar Will zag meteen dat het een meertje moest zijn.

'Mike is door het ijs gezakt!' riep Snow.

'Nee,' fluisterde Sarah.

Will verdubbelde zijn inspanningen. Al voor hij zijn dochter bereikte, was hij bezig met het losmaken van zijn sneeuwschoenen. Ze was hysterisch, tranen stroomden over haar rode wangen. Haar ogen schoten in paniek heen en weer. Ontzet staarde ze Sarah aan.

'Ik had hem gezegd dat hij het niet moest doen!'

Sarah pakte haar hand. 'Wanneer? Hoe lang?'

Will hoorde het antwoord niet eens. Hij maakte zijn veters los en schopte zijn schoenen uit. Onderweg naar het gat in het ijs liet hij zijn parka in de sneeuw vallen. Bij de marine had hij geleerd hoe je iemand die door het ijs was gezakt moest redden. Er moest een menselijke keten worden gevormd, en een touw moest vastgebonden worden aan een stevige boom. Hij wist dat er gevaar voor onderkoeling bestond, zowel voor het slachtoffer als voor degene die in een bevroren meertje duikt.

Tijdens zijn opleiding was hem geleerd zijn verstand te gebruiken, maar op dit moment kon hij alleen aan Mike Talbot denken. Hij gooide zijn dikke trui op de grond, en met alleen een spijkerbroek en T-shirt als bescherming tegen het ijskoude water, dook kapitein-luitenant-terzee William Burke, reddingszwemmer bij de Amerikaanse marine, in het gat in het ijs.

Precies tien seconden lang vond Mike het eigenlijk wel grappig. Hij had de stoere bink uitgehangen, de sneeuw van het ijs geveegd zodat Snow eroverheen kon skiën, en was er zelf doorheen gezakt. Hij had niet verwacht dat het meertje zo diep zou zijn, dat hij kopje-onder zou gaan, en nog dieper. Hij bleef zinken.

Het water was onvoorstelbaar koud. Zijn hart leek stil te staan, en begon toen weer te kloppen. Hij voelde het bonzen in zijn borst, als een roestige, oude motor. Hij landde op de bodem en probeerde naar boven te zwemmen. Hij bewoog zijn armen, maaide ermee door het water, maar hij bereikte niets. Zijn kleren en sneeuwschoenen waren te zwaar. Hij was dood gewicht. Zijn voeten gleden over de slijmerige bodem, en zo probeerde hij naar de kant te lopen.

Dat was wat hij grappig vond, met sneeuwschoenen over de bodem van Talbot Pond lopen. Proberen indruk te maken op Snow. Maar binnen tien seconden drong de werkelijkheid tot hem door: het was zo donker als een grot, ijskoud, en zijn longen stonden op springen. Tien seconden, elf, twaalf.

Mike zou op de bodem van het meertje doodgaan.

Stilte vulde de lucht. Wills plons had de stilte verbroken, maar het geluid stierf snel weg. Hij was in het meertje verdwenen. Sarah rende langs de rand van het ijs heen en weer als een hond met zijn ogen op een bal gericht.

'Hoe lang, Snow?'

'Een minuut, Sarah. Een minuut, denk ik.'

Sarah probeerde op het ijs te gaan staan. Het voelde stevig. Voorzichtig deed ze nog een stap. Het ijs kraakte, en ze ging achteruit.

'Een tak,' gilde Snow. 'Wij kunnen de tak vasthouden, en zij kunnen hem beetpakken.'

Er vielen wel eens bomen om in een storm, en onder de sneeuw lagen afgebroken takken. Samen renden Sarah en Snow naar een plek waar ze takken zagen. Sarah pakte een dikke eikentak beet, en die probeerden ze uit alle macht los te trekken. Sarahs hart bonsde, en ze haalde hijgend adem. Ze sleepten de tak naar het meertje.

'En nu?' riep Snow. 'Wat doen we nu?'

Sarah wist het niet. Haar handen en voeten bewogen, gedreven door de behoefte om iets te doen waarmee ze haar zoon en Will kon redden. Ze liep naar het ijs, deed een stap, toen nog een. Het ijs kraakte, maar brak niet.

'Schuif die tak eens hierheen,' zei ze.

Snow gaf de tak een zet.

'Verder! Snel!' beval Sarah in paniek.

'Oké,' zei Snow. Ze gaf de tak een flinke zet, en raakte Sarahs schoen. Sarah sprong eroverheen, en het ijs kraakte. Het was een hard geluid, net stof die scheurt, en Sarah zakte erdoor. Tot aan haar knieën stond ze in het water, en ze hoorde een wanhoopskreet – die van haar zelf.

'Het spijt me, het spijt me zo!' zei Snow huilend.

Moeizaam sjokte ze naar de kant. Sarah wilde zich de haren uit het hoofd trekken, met haar nagels over haar gezicht krassen, haar longen uit haar lijf gillen. Snow pakte haar beet. Het kind beefde als een riet, en onwillekeurig streelde Sarah haar rug.

'Sssst,' zei Sarah trillend.

Ze klampten zich aan elkaar vast, staarden naar het gat in het ijs. Hun adem bevroor, vormde witte wolkjes die wegdreven. Snow vulde de hare met beelden: van Fred die verdronk, van Mike onder het ijs, van haar vader die deze reddingspoging met de dood zou moeten bekopen. Sarah drukte haar bevend tegen zich aan. Snows knieën knikten.

'Bid je wel eens, Snow? Bid nu!' zei Sarah.

'Sarah, help me,' snikte ze.

'Bid,' herhaalde Sarah.

'Ik ben te bang,' mompelde Snow. 'Ik weet niet wat ik moet zeggen.'

'Jawel.' Sarah wiegde haar heen en weer. 'Je denkt alleen dat je het niet weet.'

Rillend staarde Sarah naar het zwarte gat alsof ze haar zoon en Will met haar blik uit het water kon trekken, alsof haar moeder bij haar was en afdaalde in het koude donker om de twee mannen te redden.

'Bid alsjeblieft,' fluisterde Sarah. 'Bid.'

'O, Freddie,' zei Snow.

Hoe lang bleef iemand in zulk ijskoud water in leven? En twee mannen? Sarah wist het niet, maar ze was ervan overtuigd dat het niet lang kon zijn. Ze probeerde het meisje te troosten door haar vast te houden, maar eigenlijk putte ze zelf kracht uit haar. Sarah sloot haar ogen.

Will zou haar zoon redden.

Ze herinnerde zich een dag dat ze kerstinkopen deed in Boston, toen Mike zes was. Het was ontzettend druk, en ze had zijn handje stevig vastgehouden toen ze hem meenam naar de kerstman. In het gedrang, te midden van mensen die zich langs hen heen wurmden, werd zijn hand toch uit de hare getrokken. Ze kon hem horen roepen, ze hoorde zijn stemmetje wegsterven. Zijn hand voelde nog steeds echt, hoewel ze hem niet meer vasthield. Haar kind was weggerukt uit haar greep, en een seconde lang had ze gedacht dat ze dood was.

'Mike,' zei ze nu, net als toen.

'Sarah, hij kan je onder water niet horen,' jammerde Snow.

'Mike!' riep Sarah harder. 'Mike!'

Breng hem bij me terug, had Sarah destijds in Newbury Street gebeden. Geef me Mike terug, en ik beloof dat ik nooit meer ergens om zal vragen.

Maar dat had ze natuurlijk wel gedaan. Sinds die dag had Sarah een hele hoop dingen gevraagd. Ze had gevraagd om romantiek, om exclusieve verkooprechten voor een bepaald merk linnengoed, om een goed parkeerplekje, om een gunstig derde kwartaal, om een extra uurtje slaap, om het leven zelf.

Ze kneep haar ogen dicht en dacht aan haar hersentumor. Toen ze heel erg ziek was geweest, had ze de tumor echt kunnen voelen, de druk op een bepaalde zenuw, de ruimte die het gezwel opvulde in haar schedel. Ze had gebeden om te blijven leven, en God had haar wens verhoord. Er was haar zoveel gegeven in dit leven, waarom dit dan niet ook? Waarom Mike dan niet? Staand bij het meertje wist Sarah dat ze bereid was om haar ziekte terug te nemen als Will Mike kon redden.

Sarah zou zonder enige aarzeling haar leven geven voor dat van Mike.

Toen in Boston had ze Mike teruggekregen, en ze wist dat ze hem ook dit keer terug zou krijgen. Langzaam opende ze haar ogen, ze haalde heel diep adem, en staarde naar het wak in het ijs. Het moest zo zijn. God kon haar prachtige kind niet opeisen.

Snow snikte onafgebroken, ze smolt in haar armen.

'Het komt goed, Snow,' fluisterde Sarah.

'Nee,' zei Snow. 'Het duurt te lang.'

'Wacht.' Sarah bruiste van leven, was vol hoop en een intens verlangen naar alles wat de rest van haar leven haar zou brengen.

Het zwarte water golfde en week uiteen. Een hoofd kwam boven, toen het tweede. De twee mannen snakten naar adem, en maakten meer kabaal dan de walvis. Will had Mike in een stevige greep. Hij zwom naar de kant, en brak het ijs met krachtige vuistslagen.

'Papa!' gilde Snow. 'O, papa!'

Drijfnat lagen Will en Mike in de sneeuw, en hun haar begon meteen te bevriezen. Mike braakte water uit, snakte naar adem. Will trok hem verder bij het meertje vandaan, terwijl Snow worstelde met de riemen van zijn sneeuwschoenen.

'Ik heb hem gered.' Will keek Sarah aan. Zijn wangen glommen van het ijs, of misschien tranen.

Sarah hurkte neer en kuste haar zoon, toen Will Burke. Hun lippen waren blauw. Hun gezichten wit. Ze drukte haar wang tegen die van hen, volkomen kalm en zonder angst. Ze zouden er allebei weer helemaal bovenop komen.

'Ik heb hem voor jou gered,' zei Will, en de tranen stroomden uit zijn ogen.

'Dat weet ik.' Sarahs ogen glansden van blijdschap en oneindige dankbaarheid en iets wat voelde als liefde. 'Ik zal het nooit vergeten.'

Eenmaal thuis maakte tante Bess warme chocolademelk, en George haalde dikke paardenharen dekens uit een eikenhouten kist in de schuur. Hij bracht ze naar de keuken, waar Mike lag, zo dicht mogelijk bij het vuur. Snow zat aan zijn voeten.

'Hij moet naar het ziekenhuis,' zei Sarah.

'Welk ziekenhuis?' snauwde George.

'Op het vasteland.'

'Met onderkoeling valt niet te spotten.' De stem van tante Bess trilde van paniek.

'Op de boot wordt het alleen maar erger,' zei George.

Sarah zat naast Mike en wreef zijn ijskoude handen. Will stond naast haar. Hoewel hij zelf halfbevroren was, weigerde hij te gaan liggen en wilde hij niet van haar zijde wijken. Onderweg naar huis hadden ze Mike half moeten dragen. Will vertelde haar dat Mike bewusteloos begon te raken toen hij hem had gevonden. Hij was tekeergegaan als een buitenboordmotor, had als een waanzinnige met zijn armen gemaaid in een poging om boven te komen, en hij had Will per ongeluk op een oog geraakt.

'Ik vlieg hem wel,' bood Will klappertandend aan.

'Doe niet zo mal.' George gaf hem een deken. 'Jij moet je afdrogen en opwarmen, iets anders kun je echt niet.'

'Niet die oude ruwe dekens,' protesteerde tante Bess. 'Geef ze liever lekker zachte dekbedden.'

'Stil, Bess,' zei George terwijl hij de deken rond Mike instopte. 'Dekbedden zijn te licht. We hebben nu lekker zware wol nodig, dat houdt de warmte vast, zodat ze weer door en door warm worden. Ziezo, jongen. Beter?'

'Ja, opa,' probeerde Mike te zeggen. Hij maakte oogcontact met zijn grootvader, en de blik die ze uitwisselden brak Sarahs hart bijna. Het was een blik vol liefde en vertrouwen, zoals een jongen naar zijn vader had kunnen kijken.

'Lieve schat,' zei Sarah in de hoop dat hij net zo naar haar zou kijken.

'O, mijn lieve schat. Godzijdank ben je bij ons. Ik was zo – '

'Mam.' Mike schudde zijn hoofd. 'Niet doen.'

'Laat die jongen eerst warm worden,' zei George vriendelijker dan hij meestal tegen Sarah praatte. 'Zorg jij nou maar voor Will. Dat oog van hem ziet er vreselijk uit.'

'Nee, ik...' begon Sarah, maar ze maakte haar zin niet af.

Ze voelde Wills handen op haar schouders. Zelfs door haar dikke trui heen voelden zijn vingers koud. Hij trok zacht, en ze kwam overeind. Ze wilde hem dankbaar aankijken omdat hij haar zoon had gered, maar in haar hart voelde ze zich wanhopig. Op dit bijzondere moment, nu Mike op het nippertje van de dood was gered, zocht hij steun bij haar vader en niet bij haar.

'Hij komt er wel bovenop,' verzekerde Will haar.

'Dankjewel,' zei Sarah nog een keer. 'Ik meen het. Dankjewel.'

'Graag gedaan,' zei Will.

'Je lippen zijn blauw,' zei ze.

Hij knikte, en er ging een heftige rilling door hem heen.

Sarah bukte zich om nog een deken te pakken. Staand op haar tenen sloeg ze de deken om Wills schouders, over de deken die haar vader hem net had aangegeven heen. Will glimlachte en knikte blij. Sarah pakte een derde deken, en wikkelde Will erin.

'Beter?' vroeg ze.

'Veel beter.'

'Nog een?'

Hij schudde zijn hoofd. Zijn haar was ontdooid, maar wel kletsnat. Sarah ging naar het washok en kwam terug met een paar handdoeken. Ze begon zijn haar af te drogen. Ze moest heel dicht bij hem staan, en ze was zich ervan bewust dat haar benen de zijne raakten, dat ze met haar borst tegen hem aan stond. Terwijl ze de handdoek over zijn haar wreef, keek ze hem recht in de ogen.

'Hai,' zei hij zacht.

'Hai, Will.'

Nog geen drie meter van hen vandaan zaten haar vader, Snow en tante Bess om Mike heen. Ze controleerden zijn kleur, masseerden zijn handen en voeten. Sarah keek naar hen, maar Will nam haar handen in de zijne. Ze liet de handdoek vallen.

'Je hebt een blauw oog,' zei ze.

'Je zou die andere kerel eens moeten zien.'

Sarah probeerde te lachen, maar Will kneep in haar handen. Ze deed een stap dichterbij. Nu kon ze zijn adem voelen, warm op haar voorhoofd. Haar hoofd lag in haar nek, zodat ze Will aan kon kijken. Alle anderen waren vlakbij, maar ze had het gevoel dat ze met hem alleen was. Will was in het ijskoude water gesprongen om haar zoon te redden, en nu had Sarah het gevoel dat zij degene was die gered moest worden. Ze hoorde haar vader een grapje vertellen, en Mike lachte. Tranen sprongen haar in de ogen.

Will zei niets. Hij liet zijn handen zakken, sloeg zijn armen om haar heen en omhelsde haar. De wollen deken prikte tegen haar wang. Dit waren dekens voor buiten – voor picknicks, boottochtjes, om naar de sterren te kijken. Hoe vaak had ze er niet op gelegen toen Mike nog een baby was?

De herinneringen waren zoet en sterk, en ze maakten haar aan het huilen. Will bleef haar vasthouden, liet haar stilletjes snikken in zijn armen terwijl zij dacht aan de jeugd van de jongen die ze bijna had verloren. Het maakte haar nog verdrietiger dat hij met de anderen praatte. Zijn stem klonk kalm, en begon aan kracht te winnen. Maar hij had het niet tegen haar, en Sarah had het gevoel dat het hem niet eens kon schelen dat ze er was.

Toen Mike eenmaal buiten gevaar was, brachten ze hem naar boven. Will had de leiding genomen, aangezien hij over de meeste medische kennis beschikte en al vaker met mensen die door het ijs waren gezakt te maken had gehad. De jongen zou geheel herstellen. Eindelijk kreeg tante Bess haar zin, ze haalde de oude dekens weg toen ze de mannen naar bed stuurde, en dekte hen allebei tot aan hun kin toe met dikke dekbedden. Will vond het best. Hij lag op zijn rug en liet de rillingen door zijn lichaam gaan.

'Pap, het lijkt wel of je bezeten bent,' merkte Snow op.

'Dat ben ik echt niet,' zei hij.

'Maar je trilt als een gek.' Hevig bezorgd fronste ze haar wenkbrauwen.

'Zo warmt het lichaam weer op,' zei hij toen er een nieuwe rilling langs zijn rug ging.

'Heb je bevriezingsverschijnselen?'

Hij schudde zijn hoofd want hij kon op dat moment geen woord uitbrengen.

'En Mike?'

'Nee,' zei hij. 'We zijn minder dan drie minuten onder water geweest. Als onze lichaamstemperatuur weer normaal is, is er niets meer aan de hand. Waarom ga je niet even kijken hoe het met hem is?'

Ze aarzelde.

Will voelde zich schuldig dat hij van zijn dochter af wilde, maar Sarah stond in de deuropening, vlak achter haar. Ze glimlachte op een manier die nieuw voor hem was.

'Ga maar even naar Mike,' zei Sarah toen ze de kamer binnenkwam. 'Hij vindt het vast fijn om je te zien.'

Met een diepe genegenheid in haar blik keek Snow over haar schouder. 'Hai, Sarah,' zei ze. 'Vergeef je het me?'

'Wat?'

'Dat ik Mike op het ijs heb gelokt. Dat mij niets is overkomen terwijl hij door het ijs is gezakt. Dat ik met dat stomme idee van die tak ben gekomen. Ik weet het niet!'

Sarah schudde haar hoofd. 'Dat Mike door het ijs is gezakt had niets met jou te maken,' zei ze. 'En die tak was geen stom idee.'

Snow leek niet overtuigd, en Will vroeg zich af of ze erg aan Fred moest denken. 'Ik ben zo blij dat het goed met hem gaat,' zei ze uiteindelijk.

'Ga maar even naar hem toe,' drong Sarah aan.

Snow gaf haar vader een kus en liep naar de deur. Ze bleef voor Sarah staan, gaf ook haar een kus, en verdween naar de gang.

'Jeetje,' zei Sarah. 'Dat was lief.'

Will moest wachten tot de volgende rilling voorbij was. 'Wat?'

'Dat ik een kus van haar kreeg.'

Hij was halfnaakt onder het dekbed, en kwam in de verleiding om Sarah zelf te kussen. Opeens kon hij alleen nog maar daaraan denken, en hij moest zich bedwingen om haar niet in zijn armen te trekken en haar de hele nacht lang te blijven kussen.

'Vind je?' vroeg hij in plaats daarvan.

'Ik moet altijd dreigen als ik een kus van Mike wil. Of ik moet hem chanteren. Nu ik erover nadenk, eigenlijk lukt dat al jaren niet meer. Sorry dat ik me daarnet zo liet gaan.'

'Dat viel wel mee.'

'Ik huilde als een idioot,' zei ze. 'En dat terwijl ik zo blij was. Ben. Je weet wel wat ik bedoel.'

'Ja, ik weet het.' Hij pakte haar hand.

'Ik bedoel, je hebt zijn leven gered. Reden om zielsgelukkig te zijn.'

Glimlachend streelde Will haar handpalm.

'Had je dat wel eens eerder gedaan?' vroeg ze. 'Iemand redden onder het ijs?'

'Eén keer, op Martha's Vineyard.'

'Het was onvoorstelbaar.' Sarah kuste zijn vingers één voor één.

'Echt?'

'Je bent mijn held.'

'Ik ben geen held,' protesteerde hij.

'Daar heb je niets over te zeggen.'

'Ik ben gewoon een oud-marinier,' zei Will. 'Ik had geen keus, het was het enige wat ik kon doen.' Maar in stilte bedacht hij alleen dat het hem dit keer wel was gelukt.

Terwijl hij Mike naar boven trok in het water, had hij de hele tijd geweten dat de jongen leefde. Mike had zich met hand en tand tegen hem verzet, een wanhopig gevecht geleverd, zoals iedereen die verdrinkt. Toen hij Mike op de oever trok, had hij aan Fred gedacht. Liggend in dat zachte, warme bed sloot hij zijn ogen en haalde zich zijn zoon voor de geest.

Sarah blies op zijn handen, en zijn vingers deden pijn van de warme adem. Will had het gevoel dat zij hem redde. Nog maar een paar uur geleden had hij haar op een besneeuwde boomstam gekust, en zij hem. Zijn hele lichaam deed pijn van het gevecht om weer warm te worden, en zijn hart pompte warmte naar de koudste plaatsen. Will Burke was ervan overtuigd dat zijn hart altijd prima had gewerkt, dat het altijd in topconditie was geweest. Alleen had zijn hart voor zover hij wist nog nooit gewerkt zoals nu.

'Ik voel me net een klein kind.' Opnieuw kreeg ze tranen in haar ogen.

'Waarom?'

'Grrr,' zei ze, en veegde geërgerd haar ogen af. 'Nu huil ik alweer.'

'Dat geeft toch niet,' zei hij.

'Hij wil me niet bij zich,' zei ze. 'Mijn vader is er nu al een uur. Hij zit op een stoel en vertelt over de walvis. Mike luistert alsof hij er geen genoeg van kan krijgen.'

'Maak je geen zorgen, Sarah.'

'Hij weet zelfs niet dat ik er ben. Ik heb hem getemperatuurd, en hij keek zelfs niet naar me.'

'Jongens willen niet door hun moeder getemperatuurd worden.'

'Maar hij luistert naar zijn grootvader alsof hij de mooiste verhalen vertelt die hij ooit heeft gehoord.'

'Over een walvis?'

'De walvis die we hebben gezien,' zei ze. 'Mijn vader kan eindeloos verhalen vertellen over de natuur en de geschiedenis van het eiland. De oude man en de zee.' Ze snoot haar neus.

'Heb je Snow naar Mike gestuurd in de hoop dat zij je vader verjaagt?' vroeg Will.

'Nee.' Sarah glimlachte. 'Ik weet gewoon dat Mike haar erg graag wil zien. Hij bleef de hele tijd naar de deur kijken om te zien of ze er was.'

'Ze vindt het waarschijnlijk prachtig om verhalen over die walvis te horen.'

'Volgens mij gaat het nu over haring. Hoe zo'n school wordt gevormd, wanneer ze paren, door wat ze opgegeten worden, wat zij eten, en dat walvissen plankton eten in plaats van haring.' Sarah zuchtte.

'Hé,' zei Will.

'Wat?'

'Mike geneert zich.'

'Waarvoor?' vroeg ze. 'En hoe weet je dat?'

'Geloof me,' zei Will. 'Een man van ijzer zakt niet door het ijs. Daar heeft Mike het vast moeilijk mee. Hij is voor Snows ogen door het ijs gezakt, en moest gered worden. Door mij. Mike is een stoere bink, en nu schaamt hij zich.'

Will had haar met een paar woorden gerustgesteld, en nu kon ze zich eindelijk ontspannen.

'IJzer?' vroeg ze.

'Ja,' zei Will. 'Het tegenovergestelde van een watje. Macho-kerels zijn van ijzer en staal.'

'Jij bent van ijzer en staal,' zei ze glimlachend.

'Vind je?' vroeg Will. Zijn hart bonsde. De lakens voelden glad tegen zijn benen, en zijn mond was droog.

'Absoluut.' Sarah boog zich over hem heen om een kus op zijn mond te drukken. Maar hij trok haar dicht tegen zich aan en bleef haar vasthouden. Hij voelde het kloppen van haar hart tegen zijn blote borst. Was hij echt van ijzer en staal? Vanbinnen was hij week van emoties.

Minder dan vijf minuten nadat Snow Mikes kamer was binnengekomen, stond de oude George op van zijn stoel en liep naar de gang. Hij zei niet eens dag.

'Waarom gaat je grootvader nou zomaar weg?' wilde Snow weten.

'Hij had zeker iets te doen,' antwoordde Mike.

'Wat weet hij veel van haring, zeg.'

'Ja,' zei Mike langs zijn neus weg, maar Snow zag wel dat hij zijn grootvader enorm bewonderde. Het was te lezen in zijn ogen, te zien aan de manier waarop hij naar George luisterde, zonder hem in de rede te vallen, en van de stuursheid waarmee hij Sarah bejegende was bij zijn grootvader niets meer te bespeuren.

'Je bent aan mijn genade overgeleverd,' zei Snow terwijl ze op het voeteneinde ging zitten.

'O, ja?'

'Ik ga je martelen.'

'Hoe dan?' vroeg hij nieuwsgierig.

Daar had ze eigenlijk geen antwoord op. Ze was gewoon zo blij dat ze daar zat, kon zien dat zijn gezicht weer kleur begon te krijgen, dat ze zijn voeten voelde bewegen onder het dekbed. Een paar katten waren bij hem onder het dekbed gekropen, en ze hadden zich genesteld bij de bobbels die Snow herkende als Mikes voeten, zijn linkerknie, en zijn buik.

'Was je bang?' vroeg ze.

'Nee.'

'Wist je zeker dat je het zou halen?'

'Ja.' Hij dacht even na. 'Nou, de laatste minuut niet meer.'

'Wij hadden het niet meer. Je moeder en ik.'

'Ik heb het toch gehaald. Je vader was echt geweldig.'

'Ik weet het,' beaamde Snow. Waarom zou ze een waarheid als een koe ontkennen?

'Piloot, ijsduiker... wat doet hij verder?'

'Hij had geheim agent kunnen worden,' vertelde Snow, al wist ze niet of dat wel helemaal waar was. 'Als hij niet bij de marine was weggegaan.'

'Waarom is hij weggegaan? Vond hij het niet leuk om James Bond te worden?'

'Hmmm.' Snow keek naar Mikes gezicht op de kussens, en vroeg zich af waarom Julian hem slecht had genoemd, terwijl hij zo opgewonden en patriottistisch klonk.

'Nou, waarom?' drong Mike aan.

'Wat?'

'Waarom is hij weggegaan bij de marine?'

'Vanwege Fred,' antwoordde Snow zacht.

'Ik vroeg me gisteren al af wie die Fred nou is,' zei Mike. 'Je zei zijn naam bij het gebed.'

'Fred was mijn broer, en hij is verdronken,' vertelde Snow. 'Ik was er-bij toen het gebeurde.'

'Wat erg,' zei Mike uit de grond van zijn hart.

'We waren er allemaal bij.'

'Was het net zo koud als vandaag?'

'O, nee. Het was niet in de winter.' In gedachten zag Snow die dag weer voor zich. De goudkleurige hemel van een warme nazomer, een heldere dag in september vlak buiten de haven van Newport. In de herfst kwam er soms volkomen onverwacht storm opzetten.

'Kon hij niet zwemmen?'

'Hij kon juist heel goed zwemmen.' Ze herinnerde zich dat Fred haar had leren drijven, haar de schaarbeweging van de benen had voorge-daan.

'Hoe is het dan gebeurd?'

'We waren aan het zeilen,' zei Snow. 'Mijn ouders, Fred en ik. Er kwam storm opzetten, en we gingen terug naar de haven. Mijn vader liet Fred het roer overnemen. Hij was bijna net zo oud als jij. Groot ge-noeg.'

'En toen?'

'Er kwam een enorme windstoot, en we gijpten.'

'Shit,' zei Mike, en toen begreep Snow dat hij kon zeilen. Dat was na-tuurlijk logisch als je op een eiland woonde, maar ze had het niet zeker geweten. Zijn ogen stonden zo verdrietig, en hij kromp ineen, alsof hij aanvoelde wat er ging gebeuren.

'De giek zwaaide over de boot, en we doken allemaal weg, behalve

Fred. Hij kreeg een klap tegen zijn hoofd en sloeg overboord.'

'Wat vreselijk, Snow,' zei Mike. Hij klonk zo aardig, en hij haalde zijn hand onder het dekbed vandaan alsof hij Snows hand, die erop lag, wilde aanraken. Opeens verlangde ze er hevig naar om door Mike aangeraakt te worden, maar dat voelde niet goed nu ze over Fred vertelde. Dus maakte ze een kleine vuist en trok haar hand weg.

'Mijn vader is achter hem aan gedoken, net als met jou. Hij zwom en zwom, en mijn moeder en ik gingen staan om te kijken of we Fred konden zien, maar we zagen niets. Het duurde twee dagen voordat hij... aanspoelde.'

'Verdronken.'

'Mijn vader ging bijna dood. Ik meen het.' Snows stem klonk hol, en haar ogen waren heel groot. Nog steeds kon ze haar vader achter de gesloten deur van zijn werkkamer horen huilen toen ze hem kwamen vertellen dat Fred gevonden was.

'Wat vreselijk,' zei Mike.

'Mijn vader was reddingszwemmer,' zei Snow. 'Bij de marine. Dus je begrijpt wel wat het voor hem betekende.'

'Ja,' zei Mike vol begrip.

'En je kunt je vast ook wel voorstellen wat het voor hem betekende dat hij jou uit het water kon halen.'

'Dat van je broer is niet goed te maken.'

'Nee,' beaamde ze.

'Fred Burke?' Hardop zei Mike de naam van de onbekende jongen. Hij had zijn hand met de handpalm omhoog op het dekbed laten liggen. Snow veegde de tranen uit haar ogen en keek naar Mikes hand. Ze knikte en legde haar hand in die van Mike.

'Fred Burke.'

'Ik zal zijn naam nooit vergeten.'

'Je moeder was zo bang, Mike. Heel erg bang.'

'Hmm.' Hij schraapte zijn keel. 'Ik wil je vader bedanken.'

'Ik vind dat je met ons mee moet gaan,' zei Snow. 'Als we zondag terugvliegen.'

Mike gaf geen antwoord. Hij deed zijn ogen dicht alsof hij erover moest nadenken. Snow staarde naar zijn gezicht en speelde met de gedachte om hem te kussen. Zijn lippen waren niet langer blauw, en zijn wangen waren roze. Ze kneep in zijn hand, die nu weer warm aanvoelde, en hij kneep terug.

Sarah bleef naast Will zitten tot hij in slaap viel. Hij had het zo koud gehad, en dat had hem moe gemaakt, dus aan het eind van de middag dommelde hij in. Roerloos zat Sarah op de rand van het bed naar hem te kijken. Hij zag er heel vredig uit. Zijn grijzende haar leek heel zacht, en het krulde licht rond zijn oren en nek. Ze wilde hem aanraken, hem kussen, hem duizend keer bedanken, maar ze was bang dat ze hem wakker zou maken.

Hoe moest je iemand die je zoon had gered bedanken? Welke woorden zeg je dan, en hoe vaak? Ze twijfelde er niet aan dat Mike verdronken zou zijn als Will niet in het meertje was gesprongen. Het was anders dan die keer in Boston, want toen was hij waarschijnlijk sowieso wel weer terechtgekomen. Het was een onweerlegbaar geval van de ene man die de ander het leven redt.

Sarah keek om zich heen. Vroeger had haar moeder een tijd in deze kamer geslapen. Toen ze ziek werd en zo erg hoestte dat ze haar man 's nachts wakker hield, was ze voor een tijdje naar deze kamer gegaan. Sarah wist nog dat ze op precies hetzelfde plekje had gezeten, met de hand van haar moeder in de hare. Het behang was nog hetzelfde, maar erg vergeeld – lichtblauw met een patroon van ouderwetse rozen. Op de hoge mahoniehouten kist stond de trouwfoto van haar moeder in een vergulde lijst.

Daar was ze, Sarahs moeder. Heel zacht, om Will niet wakker te maken, liep ze naar de foto. De lijst was goedkoop voor zo'n mooie foto, maar haar vader had er altijd op gestaan dat haar moeder inkopen deed in een goedkoop warenhuis op de wal. Sarah nam de foto in haar handen en keek naar het gezicht van haar moeder.

Rose Talbot had zulke levendige ogen. Ze was lang en slank, en haar trouwjurk golfde rond haar enkels. Donker haar was zichtbaar onder de kanten sluier, en ze hield een klein boeket wilde bloemen van het eiland vast. Het leek wel of ze leefde, of ze met intense liefde naar haar volwassen dochter keek. Tijdens haar eigen ziekte had Sarah in het ziekenhuis zo vaak tegen haar moeder gepraat, haar gesmeekt om kracht, en zich voorgesteld dat ze naast haar zat. Toen de behandeling aansloeg en Sarah beter werd, had ze zich voorgesteld hoe gelukkig haar moeder zou zijn.

Rose had haar kleinzoon nooit gekend. Het deed Sarah nog steeds veel verdriet dat haar moeder Mike nooit had gezien.

'Je zou van hem houden, mam,' fluisterde Sarah. 'Vandaag dacht ik dat ik hem kwijt was.'

Met gesloten ogen drukte ze de foto tegen haar borst. Het leek onmogelijk, maar ze voelde haar moeders liefde in zich overvloeien. Bijna kon ze zich voorstellen dat haar moeder in de kamer stond, dat ze Sarah in haar armen nam en haar vertelde hoeveel ze van haar hield.

Over haar schouder keek ze naar Will, die nog steeds sliep. Ze wilde haar moeder laten weten wat hij had gedaan. En opeens drong het besef tot haar door: ze wilde haar moeder vertellen dat ze verliefd op hem werd.

'Gebeurt dit echt?' fluisterde ze met een brok in haar keel tegen de foto. Ze keek naar Will en voelde het nog sterker; ze was zevenendertig, net klaar met chemotherapie, en ze werd verliefd op de sterke man in het bed achter haar. Ze voelde zich licht in het hoofd van de emoties, van dankbaarheid. Zorgvuldig veegde ze het stof van de foto en zette die zacht terug op de kist. Ze liep naar het raam en keek naar het vallen van de duisternis boven de baai.

Het sneeuwde niet meer, en de nacht was sprookjesachtig. Het leek wel of de sterrenbeelden vleugels hadden, en ze meende een lichtgevende streep in de baai te zien, misschien wel de bioluminiscentie van de walvis die ze hadden gezien. Ze veegde haar ogen af en keek van Will naar de foto van haar moeder.

Mensen die om elkaar gaven, hun dierbaren verzorgden. Sarah trok de oude gordijnen dicht om te voorkomen dat de nachtelijke kou naar binnen zou blazen. Ze wilde niet dat Will het koud zou krijgen. Als hij wakker was, zou ze misschien zijn handen in de hare nemen, hem diep in de ogen kijken en hem vertellen wat ze voelde in haar hart. Maar hij was vast in slaap, haalde diep en regelmatig adem.

'Ik hou van je,' zei ze hardop.

Will bewoog zich niet. Zijn hoofd lag op het kussen, met blauwe schaduwen op zijn magere, hoekige gezicht. Zijn grote lichaam lag stil onder het witte dekbed. Heel stilletjes kwam ze naast hem zitten, en ze waakte over hem terwijl hij sliep.

Hoofdstuk 13

Toen Will de volgende ochtend wakker werd, zat Sarah in de schommelstoel aan de andere kant van de kamer. Ze sliep, met haar kin op haar
borst, en had nog dezelfde kleren aan als de vorige avond. Een plaid was
rond haar schouders geslagen. Will ging verliggen om haar beter te
kunnen zien. Het verlangen om haar te roepen was haast onbedwing-
baar. Hij voelde zich mal, hartstochtelijk, vervuld van gevoelens waarvan hij het bestaan bijna vergeten was.

'Goeiemorgen,' zei hij.

'Wat?' Sarah schrok wakker.

Geleund op een elleboog keek Will haar aan. Wat zou ze doen als hij
uit bed stapte, naar de stoel liep, en haar kuste zoals hij haar de vorige
avond had gekust? De donzen dekbedden hadden het gewenste effect
gehad, en hij voelde zich warm tot op het bot.

'Heb je in die stoel geslapen?' vroeg hij.

Ze wreef in haar ogen. 'Ik geloof van wel.'

'Dat lijkt me geen prettige houding om in te slapen,' merkte hij op.
'Doet je nek geen pijn?'

Ze kromde haar rug en draaide haar schouders. Zonder op antwoord
te wachten kwam Will uit bed. Hij liep naar haar toe en drukte een kus
boven op haar hoofd. Het was kouder in de kamer dan hij had gedacht.
Hij masseerde haar nek en schouders, en ze leunde tegen zijn hand.

'Lekker,' mompelde ze.

'Ik heb vannacht gedroomd...' begon hij, en probeerde het zich te
herinneren.

Sarah wachtte zwijgend tot hij verder zou gaan. Maar ze zat in een
schommelstoel en wiegde zacht op en neer. Er kwamen zoveel beelden
van die nacht bij Will boven: gevoelens van angst en liefde, over het water scheren in een vliegtuig, jongens die speelden op de bodem van een

bevroren meertje, hij en Sarah die elkaar omhelsden en weigerden elkaar los te laten.

'Wat heb je gedroomd?' vroeg ze na een paar seconden.

'Ik heb van jou gedroomd,' antwoordde hij.

Sarah stak een arm omhoog en pakte de hand waarmee hij haar nek masseerde. Hij voelde haar knikken, en ze keek op.

'Ik ook,' zei ze. 'Ik heb van jou gedroomd.'

Er waren nog zoveel dingen die Will wilde zeggen, maar hij kon de juiste woorden niet vinden. Hij leverde een gevecht met zichzelf; hij wilde Sarah naar het bed dragen. En hij wilde zeggen dat ze moest wachten terwijl hij zich aankleedde, dan samen naar buiten gaan en naar de zonsopkomst kijken, net als op Thanksgiving.

De stoel kraakte op de oude planken vloer. Will verstrengelde zijn vingers met die van Sarah en kuste haar hand. Haar blauwe ogen waren helder, stonden wakker voor iemand die een hele nacht zittend heeft moeten slapen. Hij durfde niets te zeggen, want wat hij haar wilde vertellen leek zo onvoorstelbaar. Will was verliefd op Sarah.

Iedereen ontbeet aan de keukentafel, waarna ze allemaal hun eigen dingen te doen hadden. Will en George gingen met de Jeep naar de andere kant van het eiland om te kijken of het vliegtuig niet was beschadigd tijdens de storm. Mike ging naar de schuur, en na een tijdje ging Sarah hem achterna. Toen ze tante Bess hoorde in haar naaikamer, klopte Snow zachtjes op de deur.

'Kom binnen, lieverd.' Tante Bess keek op van haar grote zwarte naaimachine. Een half brilletje rustte op de punt van haar neus, en ze droeg een kersenrode jurk met een zachte grijze omslagdoek.

'Stoor ik?' vroeg Snow.

'Helemaal niet. Kan ik iets voor je doen?'

'Eh, misschien,' hakkelde Snow. 'Ik wil zo graag een feestje organiseren.'

'Een feestje?'

'Ja. Het is onze laatste avond, en we hebben zoveel te vieren, dat Mike is gered, en...'

'Dat had ik nou ook bedacht.' Bess keek haar glimlachend aan. 'Ik heb een paar kreeften besteld bij Hillyer Crawford, en ik heb al een taart gemaakt die zo de oven in kan. Ik ben dol op feestjes, en we hebben ze hier nooit.'

'Nou, dan ben ik blij dat we vanavond feest gaan vieren,' zei Snow, verheugd dat de oude dame er net zo over dacht als zij. 'Ik ga maar weer eens. U moet aan het werk.'

'Blijf alsjeblieft nog even,' zei Bess, en Snow hoorde aan haar toon dat ze het meende. 'Ik ben bijna klaar met dit dekbed, dan kan Sarah het meenemen. Zo besparen we weer op de kosten van het versturen. O, schuif die tijdschriften maar opzij, dan kun je in de vensterbank zitten. Geef die poes maar een zetje.'

'Best.' Snow maakte plaats, ze tilde het poesje voorzichtig op en nam het op schoot. Ze keek naar de vingers van tante Bess op de witte stof, hoe ze in een razend tempo de donsveertjes verspreidde, en de lagen handig op elkaar stikte. Het ging allemaal zo snel dat Snow het nauwelijks kon volgen.

'Ben je wel eens in Sarahs winkel geweest?' vroeg tante Bess.

'Ja,' zei Snow. 'U ook?'

'Wel in Boston, heel lang geleden, maar ik ben nog nooit in Fort Cromwell geweest.'

'Haar winkel is echt prachtig,' zei Snow. 'Alles is heel erg Engels.'

'Ik vond het heerlijk in Engeland,' vertelde Bess. 'Arthur heeft me er een keer mee naartoe genomen, en we zijn in Londen geweest en in Stonehenge... heel erg mooi.'

'Misschien gaat u nog wel een keer,' opperde Snow.

'Ik kom niet vaak van het eiland.' Bess bewoog de trapper, maar zag dat de spoel op was. Ze deed haar bril af en liet die aan het koordje om haar nek bungelen terwijl ze een bakje met spoelen probeerde te pakken.

'Ik pak het wel.' Snow sprong overeind.

'Dankjewel.' Bess pakte een spoel met wit garen. 'Ik vond het zo gezellig dat jullie hier waren, jij en je vader en Sarah. En gisteren waren jullie een geschenk uit de hemel. We zouden Mike hebben verloren als je vader er niet was geweest.'

'Ik weet het,' zei Snow ernstig.

'Sarah zal wel willen dat hij met haar mee naar huis gaat.'

'Ik weet het niet,' zei Snow, die wel aanvoelde dat tante Bess haar een beetje uithoorde.

'We vinden het zo fijn dat hij hier is.'

'Mmm,' mompelde Snow, en meteen voelde ze zich schuldig omdat ze zo graag wilde dat Mike met hen mee terugging. Voornamelijk voor

Sarah, maar ook omdat zij en Mike in Fort Cromwell samen leuke dingen zouden kunnen doen.

'Hij maakt ons aan het lachen, zeker als zijn grootvader en hij de smaak te pakken hebben...'

'Echt?' Snow had Mike geen grapjes horen maken. Sterker nog, ze had hem niet meer dan een paar woorden horen zeggen.

'Hij is een echte eilander, net als zijn vader.'

'Zijn vader?' vroeg Snow, want sinds Mike hem de vorige dag had genoemd, brandde ze van nieuwsgierigheid.

'Ja, al had ik hem eigenlijk niet ter sprake moeten brengen. Hier in huis koesteren we geen warme gevoelens voor Zeke Loring.' Bess concentreerde zich op de draad die ze door het oog van de machinenaald probeerde te halen. Ze stopte de draad in haar mond, draaide er een punt aan, en boog zich zo ver naar voren dat haar wang op het dekbed rustte.

'Zal ik het doen?' bood Snow aan.

'Wat lief van je. Je bent al net zo behulpzaam als Mike.' Bess ging weer rechtop zitten.

Snow deed haar toverkunstje. In één keer stak ze de draad door het oog. Het was nog nooit misgegaan, niet één keer. Ze had het zelfs een keer met haar ogen dicht gedaan, tot grote verbazing van haar moeder.

'Dankjewel,' zei Bess, en ze stak de spoel in het spoelhuis.

'Waarom vindt u Mikes vader niet aardig?' vroeg Snow, heel kalm en rustig, om Bess niet aan het schrikken te maken.

'Het is niet omdat hij Mikes vader is,' legde tante Bess uit. 'We houden zielsveel van Mike, al vanaf zijn geboorte. Nee, het is omdat hij Sarah zoveel verdriet heeft gedaan. Hij heeft haar voor het altaar in de steek gelaten.'

'Nee!' riep Snow uit.

'O, ja,' zei tante Bess grimmig. 'Op haar trouwdag, of wat haar trouwdag had moeten zijn. Ze was in verwachting, al wist niemand dat toen. Ik had haar jurk zelf gemaakt.'

'Ze was in haar trouwjurk, en toen heeft hij...'

'Hij is gewoon niet gekomen,' fluisterde Bess hoofdschuddend.

'Wat vreselijk!' Snow was helemaal aangeslagen van het idee dat Sarah alleen voor het altaar had gestaan.

'Ja, het was heel erg. Ze was zo'n mooi meisje. Zo vrolijk en gelukkig en zo áárdig. Het was echt heel bijzonder, ze stond altijd klaar voor anderen. Ze was nog zo jong toen ze haar moeder verloor, en ze heeft jarenlang voor haar vader gezorgd. Uiteindelijk ging ze naar Boston om te studeren. Ik vond het heerlijk voor haar, ze kreeg de kans om echt te leven, weg van dit eenzame eiland. En wat denk je dat er gebeurde?'

'Nou?'

'In de zomervakantie kwam ze thuis, en ze werd tot over haar oren verliefd op de grootste herrieschopper van het eiland.'

'Zeke Loring.'

'Precies.'

'Als hij niet deugde, waarom hield Sarah dan van hem?'

'Hij was knap en heel erg geestig. Sarah nam hem mee naar huis, en dan lachten we allemaal uren om zijn verhalen. Alles had een gevaarlijk en grappig tintje. Wil je echt weten waarom, Snow? Sarah was heel mooi, net zo lief als nu, en ze had elke jongen in Boston kunnen krijgen. Volgens mij heeft ze Zeke gekozen omdat hij van het eiland kwam. Hier voelt Sarah zich thuis.'

'Ze was in verwachting van zijn kind,' zei Snow verdrietig. 'En u had haar jurk gemaakt, en hij liet haar in de steek... Waar was de bruiloft? In Boston?'

'O, nee, lieve schat. Hier. In de kapel op het eiland,' zei tante Bess.

Weer was Snow ontzet. Dat zoiets vreselijks hier had kunnen gebeuren, op Sarahs eiland. Zo'n idyllisch eiland! Indrukwekkender dan Yorkshire, mystieker dan Stonehenge – ze kon zich niet voorstellen dat ze meer van Engeland zou houden dan van Elk Island.

'Ik geloof niet dat we de kapel hebben gezien op onze wandeling,' zei Snow.

'Dat is de andere kant op, meisje. Op de hei in het oosten. Een piepklein kerkje dat uitkijkt over de Atlantische Oceaan. Er is niets dan zee tussen de gelovigen en Frankrijk.'

'Ik zou willen dat ik het had gezien,' verzuchtte Snow.

'Het is er erg mooi.' Bess schudde het dekbed uit, en de kat die eronder had gelegen schoot weg.

'Woont Zeke nog op het eiland?'

'Nee, hij is dood. Hij reed tegen een boom in de zomer dat hij met Sarah had zullen trouwen, met een van zijn zomerliefdes, ook een meisje van het eiland. Ze waren allebei op slag dood. Zeke heeft zijn zoon nooit gezien.'

'Arme Sarah en Mike.'

'Hij is op het kerkhof begraven, net als zijn ouders en Sarahs moeder en alle andere eilanders. Daar wordt George begraven als zijn tijd komt. Ik heb een plekje naast Arthur op Rhode Island, maar soms wilde ik dat ik hem hierheen had gehaald.'

'Dat begrijp ik,' zei Snow. 'Ik vind het hier heerlijk.'

'En ik vind het heerlijk dat jullie hier zijn.'

'Maar morgen gaan we alweer weg.'

'Te snel, veel te snel.'

'Ik wilde dat we konden blijven.'

'Ik ook,' zei Bess. 'En Sarahs vader...' Ze huiverde. 'Als jullie eenmaal weg zijn, moeten wij een week lang dekking zoeken. Ik weet dat hij niet te genieten zal zijn. Je hebt geen idee wat hij voor Sarah voelt. Zijn oogappel, al laat hij dat nooit blijken. En als ze Mike meeneemt...'

Tante Bess huiverde opnieuw, en ze staarde door het berijpte raam naar de witte velden, terwijl haar gerimpelde handen het sneeuwwitte dekbed dat aan het landschap deed denken gladstreken. Snow dacht aan de witte trouwjurk, die net iets ouder was dan Mike, en ze vroeg zich af waar die jurk nu was, en of Sarah hem ooit nog zou dragen.

'Nou, vanavond hebben we een echt feestmaal,' zei tante Bess. 'Ook al is het verdrietig dat we morgen afscheid van jullie moeten nemen.'

'Als we gaan...' mijmerde Snow hardop, want het liefst wilde ze voor altijd op het eiland blijven.

Sarah zat op een groot krat te kijken naar Mike, die de motor van de oude vissersboot uit elkaar haalde. Hij had een houtkachel in een van de schuren gezet, en het was er heel erg warm. Sarah leunde naar achteren en probeerde een gemakkelijke houding te vinden. Ze was wakker geworden met pijn in haar onderrug. Will had haar nek gemasseerd, en ze zou hem voor geen prijs hebben gevraagd op te houden omdat de pijn veel lager zat. Het deed pijn in een knoop aan de onderkant van haar ruggengraat, en de pijn straalde uit naar haar benen.

De overnaadse boot nam bijna het hele schuurtje in beslag. Mike droeg een donkerblauwe overall, en hij zat van top tot teen onder het vet. Zijn gezicht stond ernstig terwijl hij bezig was, en hij deed Sarah zo aan zijn vader denken dat ze met haar ogen knipperde om dat beeld te verdrijven. Ze vond het niet prettig om Zeke te zien als ze naar haar zoon keek.

'Heb je het echt wel warm genoeg?' vroeg Sarah.

'Mam,' zei hij op waarschuwende toon.

'Sorry, hoor. Mijn zoon zakt niet elke dag door het ijs. Zo vreemd is het toch niet dat ik bezorgd ben.'

'En Will dan? Ben je niet bezorgd over hem?'

'Hij is – ' Sarah brak haar zin af, want ze durfde geen woord over Will Burke te zeggen. Het gesprek stokte, maar Mike leek het niet te merken. Hij was een goede monteur, en hij vond het heerlijk om aan motoren te werken. Wat was hij uit zijn doen geweest toen hij bij Von Froelich Precision werd ontslagen. Volgens Mike was hij betrapt toen hij samen met een andere monteur wiet rookte. Hij zei dat hij het niet lekker vond, en het waarschijnlijk niet nog een keer zou roken. Sarah geloofde hem. Ze was het niet met alles wat hij deed eens, maar ze vertrouwde erop dat hij haar de waarheid vertelde.

'Mis je het wel eens, dat sleutelen aan raceauto's?'

'Nee,' zei hij. 'Het voelde onecht.'

'Werkelijk?' vroeg ze verbaasd.

'Speeltjes voor rijkelui,' snoof hij.

Sarah verborg haar glimlach. Ze was er trots op dat haar zoon zo nuchter was. Alle jongens op zijn middelbare school waren jaloers op hem geweest, en hij had elke zaterdag aan auto's gewerkt waar de meeste mannen alleen maar van kunnen dromen.

'Dus jij prutst liever aan een oude vissersboot.'

'Veel liever,' beaamde hij.

'Net als je vader.'

Mike knikte. Hij zei niets, maar keek wel naar zijn moeder. Toen hij het haar uit zijn ogen streek, bleef er een zwarte veeg op zijn voorhoofd achter. Hij wist dat Sarah niet graag over Zeke praatte, dus wachtte hij gewoon af.

'Is hij de reden dat je hierheen bent gegaan?' vroeg ze.

Mike haalde zijn schouders op.

'Dat zou ik liever hebben dan wat ik altijd heb gedacht.' Haar hart klopte nu bijna net zo snel als de vorige dag, toen Mike door het ijs was gezakt.

'Wat dacht je dan?' vroeg hij.

'Dat je me haat.'

Hij slaakte een geërgerde zucht, en stootte een blad met moeren omver toen hij een moersleutel wilde pakken. Op zijn hurken raapte hij de moeren op en legde ze in de holte van zijn linkerhand. Zijn handen waren smerig, en Sarah vond ze heel erg groot, zoals ze alles aan hem groot vond. Ze staarde naar hem, wilde uit alle macht dat hij zou ontkennen wat ze net had gezegd, en ze kreeg tranen in haar ogen.

'Mike?'

'Ik haat je niet, mam.'

'Waarom ben je dan weggelopen?'

'Ik ben niet weggelopen.'

'Wel waar! Van het ene moment op het andere gaf je de brui aan je school en je werk, je liep met je rugzak de deur uit en begon te liften. Ik heb het zelf gezien. Weet je niet meer dat ik je vond toen je langs de snelweg stond met je duim omhoog en – '

'Ik liep niet weg.' Hij keek haar recht in de ogen.

'Wat deed je dan wel?'

'Ik ging hierheen.'

Weglopen of ergens heen gaan... Sarah begreep het verschil. Zittend op het krat trok ze haar knieën op, en ze probeerde zichzelf zo klein mogelijk te maken. Ondanks de houtkachel had ze het heel erg koud.

'Vanwege je vader?'

'Hij is dood,' zei Mike. 'Waarom zou het dan iets met hem te maken hebben?'

'Misschien wilde je zien waar hij vandaan kwam,' opperde Sarah.

'Ik weet het niet.'

'Ik zou dat heel goed begrijpen, als jij meer over je vader wilde weten. Ik weet dat ik je maar weinig over hem heb verteld.'

'Ik weet nu meer,' zei Mike. 'Maar ik zou het fijn vinden als jij me meer vertelde.'

Sarah knikte. Het kostte moeite om Will uit haar gedachten te zetten, maar Ezekiël Loring was honderd dagen lang de zon, de maan en de sterren voor haar geweest. Ze had de dagen een keer geteld, van hun eerste afspraakje in de lente van haar eerste studiejaar, tot aan de dag dat hij in zijn pick-up tegen een eik op de Birdsong Road was geknald.

'Zeke kon echt alles repareren,' vertelde ze. 'Dat heb je van hem. Hij was geestig, hij had overal lak aan, en hij was intelligent. Het was een mooie jongen. Ik weet wel dat ik eigenlijk knap zou moeten zeggen, maar dat doet hem geen recht... Hij was mooi, Mike, net als jij.'

'Mmm.'

'We kenden elkaar al van kleins af aan, maar op een avond in april kwamen we elkaar weer tegen. Ik was thuis in de schoolvakantie, en ik wandelde langs de baai. Er was een halvemaan, en ik keek ernaar. Ik weet nog dat ik ronken hoorde, en dat was Zeke op zijn motor. Hij stopte gewoon naast me, en ik stapte achterop. Zomaar. Hij heeft me het hele eiland rondgereden, en we keken naar de maan.'

Mike luisterde aandachtig.

'Heb je zijn huisje gevonden? Daar bij de Hollow, niet zo ver bij de farm van zijn ouders vandaan. Ik heb het je eens laten zien toen je nog heel klein was.'

'Dat weet ik nog.' Mike probeerde nors te klinken, maar dat lukte niet echt.

'Dus je hebt het gevonden?'

'Ja. Het is een klein hutje, en het staat nu leeg. Er groeit onkruid in, en de klimop komt uit de ramen.'

'Echt waar?' vroeg Sarah, verbaasd dat het haar zo verdrietig maakte.

'Ik vond het er heerlijk. We hadden het helemaal opgeknapt. Ik had witte gordijnen gemaakt op de naaimachine van tante Bess, en we hebben een tuin aangelegd. Zeke had een grote holle steen gevonden, en die gebruiken we als vogelbadje.'

'O,' zei Mike. Hij had het altijd leuk gevonden om naar vogels te kijken, in tegenstelling tot zijn vrienden, en het begon hem nu te dagen dat hij dat van zijn vader had. Sarah was er altijd van overtuigd geweest.

'We hielden van elkaar, Mike,' zei Sarah. 'We hadden vaak ruzie, maar we wilden bij elkaar zijn. Het was een keer bijna uit. Ik ben het huis uit gerend, maar ik was mijn witte trui vergeten. Toen ik terugging om mijn trui te halen, was Zeke er niet. Hij had mijn trui naast zijn leren jack gelegd, alsof het twee mensen waren die naast elkaar op de bank zaten, met de mouw van zijn jack rond mijn trui.'

'Hij wilde dat je bleef,' zei Mike.

Sarah glimlachte triest, want dit was maar een deel van het verhaal.

'Zouden we daar zijn gaan wonen als ik geboren was?'

'Ik wilde dat hij met me mee zou gaan naar Boston,' zei Sarah. 'Ik was bezig met het opzetten van mijn winkel. Hij verdiende hier maar weinig, maar dat vond hij niet erg. Hij hield van het eiland. Ik denk dat hij me daarom in de steek heeft gelaten. We hebben het nooit echt uitgepraat.' Sarah vertelde het zonder wrok, als een soort tegenwicht voor die verschrikkelijke laatste dag, toen ze alleen was gebleven in de kerk.

Ze had een man die op kreeft viste weg willen halen van zijn eiland om hem voor te schrijven hoe hij moest leven. Ze herinnerde zich al haar plannen en dromen, maar het waren háár plannen en dromen geweest, niet de zijne. Hij was knap en intelligent, hij zou kunnen studeren. Als hij eenmaal succes had in het door hem gekozen beroep, zouden ze een huis kunnen kopen op Beacon Hill, een buitenhuisje op de Cape, een bootje voor hun kinderen, en hij zou in zijn vrije tijd op kreeft kunnen vissen, voor de lol.

'Hij wilde hier blijven,' concludeerde Mike.

'Klopt.'

'In plaats van naar Boston te verhuizen?'

'In plaats van met mij te trouwen, denk ik.'

'Ik kan je niet volgen.'

'We waren te jong om te trouwen, Mike,' legde ze rustig uit. 'Maar jij stond op stapel.'

'Wist hij het van mij?' vroeg Mike angstig. Was hij bang voor het antwoord? Dat Zeke had geweten dat hij vader zou worden en hen toch in de steek had gelaten? Dat hij was gestorven met een andere vrouw? Sarah kon het niet over haar hart verkrijgen om hem dat te vertellen, maar ze wilde ook niet liegen.

'Hij wist dat ik in verwachting was, ja. Maar hij wist niets van jou, lieve schat. Hij wist niet dat ik Michael Talbot zou krijgen.'

'Dat maakt toch niet uit.'

'Jawel. Als hij jou had gekend, zou het anders zijn geweest.' Nu loog Sarah wel, om Mike te sparen. Ze betwijfelde of een baby Zeke op andere gedachten had kunnen brengen, al was het nog zo'n prachtig kind geweest. Hij was bezig aan een wilde rit, en een vrouw en kind waren er niet voor uitgenodigd.

'Het leven zou veel fijner zijn geweest als hij bij ons was geweest,' zei Mike. 'We hadden een gelukkig gezin kunnen zijn.'

'Zo is het nu eenmaal niet gelopen,' zei Sarah scherp. 'Je vader had andere plannen.'

'Jij bent degene die weg wilde van het eiland!'

'Hij zou toch niet bij me zijn gebleven, Mike. Hij was er nog niet aan toe om te trouwen.'

'We kunnen het hem niet vragen.' Mike draaide zich weer om naar de motor. 'Hij is dood.'

'Ik weet het,' zei Sarah.

'Ik heb zijn graf gezien.'

Sarah zat heel stil naar haar zoon te kijken. Zijn schouders waren zo stram, zijn stem klonk zo hard. Hij ramde op de motor alsof hij het ding kapot wilde maken. Er ging een steek van pijn door haar eigen rug, en haar gezicht vertrok. 'Het spijt me, lieverd,' zei ze zacht. Hoe vaak ze ook op het eiland waren geweest, ze had hem nooit meegenomen naar het graf van zijn vader.

'Op het kerkhof. Heb jij het wel eens gezien?'

'Ja, ik ben er geweest,' zei Sarah zonder haar emoties te laten blijken.

'Wil jij daar ook begraven worden?'

'Ja.' Sarah had Mike nog nooit zo van streek gezien.

'Mam,' zei Mike, en zijn handen bleven rusten op de werkbank.

'Wat is er, lieverd?'

'Waarom ben je ziek geworden?'

Sarah ging staan en liep naar het kapotte oude bootje. Mike huilde nu, hoewel hij het probeerde te verbergen. Misschien was hij nog uit zijn doen omdat hij gisteren door het ijs was gezakt, of het had te maken met het teleurstellende familiediner op Thanksgiving, of met de dingen die er net over Zeke waren gezegd, of met het feit dat hij voor het eerst had laten blijken hoe erg hij het vond dat ze ziek was geworden; hoe dan ook, Mikes betraande gezicht was verwrongen als dat van een klein jongetje.

'Mike,' fluisterde ze, en ze sloeg een arm om hem heen.

'Ben je weer beter?' vroeg hij. 'Opa zegt van niet.'

'Ik ben beter! Kijk dan naar me. Ik ben toch hier?'

'Dat zegt niets. Je hebt er nooit slecht uitgezien, alsof je kanker had. Je hebt er altijd goed uitgezien.'

Sarah gaf geen antwoord. Ze had er wel degelijk slecht uitgezien. Hij had haar niet gezien na de operatie, toen haar hoofd misvormd was geweest totdat het begon te helen. Hij was er niet geweest tijdens de bestraling en de chemotherapie. Mike had zich uit de voeten gemaakt na de diagnose, toen ze te horen had gekregen dat ze binnen tien weken dood zou zijn en maar een reisje naar Parijs moest maken. Ze had wel geweten dat hij uit zijn doen was geweest, maar nu pas begreep ze hoe erg. Hij was destijds zestien geweest, en als Sarah was overleden, zou hij wees zijn geworden.

'Kijk me eens aan.' Ze nam zijn gezicht tussen haar handen.

Hij knipperde met zijn ogen en probeerde haar blik te ontwijken. Na tien seconden gaf hij het op en keek haar aan. Sporen van tranen liepen over zijn groezelige wangen, en in zijn ogen las ze de gekwetste uitdrukking die ze zich van zijn diepste kinderverdriet herinnerde. 'Wat is er?' vroeg hij.

'Platinablond.'

'Maak je soms een grapje?' viel hij uit.

'Nee, Mike! Ik wilde alleen – ' Ik wilde alleen proberen om wat luchtiger over mijn ziekte te praten, dacht ze, niet in staat om het hardop te zeggen.

'Je kent me niet,' zei hij. 'Je hebt nooit geweten hoe ik ben. Jij denkt dat jouw vriendjes goed kunnen maken dat ik geen vader heb, en je denkt dat je mij kunt laten vergeten dat je kanker had door grapjes te maken over je haar!'

Ze schudde haar hoofd. 'Ik wilde niet – '

'Je kunt zeggen wat je wilt, maar het is zo,' hield hij vol. 'Ik weet het.'

'Ik wil met je praten. Dat wil ik heel erg graag,' zei Sarah ademloos. 'Ik wil dat we meer contact met elkaar hebben. Ik wil dat je met me meegaat naar huis, dat je je school afmaakt, iets aan je toekomst doet. Als je eens wist hoeveel – '

'Ik blijf, mama,' viel hij haar toonloos in de rede.

Sarah kon geen woord uitbrengen. Deed ze met Mike hetzelfde wat ze met zijn vader had gedaan? Stelde ze zich een toekomst voor die niet bij hem paste? Wilde ze hem in een keurslijf dwingen omdat het haar toevallig zo uitkwam? Ze kon het zich niet voorstellen. Mike had de sterke wil en de passie van zijn vader, maar zij was wel verantwoordelijk voor hem. Hij was haar zoon, en hij was pas zeventien.

'Ik vraag alleen of je erover na wilt denken,' zei ze. Het liefst wilde ze razen en tieren, hem door elkaar rammelen om hem wakker te schudden uit zijn droom. Het had haar grote moeite gekost om rustig te blijven en die woorden vriendelijk te zeggen, zonder dat haar stem trilde.

'Ik blijf,' herhaalde hij.

Hoofdstuk 14

George keek toe terwijl Will Burke de sneeuw van zijn vliegtuig veegde zoals een andere man zijn auto schoon zou maken, en hij wist dat hij keek naar een man van zijn hart. Een echte man, iemand die niet voor de weg van de minste weerstand koos of uitvluchten verzon. Will veegde het toestel van neus tot staart schoon, schepte de sneeuw rond de wielen weg, maakte de nylon touwen los, en duwde het achteruit zodat George de baan sneeuwvrij kon maken. Toen startte Will de motor om te controleren of de accu niet leeg was, en hij liet de propellers draaien. Nadat alles was gedaan, zette hij het toestel terug en maakte de touwen weer vast.

'Leuk toestel heb je daar,' merkte George op.

'Dank u, meneer.'

'Wat is vliegen, je hobby?'

'Het is mijn werk.'

'Ik dacht dat je het misschien voor Sarah had gedaan.'

'Ik heb mijn eigen maatschappijtje in Fort Cromwell. Meestal doe ik charters voor bedrijven. Er zijn een hoop grote bedrijven in de buurt van Winsonia, in de vallei.'

George knikte. Hij stak een pijp op en pafte grote rookwolken. Als het zo koud was als nu had hij altijd last van reumatiek, en er ging niets boven een lekker pijpje om de pijn te verzachten. 'Je boft, als je wordt betaald voor iets wat je leuk vindt. Vroeger heb ik zelf ook heel wat gevlogen.'

'In Europa?'

'Ja. Ik heb tweeënveertig vluchten gemaakt. Keulen, Dresden, Normandië. Een paar van de grote operaties.'

'Tweeënveertig vluchten is veel.'

'Zeventien meer dan de bedoeling was,' zei George, blij dat hij het kon vertellen. Tegenwoordig kon hij nog maar zelden over de oorlog praten. Rose was de enige aan wie hij ooit het hele verhaal had verteld. Ze kon uren naar hem luisteren, wanneer hij maar wilde praten. Nu hij samen met een jonge kerel van de marine een vliegtuig sneeuwvrij maakte, voelde hij zich voor het eerst in jaren weer helemaal zichzelf.

'Waarom zoveel?'

'Er moesten veel bommen worden gegooid. Ze pompten ons vol met koffie en verhalen over de rooien, en dan werden we de lucht in gestuurd. Als we koud terug waren moesten we al weer weg.'

'Bent u wel eens geraakt?'

George knikte. 'Ik ben neergeschoten boven de Elzas. Ik had mijn parachute en ben in een boom geland. Maar dat was niets.'

'U hebt vrienden verloren.' Het was de vaststelling van een feit, geen vraag. Will wist wat het was, net als elke soldaat. Zelfs als het je niet zelf was overkomen, kende je wel iemand die was gesneuveld. Je beste vriend, je slapie, je hospik: gesneuveld in de strijd.

'Mijn eerste ploeg,' beaamde George. 'We zijn een heel jaar lang samen in opleiding geweest, en we hebben vanuit Engeland tien vluchten gemaakt. Toen werd ik om de een of andere idiote reden tot navigatorbommenrichter in het voorste toestel bevorderd.'

'Dat vertelde Sarah, ja.'

'De trotse dochter,' zei George, maar zonder te glimlachen. Hij was niet trots op wat er was gebeurd, want hij zag het niet als een wapenfeit. Het was oorlog, en hij had gedaan wat hem was opgedragen. Of ze wilden of niet, de nieuwe bemanning had plaats moeten maken voor zijn bed, zijn spullen en hem. 'De eerste keer dat ze zonder mij vlogen werden ze geraakt, en ze zijn neergestort boven Helgoland. Een klein eiland in de Noordzee, niet groter dan dit.'

'Vreselijk,' zei Will.

'Allemaal dood.'

'Vreselijk,' herhaalde Will.

'Zeg dat wel.' Peinzend trok George aan zijn pijp. Nog steeds kreeg hij tranen in zijn ogen als hij dacht aan die geweldige kerels, zijn beste vrienden. Hun dood had hem al op jonge leeftijd getekend. De dood was definitief, en het deed pijn, en je kon er niet omheen. Je ging door, of je raakte verbitterd. Soms allebei. 'Jij hebt in de Golfoorlog gevlogen?'

'Jazeker.'

George knikte. 'Mooi zo. Piloot?'

'Ja, meneer.'

'Sarah vertelde me dat je ook reddingszwemmer bent geweest.'

'Ja. Ik ben opgeleid op de marinebasis in Jacksonville, en ik heb een tijd aan boord van de USS James dienstgedaan. Toen ben ik overgeplaatst naar een vliegdekschip. Ik weet dus wat het is om je vaste ploeg achter te laten, net als u.'

George kauwde op zijn pijp. Ze waren klaar met het vliegtuig en stapten weer in de Jeep voor de rit naar huis. Hij reed achteruit en keek van opzij naar Will. Hij zag de gekwelde blik in de ogen van de jongere man, alsof hij veel had meegemaakt in de oorlog, of misschien wel in zijn privé-leven, van die dingen die later kwamen, dingen die je niet kon helpen en over jezelf afriep omdat je zo hard was geworden van alle rotzooi die je had gezien.

'Wat is er gebeurd, jongen? Een man verloren?'

'Ja,' zei Will zacht. Hij greep zich met zijn gehandschoende handen vast aan de zijkanten van de stoel en zuchtte diep voordat hij het kon zeggen. 'Mijn zoon.'

'Je zoon? Godallemachtig,' zei George.

George zat achter het stuur, en zag dat Will strak voor zich uit staarde, in gedachten duidelijk bij de jongen. George herkende de blik in zijn ogen; soms zag hij die blik in zijn eigen ogen als hij 's ochtends vroeg in de spiegel keek, voordat zijn dromen van Rose en zijn oude bemanning waren vervaagd.

Stram hield hij het stuur omklemd. Het kwam niet vaak voor dat hij met zijn mond vol tanden stond. Hij wilde wel vragen waar het was gebeurd, en hoe. Maar waarom zou hij dat doen? Om Will een goed gevoel te geven, meer niet. De mensen beschouwden verdriet tegenwoordig als een puist. Ze wilden dat je de puist opensneed, zodat alle pus eruit kon komen voordat iets anders ontstoken raakte. Maar George vond dat te makkelijk. Hij wist dat verdriet iemand menselijk maakte, dat het je voor altijd verbond met hen om wie je rouwde.

George schraapte zijn keel en spuugde naar buiten. De koude wind blies door de Jeep, en dat kikkerde hem weer op. Hij klopte Will op de schouder.

'Je hebt je oude schip, de James, gisteren eer aangedaan,' zei hij. 'Door Mike te redden.'

'Dank u, meneer.'

'We zijn allemaal trots op je. Sarah komt er waarschijnlijk nooit overheen.'

'Hmmm.'

George gaf Will een hand. 'Welkom aan boord, overste,' zei hij. Toen zette hij de Jeep in de eerste versnelling en reed weg.

Toen Will en haar vader binnenkwamen door de achterdeur, begroette Sarah hen in de gang. Tante Bess was nog aan de telefoon met Hillyer Crawford, want ze probeerde hem zo gek te krijgen dat hij de kreeft zelf kwam bezorgen. Omdat ze nog steeds ontdaan was over Mike probeerde ze haar stem vrolijk te laten klinken.

'Tante Bess en Snow willen er vanavond iets feestelijks van maken,' zei ze, 'maar Hillyer heeft het te druk om de kreeft te bezorgen. Mag ik ze gaan halen met de Jeep?'

'De remmen zijn niet best,' zei haar vader weifelend. 'Mike heeft laatst nieuwe remschoenen besteld, maar hij heeft nog geen tijd gehad om ze te vervangen.'

Sarah glimlachte. 'Ik zal voorzichtig zijn.'

'Ik ga wel mee,' bood Will aan.

'Dan rij jij, Will,' beval haar vader. 'Zij kan je de weg wijzen.'

'Oké,' zei Sarah. Ze had zo vaak onenigheid met haar vader, dus wilde ze hier geen punt van maken. Ze was allang niet meer beledigd dat haar vader koppig bleef volhouden dat zij minder goed kon rijden dan een man. Het had jaren geduurd voordat ze had beseft dat dit zijn manier was om haar te beschermen, zijn onhandige manier om haar te laten zien dat hij van haar hield. Ze drukte een kus op zijn voorhoofd.

'Kies mooie uit,' mopperde haar vader. 'Als hij zegt dat ze twee pond zijn, laat ze hem dan wegen waar je bij bent.'

'Hij zet je heus niet af, papa. Je kent Hillyer al je hele leven. Jullie hebben samen op school gezeten.'

'Daarom weet ik ook waar ik het over heb! Hij bedriegt je waar je bij staat. Let maar op, ik waarschuw je. Hij haalt altijd een gemene truc uit met de scharen, door ze in de weegschaal te laten zitten. Zo betaal je bijna een pond te veel! Hou hem in de gaten, overste.'

'Dat zal ik doen,' beloofde Will.

Eenmaal in de Jeep, die nog warm was van de rit, omhelsden Sarah en Will elkaar. Ze zaten voorin, met hun armen stevig om elkaar heen. Ze hadden elkaar uren niet gezien, maar het voelde als dagen. Will kuste haar lippen. Sarah schoof haar armen onder zijn jas en wilde dat ze zich altijd zo kon voelen als nu. Ze zag niemand achter de ramen van het

165

huis, maar het had haar niet kunnen schelen als het wel zo was geweest.

Will reed achteruit weg. Een paar ganzen waren ontsnapt uit de schuur. Ze waggelden rond, op zoek naar eten, en liepen op het pad. Sarah deed haar raampje open en gebaarde wild met haar armen. De pijn schoot vanuit haar rug omlaag door haar been.

'Au!' zei ze, want ze zag sterretjes.

'Wat is er?' vroeg Will bezorgd.

Ze ging weer rechtop zitten, en de pijn zakte weg. 'Niets.'

'Dat was een flinke gil voor niets.'

'Misschien zit er een zenuw bekneld,' zei ze, biddend dat het zo was. 'Of misschien komt het door Mike. We hebben ruzie gehad.'

'Krijg je daar pijn van in je rug?' vroeg Will.

'Spanning,' zei Sarah. 'Ik schrijf altijd alles aan spanning toe.'

'Waar ging jullie ruzie over?'

'Over mij.' Ze glimlachte om niet te laten merken hoe gekwetst ze was.

Ze wees Will het pad naar het noorden dat het eiland in tweeën sneed. Ze kwamen langs het meertje waar Mike in was gevallen, langs het dennenbos, het huis waar Zekes ouders hadden gewoond. Sarah kende elke vierkante centimeter van het eiland. Ze wees hem de school aan, waar ze twaalf jaar lang op had gezeten; de beste plekjes om bramen te plukken; de weg naar Kestral Point, waar alle grote zomerhuizen stonden en Zekes vakantieliefde had gewoond.

Ze hobbelden over de Harbor Road, die beschadigd was geraakt tijdens een herfststorm, naar de Lobster Wharf. Er lagen nauwelijks boten. De kreeftenvissers van Elk Island visten elk jaar van september tot april, zodat de kreeften de hele zomer flink konden groeien. Het was een winstgevende onderneming, maar wel vreselijk zwaar. In de winter was het bovendien gevaarlijk. Elke vier jaar verongelukte er wel een van de bemanningsleden van de vloot, maar hun kreeften werden als de beste van Amerika beschouwd, en ze brachten de hoogste prijzen op.

Drie trawlers lagen aan de kade. Honderden kreeftenfuiken waren hoog opgestapeld. Felgekleurde boeien en rollen touw lagen bij elkaar. Meeuwen cirkelden door de lucht, azend op een verdwaald visje of een onbewaakte kreeft. Er hing een sterke lucht van zout en haring. Will parkeerde de auto op een met schalen bezaaid terrein, en samen liepen ze naar een oude loods.

Hillyer Crawford was net zo oud als Sarahs vader, maar zag er ouder uit. Zijn verweerde huid had meer rimpels, en door zijn artritis was hij ook krommer. Het leven op het eiland was hard, maar George Talbot had altijd beweerd dat het houden van ganzen een tropische vakantie was in vergelijking met kreeften vissen. Aan Hillyer te zien had hij gelijk.

'Hoe is het met jou, Sarah!' begroette Hillyer haar. Hij droeg hoge rubberlaarzen, precies dezelfde als haar vader gebruikte voor het slachten van de ganzen. Er zaten vlekken op zijn jas, en zijn broek was gekreukeld. Sarah glimlachte, denkend aan zijn vrouw, Sophia. Ze was bevriend geweest met haar moeder. Sophia Crawford was een keurig nette en elegante vrouw geweest, en ze zou het nooit goed hebben gevonden dat Hillyer zo verfomfaaid de deur uitging. Ze had zijn kleren altijd gesteven en gestreken, en zijn wollen pakken naar een stomerij op de wal gebracht. Afgelopen zomer was ze overleden.

'Hallo, Hillyer,' zei ze, en ze liep om de houten kuip met kreeften heen om hem een zoen te geven. Hij omhelsde haar onstuimig en bleef haar een hele tijd vasthouden. Hij rook een beetje naar whisky. Haar vader mocht van geluk spreken dat tante Bess bij hem woonde, dacht Sarah. Het leven voor deze oude eilanders was eenzaam.

'We hebben onze Sophia verloren, Sarah,' zei hij in haar nek.

'Ik weet het, Hillyer. Ik vind het heel erg voor je.'

'Ze was een echte dame, net als jouw moeder.'

'Ze hield van je,' zei Sarah. 'Dat is wat ik me van haar herinner. Ze stond altijd op de veranda te wachten tot je boot terugkwam. Je zult haar wel missen.'

'En hoe.' Hillyer pinkte een traan weg. 'Ben jij de piloot die Mike uit het meer heeft gevist?' vroeg hij, turend naar Will.

'Dus iedereen weet het al,' zei Sarah. 'Hillyer, dit is Will Burke. Will, dit is onze oude vriend Hillyer Crawford.'

De mannen gaven elkaar een hand, en Hillyer begon te klagen. Hij vertelde over zijn oude schuit, zijn maagzweer, zijn kapotte schotelantenne, het in duigen vallen van zijn plannen om naar Florida te verhuizen. 'Dat was meer Sophia's idee dan het mijne,' legde hij uit terwijl hij een hand in de kuip met kreeften stak. 'We zijn een paar keer met vakantie geweest in Naples, en ze vond het er heerlijk. We hadden bedacht dat we de zaak misschien konden verkopen, en dan daar konden overwinteren. We wilden ons huis hier aanhouden voor de zomer.'

'Dat kun je toch nog steeds doen,' zei Sarah.

'Nee.' Hillyer schudde zijn hoofd. 'Zonder Sophia vind ik er niks aan.'

'Zij zou misschien willen dat je het deed.' Sarah zag hoe langzaam hij van de kuip naar de weegschaal liep. Hij woog elke kreeft, noteerde de prijs op een papieren zakje en legde de kreeften in een houten krat.

'Misschien wel,' beaamde Hillyer, 'maar ik ga niet zonder haar. Hoeveel kreeften wil je?'

'Even nadenken.' Sarah keek naar Will en telde in gedachten. 'Zes.'

'Vijf,' zei Will. 'Snow eet geen kreeft.'

'Mike wil er vast twee.'

'Twee pond per stuk, zei Bess toch? Zal ik er een paar sint-jakobsschelpen bij doen? Ze zijn erg lekker, ik heb ze gisteravond nog gegeten.'

'Graag. Bedankt, Hillyer.'

'Al goed.' Hij gaf het krat met de wriemelende kreeften aan Will. Hij bewoog langzaam, doelloos. Sarah was vergeten om Hillyer te controleren bij het wegen, zoals haar vader had gezegd, maar ze had het gevoel dat hij zich geen zorgen had hoeven maken. Hillyer leek haar te uitgeblust om trucjes uit te halen.

'Gaat het wel goed met je?' vroeg Sarah, en ze nam zijn oude, koude handen in de hare.

'Ik word oud, Sarah.'

'Pas goed op jezelf, Hillyer.'

Hij knikte lusteloos.

Will kwam naar voren om hem een hand te geven. 'Zo te horen had u een fantastische vrouw,' zei hij. 'U heeft geluk gehad.'

'En of,' zei Hillyer, en opeens fonkelden zijn ogen.

Ze gingen terug naar de auto, maar Will wilde niet meteen naar huis. Zonder het met Sarah te bespreken ging hij aan het eind van de Harbor Road naar het oosten in plaats van naar het zuiden. Voor hij wegging wilde hij het hele eiland zien, zodat hij er de weg zou weten als hij terugkwam. Ze reden door het stadje, kwamen langs een kruidenier, een postkantoor, en twee vrijstaande benzinepompen.

'Dat is het huis van Hillyer en Sophia.' Sarah wees op een trots wit huis in koloniale stijl. Het lag vlak aan de weg, met een heg rond de tuin. Er stonden maar vier huizen in de straat, en toch was dit duidelijk 'in de stad', en tot voor kort was het huis een bezienswaardigheid geweest. Het was statig, en de Amerikaanse vlag wapperde aan een hoge vlaggenmast aan de voorkant. Maar de geraniums in de bloembakken op de vensterbanken waren dood omdat niemand voor ze had gezorgd. Een van de luiken hing scheef aan een gebroken scharnier, en op de oprit lag rommel.

'Kijk toch eens hoe mooi dat huis is,' zei Sarah. 'Toen ik klein was droomde ik er altijd van om daar te wonen.'

'Jullie farm is ook mooi.'

'Ik vond dit zo elegant en chic,' zei Sarah. 'In de stad tussen al die grote huizen, met al die bloemen. Ik vond het altijd geweldig om er met mijn moeder op bezoek te gaan. Maar kijk... zonder Sophia raakt het in verval. Zij deed duidelijk alles.'

'Het is niet het huis,' zei Will.

'Wat bedoel je?'

'Het is Hillyer. Zonder Sophia raakt hij in verval.'

'Je hebt gelijk.'

'Ik ken hem niet,' zei Will, 'maar volgens mij blijft hij zonder haar niet lang meer leven. Hij heeft het opgegeven.'

'Ik zou willen dat hij naar Florida ging.' Sarah staarde uit het raampje.

Het 'stadje' hield abrupt op. De hoofdstraat ging over in een smalle weg, nauwelijks breed genoeg voor twee auto's, en ze reden enkele kilometers door een naaldbos. Toen kwam de zee weer te voorschijn. Ze kwamen langs twee haventjes, een elektriciteitscentrale en een kreek met snelstromend water. De kreek liep onder een pittoreske boogbrug door en kwam uit in zee.

'Die brug is heel vaak geschilderd,' vertelde Sarah. 'Kunstenaars kwamen er speciaal voor uit New York en Boston. Er hangt een beroemd schilderij van die brug in het Metropolitan Museum of Art. Ik heb het een keer gezien, en het enige waar ik aan kon denken was krabben vangen in de kreek.'

'Blauwe krabben?'

'Ja.'

'Ik deed het vroeger vaak. Ik wist een heel goed plekje, onder een spoorwegbrug in South Lyme. Zijn ze hier groot?'

'Enorm,' zei ze. 'We gebruikten spek en kleine visjes als aas.'

'Ik deed het met kippenbotjes,' zei Will. 'Mijn record was twintig krabben op één dag.'

'Grote?' vroeg ze sceptisch. 'Blauwe krabben?'

'Wat denk je nou, Talbot? Dat Maine het patent heeft op schaaldieren?' vroeg hij lachend. 'Ze waren behoorlijk groot. Mijn moeder stoomde ze, en ze zei altijd dat het zo'n traktatie was.'

'De mijne ook,' zei Sarah.

'Laat me nog eens iets zien,' zei Will. 'Ik heb je school gezien, de haven, de kreek waar je krabben ving. Ik wil alle belangrijke plekjes zien.'

'Laten we dan bij mijn moeder langsgaan,' opperde Sarah.

'Welke kant op?' vroeg Will, en Sarah wees verder naar het oosten.

Ze kwamen langs de kliffen in het noorden, de hoge pieken van graniet waar adelaars nestelden. Onder het rijden keek Sarah reikhalzend uit naar de kale adelaar. Er was een nest zichtbaar, een bos takjes en braamstruiken op een hoge richel, maar de vogels waren op jacht. Sarah gaf aan dat hij naar links moest gaan, van de hoofdweg af. Will sloeg een smal pad in. Er was onlangs nog een sneeuwschuiver overheen geweest, maar er lag al weer nieuwe sneeuw van de vorige nacht, zodat Will de vierwielaandrijving moest gebruiken. De weg kronkelde door een veld, en toen door een bos met hoge eiken, waarvan de takken elkaar boven hen raakten.

Aan de rand van de Atlantische Oceaan kwamen ze uit het bos. In de besneeuwde velden stond eenzaam en alleen een stenen kapelletje. Ernaast was een klein kerkhof met een smeedijzeren hek erom. Will voelde dat Sarahs stemming veranderde. Hij parkeerde de auto en leunde opzij om haar hand te pakken. Ze staarde met een zekere vastberadenheid uit over de zee, alsof ze hier met een bepaald doel was gekomen.

Ze liepen door de sneeuw. Zo'n kerkje als dit zou je eerder in Oxford of Cambridge verwachten, want het was klein en middeleeuws, opgetrokken uit donkere steen. De robuuste torenspits werd gekroond met een stenen kruis, met kabels stevig vastgezet aan het leistenen dak tegen de Atlantische wind. Drie granieten treden voerden naar een portaal met een houten deur. Iemand had er een krans van dennentakken opgehangen, versierd met dennenappels, zilverkleurige bessen en een paars lint.

'Mijn vader is hier geweest.' Sarahs ogen schitterden.

'Heeft George die krans opgehangen?'

'Dat doet hij elk jaar, op de dag na Thanksgiving. Hij geeft niet om feestdagen, maar mijn moeder hield van Kerstmis. Hij doet het voor haar.'

'Ligt ze hier op het eiland begraven?' vroeg Will, en hij sloeg zijn arm wat steviger rond Sarahs schouders en samen liepen ze naar het kerkhof.

'Daar.' Ze wees op een graf met een engel op de steen.

Will tilde de klink op, en het ijzeren hek viel ratelend achter hen dicht. Er stond een straffe wind van zee, die zoutige druppels en sneeuw in hun gezichten blies. Dit was de koudste plek op het eiland waar hij tot nu toe was geweest. De wind verkilde je tot op het bot, en het herinnerde hem aan het meertje. Staand tussen de graven boog hij zijn hoofd en dacht aan Fred.

Sarah knielde bij haar moeders graf. Ze zag er zo mooi uit, verzonken in herinneringen en gebed, haar zilverkleurige haar als een kapje van sneeuw op het hoofd van een engel. Het kunstig gebeeldhouwde monument stelde een kleine engel voor die over zee vloog. De naam van Sarahs moeder, Rose Talbot, was uitgebeiteld in de steen, met haar geboortedatum en de datum van overlijden eronder. Ernaast, zonder jaartallen, stond de naam George Talbot. Eronder die van Sarah.

Will schrok hevig bij het zien van Sarahs naam op een grafsteen. Zijn voeten waren vastgevroren aan de grond, hij kon zich niet bewegen. Hij kon alleen maar naar de steen staren. Hij keek van de naam naar de vrouw. Daar was Sarah, ze knielde naast hem en bad voor haar moeder. Het enige wat hij hoefde te doen, was zijn hand uitsteken om haar schouder aan te raken. Hij had zijn handschoen uitgetrokken, en zijn vingers streken langs haar nek. Haar huid voelde warm. Ze bewoog toen hij haar aanraakte, leunde tegen zijn hand aan.

'Sarah,' zei hij, en knielde naast haar neer.

'Dit is Will.' Ze nam zijn hand in de hare. 'Ik wilde dat je hem kon leren kennen. En Mike... ik wilde dat je mijn zoon kon leren kennen.'

'Hallo, Rose,' zei Will, en hij pakte Sarahs hand.

'Ik mis je, mam,' fluisterde Sarah. 'Ik mis je heel erg.'

Will verdroeg het bijna niet. Hij had zo vaak voor Fred gebeden sinds de dag dat hij was verdronken, maar hij kreeg het te kwaad nu hij Sarah tegen haar dode moeder hoorde praten en haar naam zag op de grafsteen. Hij sloeg zijn armen om haar heen en trok haar overeind.

'Wat is er?' vroeg Sarah geschrokken. De wind blies hard, zodat haar wangen roze werden, en ze kregen er allebei tranende ogen van.

'Het is hier zo koud,' zei Will. 'Ik wil niet dat je kouvat.'

'Zullen we naar binnen gaan?'

'In de auto?'

'In de kerk,' zei Sarah.

'Zit de kerk dan niet op slot?' vroeg Will met gefronste wenkbrauwen. Hij had aangenomen dat de deur op slot zou zijn omdat de kapel zo afgelegen was en het eiland maar zo weinig bewoners had.

'Ik weet waar de sleutel ligt.' Glimlachend liep ze lijwaarts. Achter een hulststruik, ongeveer een halve meter boven de grond, verborgen achter een losse steen in de muur, lag een oude ijzeren sleutel. De sleutel was tien centimeter lang, met sierlijke krullen, en leek haast onecht.

Maar de sleutel werkte wel degelijk. Sarah maakte de zware deur open door de sleutel één keer om te draaien in het slot. Het was donker in het oude kerkje, en het rook er muf. Er stonden zes rijen bewerkte eikenhouten banken. De glas-in-loodramen waren blauw en bordeauxrood, met afbeeldingen van heiligen en schepen. Achter het altaar stond een eenvoudig houten kruis, meer New England dan Oxford.

Sarah keek om zich heen. Ze liep naar een bank, streek met haar vingers over het hout, en liep verder. Haar ogen stonden boos en verward. Als ze de kerk binnen was gegaan op zoek naar vrede, dan had ze die nog niet gevonden.

'Wat is er?' vroeg Will.

'Ik weet het niet.'

'Het graf van je moeder...' Hij wilde haar aanraken maar wist niet hoe, en hij kon haar niet aankijken. 'Waarom staat jouw naam erop?'

'De namen van mijn ouders en de mijne,' corrigeerde ze hem.

'Ik zag alleen de jouwe.'

'Het is een familiegraf.'

'Ik vond het naar om te zien.'

Sarah knikte, bijna met een glimlach. 'Is het raar? Ik weet het niet. Ik ben eraan gewend – ik zie het al sinds de dood van mijn moeder. Dat is het gebruik op het eiland. We worden hier geboren en we worden hier begraven.'

'Ben je hier gedoopt?' Will probeerde aan vrolijker dingen te denken, en het bonzen van zijn hart onder controle te krijgen. Ze stonden tegenover het altaar.

'Ja,' zei Sarah nauwelijks hoorbaar. 'En Mike ook. We zijn hier allebei gedoopt, twintig jaar na elkaar.' Ze wees op het marmeren doopvont in de vorm van een schelp, en Will dacht aan alle huilende baby's als het water over hun hoofdje werd gesprenkeld. 'Ik was hier bijna ook getrouwd.'

'Met de kreeftenvisser?' vroeg Will. Het voelde vreemd om te weten dat Sarah met een andere man voor dit altaar had gestaan.

'Hij kwam niet opdagen,' zei Sarah. 'Hij wilde me niet.'

'Dan was hij niet goed bij zijn hoofd.'

Sarah haalde haar schouders op. Ze zag er ontdaan uit. Staand naast de marmeren schelp raakte ze het gewijde water aan. Het was bevroren. Ze tikte erop met haar vingers. 'Hij ligt hier begraven,' zei ze zacht. 'Mikes vader. Ik weet dat Mike om hem naar het eiland is gekomen.'

'Echt waar?' Will was ontzettend blij dat hij dood was, wie hij ook was, de man die Sarah zwanger had gemaakt en haar op het laatste nippertje in de steek had gelaten.

'Hij heeft zijn hele leven een vader nodig gehad,' zei Sarah, denkend aan hun ruzie van die ochtend.

'Het is een fijne knul,' zei Will. 'Hij redt zich wel.'

'Dat weet ik, maar hij gelooft er nog niet in. Hij wilde zijn vader vinden, dat denk ik. Hij is helemaal hierheen gekomen om een dode man te leren kennen. Het is zo, Will. Het leven op dit eiland, het is zo krankzinnig... er is geen toekomst. Kijk eens naar mijn vader, kijk eens naar Hillyer! Ik wil dat hij met me mee naar huis gaat, Will. Ik wil dat hij met ons meegaat.'

'Ik weet het.' Will trok haar tegen zich aan.

Sarah snikte in zijn armen. Ze probeerde greep te krijgen op haar zoon, en daar verzette hij zich met hand en tand tegen. Will wist niet wat er de volgende dag zou gaan gebeuren, en hij begreep dat Sarah zich zorgen maakte. Er stond meer op het spel dan wat haar zoon het komende halfjaar van plan was; hij kon het voelen aan het schokken van haar schouders en de heftige uithalen van haar snikken.

'Laat hem begaan, Sarah,' zei Will. 'Meer kun je niet doen.'

'Dat zeg ik ook tegen mezelf, maar hoe? Ik ben zijn moeder.'

Will streelde haar haren, denkend aan Fred. Hoe kon je je kind loslaten? Dood of levend, niets ter wereld was zo onmogelijk. Maar Will had het geheim geleerd – je hebt geen keus. Ze zijn niet van jou, je kinderen, nooit. Ze worden je voor een korte periode toevertrouwd. Je doet je best, je beschermt ze. Als ze hun naam veranderen, vraag je gewoon hoe ze dan genoemd willen worden. Als ze uit willen vliegen, help je hen zoeken naar de juiste wind.

'Waar je ook bent, je houdt altijd van hem,' zei Will. 'Dat weet je al.'

Ze zuchtte instemmend.

'Kijk eens naar jou en je moeder,' zei Will.

'Waar ik ook ben, ik hou altijd van haar,' snufte Sarah.

'Je weet al hoe je dat als dochter doet.' Glimlachend streek hij haar tranen weg. 'Nu moet je het nog als moeder leren.'

Sarah knikte. Will had haar al eerder zien huilen, en het verbaasde hem hoe vloeibaar haar emoties waren. Tien seconden geleden was ze nog een wrak, snikkend in zijn armen. Maar nu zag ze er stralend uit, betoverend, gloeiend als een bruid. Hij probeerde zich haar voor te stellen zoals ze door het gangpad had gelopen, voor dit altaar had gestaan, wachtend op een man die nooit zou komen.

'Sarah.' Hij nam haar handen in de zijne.

'Mmm,' zei ze alleen, alsof ze haar stem nog niet vertrouwde.

De woorden bleven steken in zijn keel. Hij keek in haar prachtige, heldere ogen, en zijn eigen ogen begonnen te prikken. Hij was in zo'n korte tijd zo ver gekomen. Sarah had hem weer tot leven gewekt, iets wat hij achter zich had gelaten op de dag dat Fred overleed. Als Will het verdriet over haar zoon een beetje kon verlichten, was hij misschien niet voor niets in haar leven gekomen.

Ze zeiden geen woord meer. Lang bleven ze elkaar aankijken voordat ze hand in hand wegliepen bij het altaar, naar de deur van de kerk. Will dacht aan de man die Sarah hier zo lang geleden vergeefs had laten wachten, de man die was overleden voordat hij hun kind een naam had kunnen geven. Will had medelijden met hem, niet omdat hij dood was, maar omdat hij Sarah Talbot had afgewezen.

Aan het eind van het gangpad, bij de deur, bleef Will staan. Hij keek haar aan, streek met een hand over haar haren zoals een man een sluier op zou kunnen lichten, en midden in het gangpad kuste hij de vrouw die nooit een bruid was geweest. Ze duwden de deur open en gingen naar buiten, de koude wind tegemoet.

Hoofdstuk 15

Snow belde haar moeder in Fort Cromwell, maar ze kreeg alleen het antwoordapparaat. Ze hoorde Julians bekakte stem en een ergerlijke mededeling: 'Alice en ik banjeren door de sneeuw... of we zijn naar de races in Monza... of misschien skiën we wel omlaag van Saxon Hill... en het kan ook heel goed dat we voor de open haard zitten en de telefoon niet opnemen, dus wees zo vriendelijk om een boodschap in te spreken.'

'Hai, mama, met mij,' zei Snow. 'We zijn nog op Elk Island, en we vliegen morgen terug naar huis. Papa zal me wel thuisbrengen, dus je hoeft me niet te komen halen. Ik vraag gewoon aan papa of hij me brengt, dan hoef jij er niet uit. Ik hou van je,' voegde ze er op zachtere toon aan toe. 'Tot morgen.'

Snow stond in de gang, en toen ze de hoorn neerlegde had ze het vreselijke gevoel dat er iets mis was. Waarom had haar moeder niet opgenomen? Snow had het gevoel dat ze heel erg boos en gekwetst was. Welke dochter ging er nou vlak voor Thanksgiving zonder iets te zeggen vandoor? Op woensdag had Snow haar plan nog gerechtvaardigd door zichzelf wijs te maken dat haar moeder en Julian haar toch niet zouden missen, dat haar vader haar harder nodig had dan zij.

Maar nu, op zaterdag, tikte de klok, en Snow wist dat ze morgen de wind van voren zou krijgen. Haar moeder was natuurlijk verdrietig, en Julian zou wel kwaad zijn. Waarschijnlijk fluisterde hij haar van alles in, net als de boosaardige adviseurs in Shakespeareaanse stukken die de verwarde koningin allemaal leugens vertellen. Verleden jaar met Kerstmis had Julian haar toneellessen voor middelbare scholieren op het Marcellus College cadeau gedaan, en als ze daar nou iets had geleerd, dan was het wel dat haar leven genoeg drama, verraad en kolder voor verschillende stukken van Shakespeare bevatte.

Nog een keer draaide ze het nummer, in de hoop dat haar moeder nu zou opnemen. Stel nou dat er iets vreselijks was gebeurd? Stel nou dat er was ingebroken, en dieven Julians hele kunstverzameling en al zijn antieke auto's hadden gestolen en iedereen de keel door hadden gesneden? Stel nou dat er een seriemoordenaar aan het werk was geweest? Bijtend op haar lip omklemde Snow de hoorn. Haar fantasie ging met haar aan de haal, en ze zag het eenzame huis op de heuvel voor zich, de gestoorde criminelen, de angstige blik in de ogen van haar moeder en Julian. Stel nou dat Julian op slag dood was geweest, maar dat haar moeder nog leefde, dat ze zich op dit moment bewoog omdat ze de telefoon hoorde rinkelen, uit haar bewusteloosheid gewekt door haar eigen dochter...

'Hallo?' Het was haar moeder.

'O, gelukkig!' zei Snow hijgend.

'Susan, ben jij het?'

'Ja. Hai, mam. Ik probeer je al dagen te bereiken. Weet je wel dat ik je nog helemaal niet heb gesproken sinds ik hier ben?'

'Ik weet het,' antwoordde haar moeder droog.

'Hoe is het me je? Hoe was Thanksgiving?'

'Het gaat goed met ons. Julian is een beetje verkouden.'

'O,' zei Snow op bezorgde toon. 'Ik hoop dat hij snel weer beter is.' Haar moeder zei niets, en Snow begon het benauwd te krijgen. Waarom voelde ze zich zo nerveus met haar eigen moeder? Ze had voortdurend het gevoel dat haar moeder teleurgesteld in haar was, of dat ze haar boos maakte, of dat ze tussen haar moeder en Julian in stond.

'Hoe – ' begon haar moeder en schraapte haar keel. 'Hoe was jóuw Thanksgiving?'

'Ging wel,' zei Snow expres onverschillig. Ze wilde haar moeder niet vertellen hoe leuk het was geweest, hoe fijn ze het hier had.

'Fijn,' zei haar moeder, en Snow kon bijna zien dat haar lippen een strakke, gespannen streep vormden.

'Wat is er?' vroeg Snow.

'Ach... dit was... dit was de eerste feestdag dat we niet bij elkaar waren.' Haar moeder barstte in tranen uit. 'Sinds je klein was, al vanaf de dag van je geboorte, zijn we met Thanksgiving en Kerstmis altijd samen geweest.'

'Het spijt me, mam,' fluisterde Snow, geschrokken omdat haar moeder plotseling zo verdrietig klonk.

'Zelfs onafhankelijkheidsdag hebben we bijna altijd samen gevierd. Behalve die ene keer toen Freddie en jij nog klein waren en papa jullie meenam aan boord van de *James* om naar het vuurwerk te kijken. Ik had griep of zoiets, dus ik kon niet mee.'

'Maar we waren op tijd terug voor het eten,' zei Snow, die wel snapte wat haar moeder bedoelde.

'Lieverd, ik – ' Weer brak ze haar zin af, dit keer om te luisteren naar iets wat Julian op de achtergrond zei.

'Wat is er?' vroeg Snow.

'Niets,' zei haar moeder, maar Snow kreeg nu het gevoel dat haar woorden werden gekleurd door Julians aanwezigheid, alsof ze een soort toneelstukje voor hem opvoerde. 'Ik ben alleen heel erg teleurgesteld over de manier waarop je dit hebt gedaan. Als je gewoon had gevraagd of het mocht, hadden we iets kunnen regelen. Maar dat heb je niet gedaan, en je hebt me diep teleurgesteld.'

'Ik weet het,' zei Snow, en aan het eind van de gang ving ze een glimp op van Mike.

'Diep teleurgesteld.'

'Het spijt me, mam,' zei Snow ontdaan. Mike zag haar en bleef roerloos staan.

'Ik ben van plan om maatregelen te nemen,' zei haar moeder dreigend. 'Als je weer thuis bent.'

'Maatregelen?' piepte Snow.

'We moeten met elkaar praten. Als je weer thuis bent. Oké, blijf nog even hangen. Julian wil dag zeggen.'

'Ik moet ophangen, mam,' zei Snow snel. 'Iemand anders heeft de telefoon nodig. Ik hou van je. Tot morgen.'

Ze legde de hoorn op de haak alsof ze zich eraan had gebrand. Met gesloten ogen bleef ze staan, en ze kon nauwelijks ademhalen. Haar moeder was zo boos. Snow had haar eigenlijk nog nooit zo kwaad gehoord, behalve vlak voordat haar ouders gescheiden waren. En ze was niet van plan om met Julian te praten.

'Ik heb de telefoon niet nodig,' zei Mike verontschuldigend.

'Dat weet ik best,' zei Snow. 'Het was een leugentje om bestwil omdat ik niet met mijn stiefvader wilde praten.'

'Heb je een stiefvader?'

Snow knikte somber. Ze voelde zich in een hoek gedreven en neerslachtig. Opeens zag ze haarscherp voor zich wat haar in Fort Cromwell te wachten stond, een leven met haar moeder en Julian. Haar moeder leek tegenwoordig eerder Julians vrouw dan haar moeder. Al haar gevoelens draaiden om Julian. Zelfs haar reactie aan de telefoon; eerst was ze aardig geweest, lief en emotioneel, totdat Julian zich ermee had bemoeid.

'Ik haat hem,' fluisterde Snow. 'Het is niet goed om mensen te haten, dat weet ik best, maar het is nu eenmaal zo.'

'Soms kun je het gewoon niet helpen.'

'Als ik weg kon lopen naar een eiland,' zei Snow, 'dan zou ik het doen. Net als jij.'

'Je bent toch hier,' zei Mike.

Snow probeerde te glimlachen en liep Mike achterna door de gang. Ze liepen de trap aan de achterkant op. Het was er donker en stoffig, en op elke tree lag wel een slapende kat. De katten werden wakker en glipten weg. Het werd kouder toen ze bijna boven waren. Dit deel van het huis was niet geïsoleerd, en Snow kon daglicht zien tussen de kieren in de muren. Ze kwamen bij een dichte deur. Mike draaide de knop om en liet haar binnen.

Ze waren op een zolder, een grote open ruimte. Er stonden oude bedden en kasten, een gebroken spiegel, hutkoffers en dozen. Mike had een deel van de zolder afgescheiden, helemaal aan de andere kant, en hij ging Snow voor door het doolhof van kapotte meubels. Hij hield een geruite deken opzij en liet Snow als eerste naar binnen gaan.

'Wat knus!' zei ze.

'Ja,' zei hij blij.

Een kachel gaf meer dan genoeg warmte. Mike had hier een oude matras naartoe gesleept, en er lagen twee donzen dekbedden op. Er waren drie planken met boeken, en een klein raam aan de voorkant van het huis, met uitzicht over velden en de baai. Snow verkende elk hoekje. Ze had het gevoel dat ze in een hut voor volwassenen was.

'Slaap je hier?' vroeg ze.

'Nee. Mijn kamer is beneden.'

'Waarvoor is dit dan?'

'Hier kom ik als ik alleen wil zijn,' legde hij uit.

'Je eiland op het eiland?'

Hij knikte. Hij vond het zelfs niet vreemd klinken. Met zijn voorhoofd geleund tegen de ruit keek hij naar buiten. Zijn grootvader stond voor de schuur waar de ganzen werden geplukt en warmde zijn handen boven een komfoor. Bloed kleurde de sneeuw rood. Snow moest haar hoofd afwenden.

'Waarom ben je weggelopen?' vroeg ze.

'Ik ben niet weggelopen, dat probeer ik iedereen uit te leggen,' zei hij. 'Ik wilde hiernaartoe. Hier komt mijn familie vandaan, als je snapt wat ik bedoel. Mijn beide ouders, en mijn grootouders.'

'Tante Bess heeft me over je vader verteld. Wat naar dat hij dood is.'

'Ik heb hem nooit gekend,' zei Mike, alsof dat het minder erg maakte. Snow huiverde bij de gedachte dat een van haar ouders dood zou gaan, en opeens herinnerde ze zich iets waar ze al een hele tijd niet aan had gedacht: Sarah was heel erg ziek geweest.

'Je zult wel erg bezorgd zijn geweest om je moeder,' zei ze.

'Ja,' mompelde hij instemmend.

'Gelukkig is ze nu weer beter.'

Mike knikte. Samen met Mike in dit geheime kamertje, bedacht Snow dat ze allebei een hoop hadden meegemaakt. Hij had zijn vader nooit gekend, zijn moeder had hem in haar eentje opgevoed, Snows ouders waren op een nare manier uit elkaar gegaan, haar moeder was getrouwd met een klier. En dan waren er de doden, zijn vader en haar broer, en zijn moeder was ziek geweest.

Haar hoofd tolde ervan door er alleen al aan te denken. Snow liet zich op de matras vallen en keek hem verbijsterd aan.

'Hoe doen gewone kinderen het? Vervelen ze zich niet?' vroeg ze.

'Wat bedoel je?'

'Jij en ik kunnen twee psychiaters tien jaar lang aan het werk houden, met overuren!'

Hij lachte. 'Hebben ze jou wel eens naar een psychiater gestuurd?'

'Uiteraard. Vlak nadat Fred verdronken was, en toen nog een keer, tijdens de scheiding. Heeft Sarah jou gestuurd?'

'Ze heeft het een keer geprobeerd, een paar jaar nadat we uit Boston waren verhuisd. Ik ging bijna nooit.'

'Je vroeg of ze mij hebben gestuurd,' corrigeerde Snow hem. 'Ik heb niet gezegd dat ik ook ging. Nou, ik ging soms ook wel, maar ik verzon ook vaak uitvluchten. Ik heb heel vaak de nepgriep gehad.'

'De wat?'

'Ik deed alsof ik ziek was.' Ze gaf hem een voorbeeld van een zogenaamde hoestaanval. 'Weet je wat ik bedoel?'

'Ik ging gewoon niet. Ik kreeg de zenuwen van die man.'

'Was de jouwe een psychiater?'

'Ja. Dokter Darrow. Hij was gevestigd in een van die gebouwen in de buurt van Marcellus, en dan zat hij me een uur lang doordringend aan te kijken en –'

'Darrow?' Snow sloeg een hand voor haar mond. 'Ging jij naar dokter Darrow?'

'Ja.'

'Grote man? Dasspeld? Doet nooit een mond open?'

'Al zijn diploma's achter zijn bureau, zodat je de hele tijd probeerde de namen van de universiteiten te ontcijferen terwijl je je hart hoorde te luchten?'

'Foto's van hem en zijn vrouw op vakantie op de Bahama's met hun voorbeeldige tweelingzoontjes?'

'Precies,' zei Mike. 'Allemaal lachend, zodat het je wel op moest vallen hoe gelukkig de Darrows waren in vergelijking met je eigen familie.'

'Eens zijn wij ook zo geweest...' zei Snow.

'Ik kan gewoon niet geloven dat jij ook bij die man bent geweest,' zei Mike. 'Ik heb je hier leren kennen, dus ik was vergeten dat we allebei uit Fort Cromwell komen.'

'Ik kom uit Newport op Rhode Island,' verbeterde Snow hem.

'Ik kom uit Boston,' zei Mike. 'Maar je weet wel wat ik bedoel. We zijn allebei in Fort Cromwell terechtgekomen.'

'Ik háát Fort Cromwell,' zei Snow, en ze besefte dat ze al voor de tweede keer het woord 'haten' gebruikte. Ze had een hekel aan negatief denken, mensen die altijd klaagden over hun eigen leven. Ze realiseerde zich hoe diep ze was gezonken. Ze had dit reisje naar Elk Island beslist nodig gehad.

Mike kwam naast haar zitten op het bed. Hij leunde tegen de muur, zodat ze zich half moest omdraaien om zijn gezicht te kunnen zien. Zijn gezicht stond rustig, alsof hij het fijn vond om met haar samen te zijn. Ze begonnen allebei te lachen. 'Dokter Darrow,' zei hij hoofdschuddend.

'Vond je die twee jongetjes niet doodeng?' vroeg Snow giechelend. 'Met dat perfecte blonde haar en precies hetzelfde zwembroekje?'

'Die zwembandjes,' zei Mike. 'Van die opblaasdingen om hun magere armpjes, zodat ze bleven drijven. Ik had ze gisteren best kunnen gebruiken.'

'Kun jij je voorstellen dat een van die twee door het ijs zou zakken?'

Snow lachte uitbundig. 'Hun pappie zou hem meteen op de divan leggen, arm joch. Moest jij ook op de divan?'

'Dat wilde hij wel, maar ik niet.'

'Waarom had Sarah je eigenlijk naar hem toe gestuurd?'

'Ik had problemen met school.'

'Slechte cijfers?'

'Nee,' zei Mike. 'Ik spijbelde.'

'Altijd?' vroeg Snow verbaasd, en ze barstte opnieuw in lachen uit.

Ze leunden achterover en lachten tot ze er buikpijn van hadden. Dat Mike ook bij dokter Darrow was geweest, gaf haar het gevoel dat ze een band hadden. Ze zaten vlak naast elkaar, haar elleboog raakte de zijne, en Snow wilde niet eens dat hij haar zou kussen. Intiem contact was wel het laatste waar ze aan dacht. Ze hikten allebei van het lachen, zo grappig was het om te ontdekken dat ze allebei bij de zwijgzaamste psychiater van Fort Cromwell in behandeling waren geweest.

'Komt dit je bekend voor?' Mike steunde met zijn kin op zijn linkerduim en kneep één oog half dicht. Het was een perfecte imitatie van de psychiater.

'Zijn vrouw op de foto.' Snow sprong overeind en nam een badpakhouding aan. Ze zag de vrouw van dokter Darrow helemaal voor zich, compleet met haar rode haar, gouden sieraden en quasi-zedige blik.

'Mevrouw Darrow,' wist Mike meteen. 'Hij moet wel een hele hoop patiënten behandelen om met haar naar de Bahama's te kunnen gaan.'

'En al die sieraden voor haar te kunnen kopen.'

'Waarom hebben jouw ouders je naar hem toe gestuurd?' vroeg Mike. 'Leek de nepgriep te veel op spijbelen?'

'Nee, ik vind het leuk op school,' zei Snow. 'Ze vonden dat ik over Fred heen moest komen.'

'Fred,' herhaalde Mike peinzend. 'Waarom denken ze dat je over zijn dood heen kunt komen?'

'Omdat ze volwassen zijn,' zei Snow wijs.

'Het moet iets anders zijn.'

'Hoezo? Denk je soms dat ik gek ben?' Snow trok een gezicht.

'Ik weet het zeker.' Mike kietelde haar. Ze voelde de warmte in haar ribben en buik, en kronkelde op het bed, net als vroeger, toen ze nog met Fred kon dollen.

'Zymptomen,' zei ze met een aangedikt Oostenrijks accent. 'Ze ztuurden me vanwege de zymptomen.'

'Wat voor symptomen?'

'O, nachtmerries. Dat ik om de paar maanden mijn naam verander. Dat ik de sokken van mijn broer draag.'

'Draag je zijn sokken?'

Snow knikte. Ze trok haar broekspijpen omhoog en onthulde een paar bruin met blauw geruite sokken. Dit waren Freds lievelingssokken geweest, maar ze was net zo gehecht aan zijn oude grijze, de marineblauwe, en de groezelig witte. In sommige sokken zaten gaten, maar dat vond ze niet erg. Ze stopte de gaten, en zou ze altijd blijven dragen.

Mike knikte bewonderend.

'Dat jij naar het eiland bent gegaan,' zei Snow, 'is dat net zoiets als je vaders oude sokken dragen?'

'En die van mijn moeder,' beaamde hij lachend. 'Van elk één.'

'Dokter Darrow had gelijk.' Snow staarde innig tevreden naar de zolderbalken. Verleden zomer had een wesp er haar nest gemaakt, en tussen de spinnenwebben leek de grijze korf net een gezicht. 'Je bent gek.'

'En jij bent krankzinnig,' zei hij. 'Waarom wil je nou Snow heten? Of moet ik Znow zeggen?'

'Zusan,' antwoordde ze. 'Vroeger was ik Zusan, maar dat was VFD.'

'Wat is VFD?'

'Voor Freds Dood,' legde ze uit. 'Uiteraard.'

'Ze zouden niet dood moeten gaan,' verzuchtte Mike. 'Niemand.'

'Bedoel je de mensen van wie we houden?' vroeg Snow.

'Ja.'

'Even zonder gekheid.' Ze gaf een zusterlijk klopje op zijn hand. 'Als ze niet doodgingen, waar zou dokter Darrow dan van moeten leven? Er zouden niet genoeg verdrietige mensen zijn, en dan zou hij niet met mevrouw Darrow en de tweeling naar de Bahama's kunnen.'

'Daar zit wat in.' Mike lag op zijn rug met zijn handen gevouwen voor zijn borst, starend naar het wespennest, en hij klonk alsof hij het met tegenzin toegaf.

Hoofdstuk 16

George stond in de keuken te wachten terwijl Sarah het krat met de kreeften openmaakte. Wat een schoonheid was ze toch, net als haar moeder. Lang en sterk, met lange ledematen en fijngevormde handen. Sarahs gezicht kon een man de adem benemen. Haar blauwe ogen waren zo lief, en er kwamen zulke vriendelijke woorden uit haar mond. Het gezicht van zijn dochter was dat van een madonna.

Dat haar was een heel ander verhaal. George had het zich lang en donker herinnerd, vol en glanzend. Maar nu waren het ongelijke plukken die alle kanten op stonden, net als bij sommige Mainers uit het afgelegen binnenland die zich geen kapper konden veroorloven. De kleur was veel te licht, een soort zilverachtig goud dat hem deed denken aan klatergoud of het folie van een chocoladereep. George begreep wel dat Sarahs haar iets met de medische behandeling te maken had, dus had hij zijn mond gehouden.

Eindelijk had Sarah het krat open. George tuurde erin en telde de kreeften. Daarna haalde hij er op goed geluk een uit en bekeek die van dichtbij. Om te beginnen stelde hij vast dat het een mannetje was.

'Die verdomde Hillyer,' mopperde hij. 'Hij weet dat de vrouwtjes het zoetste vlees hebben, en wij krijgen natuurlijk mannetjes.'

'Volgens mij heeft hij het niet expres gedaan,' zei Sarah. 'Ik heb niet eens gezien dat hij ernaar heeft gekeken.'

'Vast wel,' snoof George. Hij had er een hekel aan als er misbruik van hem werd gemaakt. Zijn hart bonsde, en hij klopte op zijn borst en ging zitten. Kreeften waren heel erg duur, en hij had al zoveel onkosten. Nieuwe remmen, een nieuw dak, monden die gevoed moesten worden. Hij dacht aan Mike, die at als een paard.

'Je moet je niet altijd zo opwinden.' Sarah had een hand rond zijn pols gelegd alsof ze zijn hartslag opnam. Het liefst zou hij haar hand een tik geven, maar hij had er de fut niet voor. Hij had pijn in zijn borst, en dat vond hij een beetje zorgelijk. Nu zijn dochter vlak naast hem zat, kon hij haar ogen goed zien. Ze waren heel diepblauw, maar wel omringd door fijne rimpeltjes.

'Waarom kom je niet thuis, waar je hoort?' vroeg hij.

'Ik heb een winkel, papa.'

'Een winkel,' zei hij zacht. 'Wat is een winkel vergeleken met je familie?'

Ze glimlachte, en op haar gezicht was de herinnering te lezen aan andere keren dat hij hetzelfde had gezegd. Lang geleden, na de dood van Rose, toen Sarah wilde gaan studeren. Daarna nog een keer, toen ze haar eerste winkel had geopend.

'Ik ben toch hier, papa. Of niet soms?'

Nors keek hij haar aan. Hij wist wat ze bedoelde. Dat ze van elkaar waren vervreemd. Dat vreselijke woord beschreef de maandenlange stilte, alle jaren dat ze niet thuis was geweest. Bess had hem zo vaak op het hart gedrukt dat hij Sarah moest nemen zoals ze was. Maar zo makkelijk was dat niet. Na de dood van Rose had George een vader én een moeder voor haar moeten zijn, en dat had hij niet altijd goed gedaan. Toen ze hem vertelde dat ze een kind verwachtte, had hij gedacht dat ze haar leven vergooide.

'Het zou beter voor je zijn als je hier bleef,' hield hij vol. 'Je moet toch ook aan Mike denken. Hij vindt het fijn hier, weet je.'

'Dat heb ik gemerkt.'

'Ik zou Zeke Loring hebben vermoord als hij zich niet zelf te pletter had gereden. Maar ik ben hem dankbaar voor Mike.'

'Dat weet ik.'

Hij klopte op zijn zakken op zoek naar zijn pijp. Hij had geen idee hoe je tegen een dochter moest praten, nooit gehad ook. Een uurtje bij het vliegtuig met Will, en hij praatte met hem alsof ze elkaar al hun hele leven kenden. Maar op een prettige manier omgaan met Sarah betekende een compleet andere houding en taal. George voelde zich alsof hij blind in onbekend water rondzwom.

'Blijf,' zei hij simpel.

'Ik kan niet blijven,' zei ze. 'En ik wil dat Mike met me mee naar huis gaat.'

George staarde haar aan. Dit had hij wel verwacht. Zijn hart maakte weer bokkensprongen, maar minder erg dan daarvoor. Mike was oud genoeg om zelf te beslissen, en George meende te weten waar de jongen voor zou kiezen. Het kwam dan ook door Sarah dat zijn hart tekeerging, door die rimpeltjes bij haar ogen, dat vreemde, metaalachtige haar. Zijn lieve kind was heel erg ziek geweest, dat zag je nu nog.

'Je lijkt op je moeder,' flapte hij eruit.

'Echt?'

George knikte en raakte zacht haar wang aan. Haar huid was romig en zacht. In dit huis was ze geboren, in de slaapkamer op de eerste verdieping. George had zelf het water gekookt, op het fornuis dat achter hem stond. Hij had haar met één hand vast kunnen houden; ze was nauwelijks groter dan een kleine gans. Ze hadden elkaar aangekeken, en dat was dat.

Hij kreeg een kleur doordat hij van het verleden droomde. Wat waren ze gelukkig geweest met zijn drietjes. George, Rose en Sarah. Dit was hun eiland.

'Heb jij goede herinneringen?' Het kostte hem moeite om deze vraag te stellen.

'O, papa,' zei ze glimlachend. 'De beste.'

'Echt waar?'

Ze knikte, sloeg haar armen om hem heen en legde haar hoofd op zijn schouder. Als klein meisje had ze dat zo vaak gedaan. In de Jeep, als ze over het eiland reden, in de boot, als ze gingen vissen. Sarah zat naast hem, met haar hoofd op zijn schouder. Hij voelde een brok in zijn keel en kon het niet wegslikken. Hij dacht aan Rose; de ziekte was haar snel fataal geworden, voordat ze voldoende van de schrik waren bekomen om haar naar een ziekenhuis op de wal over te brengen.

'Waarschijnlijk ben je op het vasteland beter af,' hoorde hij zichzelf zeggen.

'Misschien...' zei ze aarzelend.

Er waren prima ziekenhuizen in de staat New York. De beste artsen, de juiste medicijnen, universiteiten waar research werd gedaan. Als ze weer ziek werd, wilde hij dat ze daar zou zijn. Niet hier, gestrand op Elk Island net als haar moeder. Dokter Miller had zijn best gedaan, maar veel had hij niet kunnen doen. Hun huisarts was nu al jaren dood, en niemand had zijn plaats ingenomen.

'Het is beter als ik de winkel openhou,' zei ze. 'Dan kan ik de dekbedden van tante Bess blijven verkopen.'

'Als jij denkt dat ik op geld uit ben,' zei George fel, 'dan heb je het mis. Ik wil alleen dat jij gezond blijft. Hoor je me, Sarah?'

Zwijgend staarde ze hem met betraande ogen aan.

'Ik wil antwoord.'

Ze knikte, en toen liet ze zich gaan. Met gebogen hoofd begon ze te huilen. George slaakte een zucht. Hij maakte altijd wel vrouwen aan het huilen aan deze keukentafel. Sarah, haar moeder... Hij sloeg zijn armen om haar heen en hield haar stevig vast. Ze sloeg een hand voor haar ogen en snikte stilletjes.

'Rustig maar, lieve schat,' suste hij. 'Rustig, meisje.'

'Papa –' hijgde ze.

'Ssst, Sarah. Laten we niet meer boos zijn op elkaar. Zorg nou gewoon dat je gezond blijft.'

Haar tranen maakten een natte plek op zijn wollen overhemd.

'Als je me ooit nodig hebt,' begon hij met verstikte stem, 'op wat voor manier dan ook... Ik heb wel eens gehoord van een zieke dochter, en dat ze dan een nier of beenmerg nodig hebben. Wat dan ook. Ik wil je alles geven wat ik kan.'

Gelukkig keek ze niet op. Ze bleef hem krampachtig vasthouden, net als toen ze een klein meisje was en George met haar was gaan zeilen. Ze waren te ver buiten de baai geraakt, en de boot had opzij geheld. George had het zeil moeten trimmen, duwend tegen de helmstok, terwijl Sarah zich als een bang klein aapje aan zijn borst had vastgeklemd. Zo voelde ze zich nu. Een volwassen vrouw die haar vader vasthield alsof haar leven ervan afhing.

'Stil maar Sarah,' bleef hij zeggen. 'Stil.'

Het duurde een hele tijd voordat ze ophield met huilen. Zonder haar hoofd op te tillen droogde ze haar ogen. Haar ademhaling was nu weer regelmatig, en tegen de tijd dat ze haar hoofd ophief, had ze weer wat kleur op haar wangen. George bekeek haar aandachtig. Ze was tenger, zijn Sarah, voor een vrouw die zo sterk was, en in haar eentje door het leven ging. Ze was haar eigen kapitein. In sommige opzichten was hij er trots op dat ze zich al die jaren zonder een man had weten te redden. Maar in andere opzichten wilde George dat zij zou vinden wat hij met Rose had gehad.

George duwde zichzelf omhoog van zijn stoel. Het probleem met Mike was nog niet opgelost, maar de tijd zou het leren. Dat was altijd zo. Als ze dacht dat Mike met haar mee naar huis zou gaan, zou ze bedrogen uitkomen. Die jongen ging nergens naartoe, maar George wilde niet degene zijn die haar dat moest vertellen.

De zon begon naar de horizon te zakken. Het was zaterdag, hun laatste dag op Elk Island, en Sarah stond voor het keukenraam te kijken naar de lange, dieppaarse schaduwen op het besneeuwde veld, dat glooiend af liep naar de baai. Haar vader was net naar buiten gegaan. Ze zag hem over het erf hinken met Gelsey, zwaaiend met zijn armen om de ganzen terug te drijven naar de schuur.

Gelsey blafte, en ze hinkte net zo erg als haar baasje. De ganzen waggelden luid snaterend voor hen uit. Sarah had dit tafereel al honderden keren gezien, maar het had haar nooit aan het huilen gemaakt. Ze raakte het koude raam aan, en de tranen stroomden over haar wangen. Haar vader had haar net een nier aangeboden, of beenmerg. Haar vader, die het al aanstellerij vond als iemand hoofdpijn had, dacht kennelijk dat Sarah misschien een transplantatie nodig had.

Haar soort kanker was niet te genezen met een bloedtransfusie of nieuwe organen. Het was begonnen in haar lymfklieren en had zich naar haar hersenen verspreid. Dokter Goodacre had zijn best gedaan. Ze had alle behandelingen die de artsen noodzakelijk vonden ondergaan, en nu was ze aan het lot overgeleverd. Of aan God.

Toen ze die ochtend met Will in de kerk had gestaan, had ze gebeden om een goede gezondheid. Ze wist dat het ongepast was dat ze Hem om specifieke dingen vroeg. Ze moest gewoon doen wat de artsen haar opdroegen, en erop vertrouwen dat Hij voor haar zou zorgen. Maar het leven was zo zoet! Sarahs hart was vol van liefde voor de andere mensen op aarde, haar vader en zoon en Snow en Will. Het zien van haar moeders graf had haar aan de hemel herinnerd, waar ze ooit allemaal verenigd zouden zijn, maar voorlopig wilde ze hier zijn.

Hier. Sarah had zoveel te doen. Ze moest de winkel runnen, de winterse kou en Kerstmis benutten om zoveel mogelijk dekbedden te verkopen. Sarah wilde Snow helpen bij het lijmen van de breuk met haar moeder; er moest tussen die twee iets mis zijn gegaan, anders zou Snow zich nooit in het vliegtuig hebben verstopt om weg te zijn met Thanksgiving. Haar vader en tante Bess hadden hulp nodig, de financiële steun die ze hun zou blijven geven. In gedachten zag ze Mike voor zich. Alleen al door aan hem te denken ging ze sneller ademhalen. Ze moest haar zoon een zetje in de goede richting geven.

En Will. Op dit moment had Sarah hem nodig. Haar hart klopte snel, en haar handen voelden koud. IJskoude lucht blies door de kieren van de oude ramen naar binnen. Buiten schuifelde haar vader achter de ganzen aan de rode schuur binnen. Met haar voorhoofd tegen de bevroren ruit bleef Sarah kijken tot hij uit het zicht verdween. De eerste ster twinkelde aan de donkerende hemel.

Langzaam draaide Sarah zich om van het raam, en ze liep naar de trap. Het was stil in huis. Tante Bess deed haar middagdutje, en de kinderen waren op zolder. Sarah hoorde muziek, hoorde Mike en Snow lachen. Met het gevoel dat ze iets stiekems deed, klopte ze op Wills deur.

'Binnen,' riep hij.

Sarah glipte de kamer binnen en deed de deur zacht achter zich dicht. Het was donker in de kamer, afgezien van de ramen met uitzicht op zee. Will lag op het bed, op de dekens. Misschien had hij liggen lezen en was hij in slaap gevallen; een opengeslagen boek lag naast hem. Het klopje op de deur had hem gewekt.

Hij plantte een elleboog onder zijn hoofd en keek haar aan. 'Alles in orde?'

Sarah knikte en liep naar het bed. Ze had niet uit kunnen leggen waarom, maar ze had een brok in haar keel. Zonder iets te zeggen bleef ze naast het bed staan.

Will schoof opzij en spreidde zijn armen, en Sarah kwam naast hem liggen. Hij nam haar in zijn armen, en ze voelde zijn warme lichaam tegen het hare. De kracht die er van hem uitging was onvoorstelbaar. Ze moest er bijna om lachen.

'Weet je wat nou zo gek is?' vroeg hij terwijl hij haar rug streelde.

'Nou?' fluisterde ze.

'Ik hoopte al dat je naar me toe zou komen.'

'Echt waar?'

'Ja. Vlak voordat ik indommelde, dacht ik bij mezelf: misschien komt Sarah me wel wakker maken.'

'Het voelde ook heel gek om naar je kamer te sluipen.'

'Ik weet het.' Hij drukte haar tegen zich aan. 'We gedragen ons meer als kinderen dan de kinderen.'

Boven op zolder hadden hun tieners de lol van hun leven. Sarah hoorde Snow gillen en Mike lachen, en ze renden rond, hun zware schoenen dreunend op de oude planken.

'Hoe lang hebben we nog voordat we gaan eten?' Will kuste haar voorhoofd, haar wangen.

'Uren,' zei ze, en haar handen gingen over zijn borst. 'Zeker twee.'

Hij trok haar trui over haar hoofd, en zij maakte de knoopjes van zijn overhemd open. Ze frunnikten aan elkaars riemen, en Will maakte de rits van Sarahs spijkerbroek open terwijl zij de vijf knoopjes van zijn gulp losmaakte.

Allebei in ondergoed kropen ze onder het dekbed. Het bed was lekker warm van Wills dutje. Ze kropen dicht tegen elkaar aan, en Sarah voelde zijn vingers op haar rug, ze gingen langs haar ruggengraat omlaag en schoven onder het elastiek van haar slipje. Hun monden zochten elkaar, en ze kusten, van top tot teen tegen elkaar aan.

Wills handen ging omhoog naar Sarahs schouders, en vonden het litteken. Sarah verstijfde zodra hij het aanraakte. Haar ogen vlogen open, en hij onderbrak de kus en opende zijn ogen. Ze vroeg zich af wat hij dacht. Sarah schaamde zich. Ze was blij dat het licht uit was.

'Ik ben geopereerd,' zei ze. 'Voor de hersentumor.'

'Dat is het litteken.'

'Ja. Ik vind het vreselijk. Doe maar gewoon alsof het er niet is.'

'Het hoort bij jou, dus is het mooi.'

'Als je het zou kunnen zien, zou je weten dat het allesbehalve mooi is.'

'Laat het me zien, dan zal ik het bewijzen.'

Ze schudde haar hoofd. Niemand behalve artsen en verpleegsters hadden de littekens gezien. In de periode dat ze werd bestraald was haar hoofdhuid geïnfecteerd geraakt. De infectie had zich uitgebreid naar haar schedel, met een ontsteking van het beenmerg als gevolg. Dokter Goodacre had het bot open moeten maken en een stukje van haar schedel moeten verwijderen. Hij had een grote snee moeten maken om bij de schedel te kunnen en de bloedtoevoer om te leggen. Sarah had weliswaar plastische chirurgie gehad, maar er waren nog steeds littekens.

Het was zo lelijk. Sarah wist dat ze nooit meer een badpak zou kunnen dragen. In warme zomers was ze blij met airconditioning, want dan kon ze zich tenminste helemaal aankleden en haar rug en schouders verbergen.

'Laat het me zien,' drong hij aan. 'Heus, Sarah, het kan.'

'Ik wil het wel, maar ik ben bang.'

'Je hoeft niet bang te zijn.'

'Het is afzichtelijk,' zei ze.

'Dat geloof ik niet,' fluisterde hij.

Al voordat hij was uitgesproken, strekte Sarah haar hand uit naar het bedlampje en trok aan het koordje. Ze ging rechtop zitten en boog haar hoofd naar voren, zodat hij het hele ding zou kunnen zien. Terwijl hij haar met zijn ene arm bleef vasthouden, leunde Will naar achteren. Ze kon voelen dat hij zijn adem inhield, probeerde om niets te laten blijken. De eerste keer dat Meg Ferguson het verband had verwijderd, was ze in tranen uitgebarsten.

'O, Sarah,' zei Will.

Hij kon niet doen alsof. Het was zo vreselijk, haar verminkte rug, met een bypass, lelijk en dik, om de bloedstroom van haar rug naar haar hoofd te leiden. Hij boog zijn hoofd naar haar rug en kuste haar huid. Ze voelde dat hij trilde, huilde terwijl hij haar rug en schouders en hals kuste. Zijn gezicht was nat van de tranen, en ze proefde het zout toen haar lippen de zijne vonden. Mond op mond klampten ze zich aan elkaar vast in het oude bed.

'Het is vreselijk, ik weet het,' zei ze.

'Het heeft toch je leven gered?'

'Ja,' fluisterde ze.

'Dan is het mooi. Precies zoals ik zei.' Hij streelde haar lichaam, liet haar weten dat hij van haar hield. Ze voelde het in zijn handen. Ze raakten haar aan alsof ze fragiel en waardevol was, alsof hij het als zijn verantwoordelijkheid beschouwde om ervoor te zorgen dat ze nooit meer pijn zou hebben.

Sarah voelde dat ze zich stukje bij beetje begon te ontspannen, hem stapje voor stapje begon te vertrouwen. Zeke had haar zo wreed bedrogen dat ze sindsdien nooit meer iemand echt had vertrouwd. Sarah lag tegen Wills borst en er ging een lange huivering door haar lichaam. Alle spanning en angst ebden uit haar weg. Ze gaf zichzelf aan hem, vanuit het diepst van haar hart, op een manier waarop ze het nog nooit had gedaan.

Sarahs litteken was haar geheim. Het tekende haar, als een landkaart van haar ziekte. Het herinnerde haar aan leven en dood, zodat ze er altijd bang voor was geweest. Maar opeens leek het een gift, een andere manier om zichzelf bloot te geven voor Will. Ze kuste hem zo teder. Het was nieuw voor haar, dit gevoel dat elke centimeter van haar lichaam tot leven kwam, en ze zich bewust was van elke aanraking, elke ademhaling tegen haar huid.

Hun lichamen waren niet jong, maar wel sterk en vol hartstocht. Sarah had smalle heupen met een lange taille en hoge, kleine borsten. Haar benen waren lang en sterk, en toen Will ze streelde, de binnenkant van haar dijen aanraakte, moest ze vreemd genoeg denken aan het lopen van een marathon, en Will die er was als ze over de finish kwam.

Ze kuste hem overal, verkende zijn sterke lichaam. Hier en daar had hij littekens, geen enkel zo erg als de hare, maar ze vertelden allemaal een verhaal, en ze verheugde zich erop om ze te horen. Maar nu lag ze naast hem in bed, keek ze in zijn ogen toen hij zich over haar heen boog.

Ze waren volmaakt op elkaar afgestemd. Zo'n soort band had Sarah nooit eerder gevoeld. Will hoefde niet te vragen wat ze fijn vond, hij wist het gewoon. Behoedzaam nam hij de leiding, hij liet haar weten dat ze veilig was, zweepte haar passie op. Ze verloor zich in het moment, gaf zich volledig aan hem over.

Het beddengoed raakte in de war, en de springveren van de matras kraakten. Sarah moest er bijna om lachen, maar ze was te ver heen. Ze greep Will vast, keek in zijn ogen terwijl hij in haar bewoog, en met haar benen om hem heen geslagen drukte ze haar nagels in zijn spieren.

Hier droom je nou van, dacht ze. Je fantaseert dat je je zo zult voelen met een man, zo verbonden dat je niet weet waar jouw lichaam ophoudt en het zijne begint. Die blik in zijn ogen, zo heftig en vol liefde, allemaal voor jóu. Sarah kreunde, probeerde haar hoofd opzij te draaien, haar blik af te wenden, zovéél was het. Maar dat kon ze niet. Steeds riepen Wills ogen haar terug.

'Hou vol,' zei hij. Hij glimlachte toen ze hem aankeek. Hij lokte haar mee, bedreef de liefde met haar in haar ouderlijk huis, en probeerde het zachtjes te doen zodat niemand hen zou horen. In gedachten zag ze de anderen voor zich, alle mensen onder dit dak, en ze verbeeldde zich dat ze allemaal luisterden naar de krakende veren, maar Will verdreef haar zorgen. Hij bracht zijn hoofd omlaag naar het hare, kuste haar, en met hun hete monden geopend begon hij sneller te bewegen. Met zijn lippen bij haar oor fluisterde hij: 'Blijf bij me, Sarah.'

Meer hoefde ze niet te horen. Het huis vloog weg. Ze waren met elkaar alleen in de woestijn, miljoenen kilometers bij de zee vandaan, sterren flonkerden aan de hemel, en ze zakten weg in het warme zand. Sarah en Will waren innig verstrengeld, alsof ze elkaar nooit meer los zouden laten, en hun liefde voor elkaar was volkomen, hard als ivoor en zacht als room.

Ze was door het dolle heen. Ze kraste met haar nagels over zijn rug, smeekte hem om een kus, tilde haar heupen op en voelde hem dieper in zich stoten. Al die maanden had ze haar lichaam meegesleept, een gedeukt valies dat haar geest bevatte, maar nu genoot ze ervan. Haar lichaam trilde en vibreerde. Alles wat een vrouw voelen kon gebeurde tegelijk, het kwam omhoog uit een wonderlijk plekje in haar onderbuik waarvan ze het bestaan niet had geweten.

'Will,' zei ze, gewoon om zijn naam te horen, om er zeker van te zijn dat hij er nog was. Er lag een waas van zweet over haar huid, haar hart bonsde, en haar ademhaling kwam met horten en stoten terwijl ze haar hoofd heen en weer bewoog.

'Sarah,' zei hij, klaarblijkelijk om dezelfde reden. Zijn haar viel in haar ogen. Zijn ogen glinsterden van een waanzinnige hartstocht, getemperd door pure liefde, zodat Sarah zich afvroeg of hij nog wel wist waar hij was.

Ze voelde het opkomen als een goederentrein. Diep binnen in haar, in een plekje achter haar navel, rommelde een orgasme. Het begon en ging weer weg. Sarah probeerde aan niets meer te denken, maar daardoor werd ze zich er juist van bewust dat ze het probeerde. Ze probeerde bewust niet te denken aan kinderen en ouders en dit huis en het vliegtuig en de dokter en een lichte pijn en... te veel.

'Sarah,' zei Will, zijn ogen geopend. Ze keken elkaar aan, ze voelde zijn lippen op de hare, en de gedachten vervlogen. Alle gedachten, en dit keer hoefde ze er niet haar best voor te doen. Haar lichaam vertelde haar wat ze moest doen. Zij en Will waren samen, echt samen, en hun lichamen deden het werk. Sarah dacht nergens meer aan.

Het werd sterker, dat rommelen, en haar benen begonnen te trillen. Een weldadig gevoel van genot verspreidde zich door haar onderlichaam, het begon diep vanbinnen en verspreidde zich, eerst ongrijpbaar, alsof het zo weer op kon houden, maar toen sterker. Het gevoel nam bezit van haar, en het zou niet meer weggaan zolang ze Will bleef aankijken.

Hij was zo hard, en vulde haar zo diep, en haar borsten streken met elke stoot langs zijn brede borst. Ze kreunde van het verrukkelijke gevoel in haar tepels, en het versterkte het gevoel in haar onderbuik. Eerst was het een algehele warmte geweest, maar nu werd het gerichter. Heel laag, diep binnen in haar lichaam, en het schonk haar zo'n ongelooflijk genot dat het bijna ondraaglijk was.

Nu gingen zij en Will gelijk op. Ze hielden elkaar vast, beminden elkaar met hart en ziel en lichaam. Het kwam allemaal uit hetzelfde voort, besefte Sarah, de verbintenis van twee verliefde zielen die elkaar na een

eeuwigheid zoeken hebben gevonden. Ze wilde alles: liefde, gezondheid, leven, deze kans om de liefde te bedrijven. Maar pas toen ze zich
liet gaan, ophield te willen, ophield na te denken, gebeurde het. Met
haar benen rond het lichaam van de man die ze beminde, sloeg de ver-
getelheid toe, kon ze elke voorzichtigheid in de wind slaan en haar zelfbeheersing laten varen. Het kwam zo hard en snel dat het nauwelijks tot
haar doordrong welke woorden er uit haar mond en de zijne kwamen:
'Ik hou van je, ik hou van je.'

Hoofdstuk 17

Er bestond op Elk Island maar één manier om kreeft te bereiden: gestoomd in zeewier. Het was laagtij, dus Mike en Snow boden aan om zeewier en mosselen te gaan zoeken in de baai. Iedereen plaagde Mike, ze zeiden allemaal dat hij een zwemvest mee moest nemen, en niet moest vergeten om zijn sneeuwschoenen uit te trekken voordat hij een duik nam. Sarah was blij, en verbaasd, dat hij de plagerijtjes zo sportief opvatte. Haar zoon deed dan wel alsof hij van ijzer en staal was, maar vanbinnen was hij erg gevoelig.

'Het is een nieuwe sport,' zei hij. 'Echt iets voor de Olympische Spelen.'

'De winterspelen,' verduidelijkte Snow.

'Precies. Sneeuwschoenen zijn niet verplicht, maar je moet door het ijs zakken en op je voeten landen. Wie er levend uitkomt wint een medaille.'

'Mike Talbot wint goud met door-het-ijs-zakken.' Snow hield een zoutvaatje vast alsof het een microfoon was.

'Misschien,' zei Mike tegen niemand in het bijzonder, 'moet de gouden medaille eigenlijk naar je vader.'

Perplex keek Sarah hem aan.

'Dat heb je goed gezegd,' zei George. 'Maar de vloed komt opzetten, dus als jullie niet snel zijn zitten we straks zonder zeewier.'

'Ga je met ons mee, George?' vroeg Snow, en ze trok aan zijn hand. 'Laat ons de beste plekjes zien om mosselen te zoeken.'

'Dat weet Mike wel. Hij laat het je wel zien.'

'Ah, toe,' smeekte Snow. 'Laten we met zijn allen gaan.'

Sarahs vader en de kinderen trokken laarzen en jassen aan en gingen naar de baai. Tante Bess ging de keuken uit. Will liep naar het fornuis en sloeg zijn armen om Sarah heen. Hij kuste haar hals en nek. Sarahs huid tintelde, en het liefst wilde ze Will bij de hand nemen en naar boven gaan.

Hij droeg een oude spijkerbroek en had zijn overhemd niet ingestopt. De stof voelde zacht onder haar handen, en zijn armen waren sterk en gespierd. Sarah kuste hem op de mond, en leunde met gesloten ogen achterover. Maar er viel iets, tante Bess schraapte haar keel, en ze waren niet meer alleen.

'Ik help u wel.' Will liep naar haar toe om de grote doos van haar over te nemen.

'Bedankt,' zei ze. 'Ik wilde eigenlijk alvast met de kerstversiering beginnen, maar dat kunnen jullie met zijn tweeën ook wel. Sarah weet waar alles hoort.'

'Blijf nou hier, tante Bess,' zei Sarah.

Bess schudde haar hoofd. Met een raadselachtige glimlach keek ze van Sarah naar Will. Sarah wist dat ze hen alleen wilde laten. Ze had hen betrapt.

'Discreet,' merkte Will op, en toen tante Bess in haar naaikamer verdween, sloeg hij een arm om Sarah heen.

'Zeker,' beaamde Sarah.

'Laten we die doos openmaken,' stelde Will voor.

Elke versiering betekende iets. Er waren glazen ballen van haar moeders tante in Engeland, engelen van haar grootmoeder, kleine schelpjes aan een rood lint, gemaakt door Sarah toen ze tien was.

'Deze heb ik al heel lang niet gezien.' Ze hield een glazen engel omhoog. De moeder van haar moeder had ze haar ouders cadeau gedaan in het jaar dat Sarah geboren was, vlak voor haar dood; elk jaar weer had haar moeder haar eraan herinnerd.

'Wanneer ben je hier voor het laatst met Kerstmis geweest?' vroeg Will.

Sarah sloot haar ogen en dacht na. 'Heel lang geleden. Voor Mikes geboorte.'

'Nam je hem dan nooit mee naar het eiland om Kerstmis te vieren?'

'Dat wilde ik niet.'

'Waarom niet?'

'Het herinnerde me aan alles wat wij niet hadden. Een gezin, een vader voor Mike. In Boston was het makkelijker, daar zijn meer alleenstaande ouders.'

'Dat moet heel naar voor je zijn geweest,' zei Will. 'Je houdt zo van dit eiland.'

'Dat is waar,' zei Sarah, tegen hem aan geleund. Ze voelde zijn ademhaling op haar hoofd en kroop dichter tegen hem aan. 'Ik hou erg veel van dit eiland, maar ik kon het lange tijd niet opbrengen om terug te gaan.'

'Ik ben blij dat ik je terug heb gebracht.'

'Ik ook.'

Ze gingen naar buiten om takken te snijden. Het was heel koud, en hun adem vormde witte wolkjes. Will had een mes in de zak van zijn spijkerbroek, en dat gebruikte hij om takken af te snijden van een rij dennen op het veld. Sarah kwam achter hem aan met de takken in haar armen. Ze kreeg tranen in haar ogen, ze kon het niet helpen. Ze kon gewoon niet geloven wat er met haar gebeurde, dat ze een huis versierde voor Kerstmis met een man die haar wilde helpen, een man van wie ze hield.

'Genoeg?' vroeg hij gebarend naar de takken.

'Meer dan genoeg.'

Hij nam de takken van haar over en ze gingen terug.

Ze versierden de schoorsteenmantel met dennentakken, en legden er kerstballen tussen. Sarahs moeder had met Kerstmis altijd overal een rood lint om gedaan, om de dennentakken, de koperen kandelaars en alle lampen, maar Sarahs handen trilden te erg. Ze voelde zo'n intense emotie, zoveel passie en geluk.

'Wat is dit?' Will haalde een uit papier geknipte versiering uit de doos.

'O.' Wat ze zag sneed door haar heen.

Mikes ster. Hij had hem gemaakt toen hij in de eerste klas zat. Ze woonden toen in Boston, en ze wilde haar vader iets sturen met de kerst. Sarah had een ster uitgeknipt uit karton, en Mike had de ster ingekleurd met kleurpotlood. Ze waren naar Swampscot gereden, hadden daar zand en kleine schelpjes en stukjes zeewier verzameld, en daarmee hadden ze de ster versierd. Sarah had er lak over gespoten. Samen hadden ze de ster verstuurd.

'Die heeft Mike gemaakt toen hij zes was,' vertelde Sarah.

'Het is een mooie ster.'

'Mijn vader heeft hem bewaard.'

'Waarom vind je dat zo vreemd?'

'Hij kan soms zo kwaad zijn,' zei Sarah. 'Ik denk altijd dat hij alles weggooit.'

'Ik vraag me af waarom,' zei Will. 'Je ziet toch hoe hij hier woont. Hij verzamelt alles uit het verleden om zich heen.'

Sarah gaf geen antwoord. Ze keek om zich heen en wist dat Will gelijk had. Kwam het doordat ze zich zelf soms weggegooid voelde? Doordat haar vader zo ontstemd was geweest toen ze het eiland verliet om in Boston te gaan wonen, in verwachting was geraakt, voor het altaar in de steek was gelaten? Nu ze naar Mikes ster keek, wist ze dat hij haar niet had weggegooid. Ze was zelf weggegaan.

'Ik veroordeel hem te snel,' zei Sarah.

'Nee, je veroordeelt jezelf, Sarah.'

Ze keek hem aan, deze man die haar zo goed leek te kennen, en wenste uit alle macht dat hij haar uit kon leggen hoe ze zelf in elkaar zat. Haar hart klopte snel, en de pijn in haar rug leek erger te worden.

'Je durft niet te geloven hoeveel mensen van je houden,' zei Will zacht, met zijn armen nog steeds om haar heen.

'Denk je dat?'

'Je vader, je zoon. Vertrouw er nou maar op.' Will streelde haar haren.

'Hoe kan ik dat nou?'

'Ze houden van je, Sarah,' verzekerde hij haar. 'Ze kunnen het alleen niet laten blijken.'

'Als ik het niet zie,' zei ze, 'hoe weet ik dan dat het er is?'

Will hield haar gezicht tussen zijn handen. Hij keek haar recht in de ogen, zijn uitdrukking ernstig en doordringend. Hij bleef haar zo lang aankijken dat ze begon te glimlachen. Seconden tikten weg, een volle minuut.

'Wat?' vroeg ze lachend.

'Ik wilde ervoor zorgen dat je het kunt zien,' zei Will.

'Wat moet ik zien?'

'Dat ik er ben,' zei hij.

Mike waadde naar een getijdepoeltje en vulde een rieten mand met zeewier. Het zeewater voelde koud door zijn dikke rubberlaarzen, maar lang niet zo koud als het bevroren meertje. Het was vreemd, ze waren hier op het noordelijkste puntje van de Atlantische kust, en toch was het zeewater nog warm. Mike had een paar oude vissers gevraagd waardoor dat kwam, en ze hadden hem uitgelegd dat het met de Golfstroom te maken had.

Mike voelde er niets voor om kreeftenvisser te worden, maar hij speelde wel eens met de gedachte om oceanograaf te worden. Hij hield van de zee, en miste in Fort Cromwell het water. Hij wilde de getijden en stromen bestuderen, kreeften en walvissen, hij wilde begrijpen waarom de kust in Maine rotsig was, terwijl Florida zandstranden had. Hij wilde dezelfde informatie gebruiken die de kreeftenvissers nodig hadden, maar dan op een andere manier.

In stilte koesterde Mike zoveel dromen. Zijn grootvader had een abonnement op de *National Geographic*, en hij kon uren in oude jaargangen lezen. Hij had geleerd wat culturele antropologie was, en dat interesseerde hem bijzonder. Je kon de gebruiken van allerlei soorten mensen bestuderen, ontdekken waarom ze leefden zoals ze leefden. Het leek Mike spannend om de kreeftenvissers van Elk Island te observeren, en hen te vergelijken met die in Matinicus. Zo kon hij misschien ook zijn vader beter leren kennen.

Of misschien werd hij wel gewoon ganzenfokker. Hij kon de farm overnemen, ganzen fokken, en op het land werken. Hij kon ganzen verkopen en donzen dekbedden laten maken. Wel zou hij dan iemand anders aannemen om de ganzen te slachten.

'Hé,' riep zijn grootvader, gebarend naar Snow. 'Kijk hier eens.'

Ze waadden door ondiep water en bukten zich om te zien waar hij op wees.

'Mosselen!' riep ze uit.

'De grootste kolonie op het eiland. Mondje dicht!' waarschuwde hij.

Mike glimlachte. Zijn grootvader was geweldig. Hij heerste als een koning over zijn land. Hij wist precies waar alles was, en benutte alles wat hij had. In de lente van dat jaar had hij Mike de struisvarens laten zien. Ze groeiden in de schaduw op het veen, en de bladeren waren zo strak opgekruld dat je ze nauwelijks kon zien. Mike en zijn grootvader hadden er een paar geplukt, de bladeren in boter gebakken, en het was een feestmaal geweest.

Paddestoelen. In oktober waren ze het bos ingegaan om cantharellen te zoeken, kleine lichtbruine paddestoelen die Mike zonder de wijze lessen van zijn grootvader niet van de giftige variant had kunnen onderscheiden. 'Deze zijn erg lekker,' had opa gezegd, en hem er een aangegeven. Vervolgens had hij hem de giftige paddestoel laten zien. 'Hier ga je van kotsen, en dan ga je dood.' Toen ze thuiskwamen had tante Bess de cantharellen klaargemaakt met dikke room, en ze op toast geserveerd. Mike wist nu dus het verschil.

De mosselen waren blauwzwart, de kleur van de avondhemel. Iedereen raapte er een paar, en die gingen in een aparte mand. Dit kon van hem zijn, wist Mike. Dit leven van mosselen rapen aan de rand van de Atlantische Oceaan, tachtig hectare glooiende heuvels en dennenwoud, en een wit huis dat al meer dan een eeuw in de familie was. Elk Island zat in zijn bloed.

'Kijk eens!' brulde zijn grootvader opeens.

Ze richtten zich op, deden zeewier en mosselen in de manden, en staarden omhoog. Koud vuur danste langs de hemel. Daar, in het noorden, boven het huis, was het noorderlicht.

'Wat is dat?' vroeg Snow eerbiedig.

'Heb je dat dan nooit gezien?' vroeg George.

Zwijgend schudde ze haar hoofd. Mike kwam dichterbij staan, zodat zijn arm de hare kon raken terwijl ze voor het eerst dit uitzonderlijke fenomeen zag. Het flakkerende schijnsel was goud en groen, een woud van hemelse kerstbomen. De bomen trilden, bogen door in de een of andere sterke wind. Als Mike oceanograaf was, kon hij dit verschijnsel bestuderen. Hij zou zich specialiseren in de wateren van Maine, en alles wat er aan de waterkant gebeurde, zelfs atmosferisch, hoog in de lucht, kon hij bij zijn onderzoek betrekken.

Hij vroeg zich af of je oceanografie kon studeren aan het Marcellus College. Dat het aan de universiteit van Cornell kon wist hij vrij zeker.

'Wat is het?' vroeg Snow nog een keer.

'Vertel het haar, Mike.'

'Het noorderlicht,' zei hij met zijn blik op de hemel gericht. 'De aurora borealis.'

'Dat kan niet!' protesteerde Snow.

'Mooi wel.' George klonk voldaan, alsof hij dit speciaal had besteld, alsof hij heer en meester was van het land, en alles erop, eronder en erboven. Als hij cultureel antropoloog werd, kon hij zijn grootvader bij het onderzoek betrekken. De oude boeren uit Maine en hun manier van leven. Mike kon een boek over hem schrijven.

'De aurora borealis! Jeetje!' riep Snow uit. Ze schoof de mouw van haar jas omhoog en tuurde naar haar horloge. Het was te donker om iets te kunnen zien, maar ze bleef het proberen.

'Waarom kijk je nou naar je pols?' vroeg George geërgerd. 'De show is daarboven.'

'Ik wil weten hoe laat het is,' legde Snow uit.

Mike kwam vlak naast haar staan. Zijn moeder had hem voor zijn vijftiende verjaardag een Timex Indiglo gegeven, en als je op een knopje drukte, verscheen de tijd op een verlichte wijzerplaat. Hij hield zijn pols voor Snows gezicht, drukte op het knopje, en daar verscheen de tijd, keurig verlicht, voor haar alleen. Het was maar goed dat het al zo donker was, anders zou ze zien hoe rood hij werd.

'Achttienhonderd uur,' stelde ze vast.

'Zes uur precies.'

'Ik heb voor het eerst het noorderlicht gezien op dertig november, om achttienhonderd uur.' Snow bleef Mikes pols vasthouden, ook al wist ze nu hoe laat het was. Dat meisje was werkelijk fantastisch, dacht Mike. Toen hij Snow voor het eerst had gezien, was hij compleet overdonderd geweest, en nu voelde hij zich weer zo.

'Achttienhonderd uur.' Mike vond het cool om een meisje te kennen dat praatte als een marinier.

'Laten we je moeder gaan halen,' opperde George, al onderweg naar het huis. 'Dit moet ze zien.'

Mike treuzelde. Snow bleef bij hem, en samen keken ze zijn grootvader na.

'Snow,' zei hij.

'Wat?' hijgde ze ademloos.

'Niets.' Mike boog zijn hoofd om haar te kussen. Het was niet de eerste keer dat hij een meisje kuste, maar het was wel de eerste keer dat hij Snow kuste. Met haar kleine handen greep ze de mouwen van zijn jack beet, en haar gewicht trok hem omlaag alsof haar knieën het hadden begeven. Het noorderlicht was op slag vergeten; Mike zag sterretjes.

Iedereen was naar buiten gekomen om het noorderlicht te zien, maar gelukkig kon niemand Snows gedachten lezen. Mijn eerste kus, dacht ze. Mijn eerste kus, Mike Talbot, mevrouw Talbot. Ze stond tussen Sarah en haar vader in, een paar stappen bij Mike vandaan, en ze glimlachte onafgebroken. Haar lippen tintelden, alsof ze er Dampo op had gesmeerd.

'Ach, Heer!' herhaalde tante Bess keer op keer, haar oude handen gevouwen. 'Ach, Heer!'

'Alsof we het hier niet vaak genoeg zien,' mompelde George.

'Elke keer voelt het weer als de eerste keer.' Bess staarde naar de hemel.

'Je bent toch geen jong meisje meer, Bess,' mopperde hij. 'Zien we het hier soms niet vaak genoeg, Mike? Dit soort voorstellingen krijg je niet in New York, hè?'

'Het is echt prachtig,' zei Mike. Snow glimlachte om zijn diplomatieke antwoord. Hij was zo volwassen. Door dit antwoord te geven, spaarde hij de gevoelens van tante Bess, die van George, én die van zijn moeder.

Snow schuifelde naar hem toe, liet haar arm zakken achter zijn been, vond zijn bungelende hand en raakte zijn vingers aan. Zijn hand sloot zich rond de hare, en opeens stond ze hand in hand met Mike Talbot. Terwijl iedereen erbij was! Ze voelde het bloed naar haar hoofd stromen.

'Papa,' zei Sarah, 'weet je nog dat jij en ik een keer terugkwamen met de boot? We waren wezen vissen en we kwamen de baai binnen – '

'Nou, en of ik dat nog weet,' zei George. 'Het licht was rood die avond. We zagen het vanaf het water, alsof het huis in brand stond.'

'Het was zo mooi,' zei Sarah, dit keer alleen tegen Will. Haar hoofd lag in haar nek, en met een verliefde glimlach in haar ogen keek ze naar hem op. En Will keek naar haar. Hij zag er een beetje verloren uit, zijn ogen glinsterend van liefde. Snow fronste haar wenkbrauwen toen ze het zag. Ze wist niet goed wat ze ervan moest denken.

Maar Mike schoof zijn vingers tussen de hare, en weer voelde Snow die warme golf.

'We zien het noorderlicht hier tot april, is het niet, Mike? Of zouden we het weer tot mei kunnen zien, net als dit jaar?' George staarde naar de verstrengelde handen van Mike en Snow, staarde ernaar alsof hij röntgenogen had en het contact wilde verpulveren.

'Dat weet je nooit van tevoren, opa. Dit jaar was het half mei toen we het voor het laatst zagen,' zei Mike. Hij hield zich op de vlakte, deed geen beloften dat hij op het eiland zou blijven. Snow meende uit zijn antwoord zelfs op te maken dat hij van plan was om weg te gaan.

'En zo gaat het weer!' riep George uit. 'In de lente staan we hier straks van het noorderlicht te genieten terwijl de mensen in de staat New York alleen maar naar de vervuiling kunnen kijken. Ja, toch, Mike?'

'Aurora is een mooie naam,' zei Snow, gedeeltelijk om Mike uit de brand te helpen. Ze had nog niet besloten hoe ze zichzelf straks ging noemen, en ze vond 'Aurora' mooi. Jammer dat het niets met Fred te maken had.

'Ja, toch, Mike?' drong George op gespannen toon aan.

Tante Bess klapte in haar handen. 'Kom op, allemaal,' zei ze. 'De kreeft moet in de pan. Laten we naar binnen gaan.'

'Kreeft en het noorderlicht,' bromde George, en zijn blik ging van de verstrengelde handen naar Mikes ogen, alsof hij wist dat hij de strijd om hem hier te houden zou verliezen. 'Twee dingen die nergens beter zijn dan in Maine.'

'Ik weet het, opa,' zei Mike hulpeloos, niet in staat hem gerust te stellen. Wel liet hij Snows hand los om zijn grootvader op de schouder te kloppen.

Snow kromp een beetje ineen, en ze probeerde zich niet gekwetst te voelen. Maar iemand kwijtraken, zelfs een beetje, zelfs voor even, voelde vreselijk. Ze wist niet waarom ze zich zo eenzaam voelde toen Mike zijn hand weghaalde. Ze werd omringd door mensen van wie ze hield, en toch voelde Snow een holte diep vanbinnen. Door die leegte deed haar hart pijn, en ze kreeg het heel erg koud. Ze knipperde mysterieuze tranen weg. En het hielp niet, helemaal niet, dat ze naar haar vader keek en zag dat hij heimelijk Sarahs hand vasthield, zonder dat iemand het zag, precies zoals Snow en Mike daarnet hadden gedaan.

Niemand wist precies hoeveel minuten kreeft gestoomd moest worden, maar dat was niet erg. De Talbots hadden zo vaak kreeft klaargemaakt, ze wisten het instinctief. Eerst werden de sint-jakobsschelpen en de mosselen gedaan, en die werden dampend op tafel gezet met schaaltjes gesmolten boter. Daarna kwamen de kreeften, vuurrood en feestelijk op een grote schaal. Er waren gepofte aardappels voor iedereen, en een extra voor Snow. Sarah controleerde of er genoeg boter was, en glimlachte intussen onophoudelijk naar Will.

'Kreeft uit Maine en aardappels uit Maine. Wel eens in Aroostook County geweest?' vroeg haar vader. 'Daar komen de beste aardappels van het land vandaan.'

'Ik niet,' zei Snow.

'Ik ook niet,' zei Will.

'Uitgestrekte aardappelvelden, daar in Aroostook.' George leunde voorover naar Mike. 'In de lente neem ik je er mee naartoe. We drijven de extra katten bij elkaar en die laten we daar los. Prima ratten in Aroostook.'

'Wat zijn de extra katten?' vroeg Snow beleefd, en ze keek om zich heen in de keuken. Katten in alle maten en kleuren waren binnengekomen uit de velden en de schuur. De geur van kreeft lokte. De brutaalsten waren tot vlak bij de tafel geslopen en staken nu en dan sluw een poot uit naar de schaal met lege schelpen. Katten met minder lef hielden zich schuil in de schaduwen, achter het haardijzer, en op de kasten. Het waren er misschien wel dertig.

Sarah glimlachte. 'Deze katten zijn nakomelingen van Desdemona, mijn moeders poes toen ze jong was.' Ze brak een stukje kreeft af en voerde dat aan de broodmagere zwarte kat die langs haar benen streek.

'Dat heb ik heus wel gezien,' zei haar vader dreigend.

'Sorry,' zei ze.

'Dat heb je altijd gedaan, dieren voeren,' zei hij. 'Terwijl je beter weet. Hoe vaak heeft je moeder niet gezegd dat nette mensen dat niet doen?'

'Ik vergeet het steeds.' Na haar gesprek met Will was ze extra welwillend tegen haar vader.

'Welke katten zijn dan extra?' drong Snow aan.

'Ze zijn allemaal extra,' zei George. 'Al vielen ze allemaal in de put, ik vind het best.'

Sarah voelde het humeur van haar vader snel kelderen. Ze at een stukje kreeft en kauwde langzaam. Dit was hun laatste gezamenlijke maaltijd, en haar vader voelde het. Hij nam een hap kreeft en zijn hele gezicht vertrok.

'Bah,' zei hij, en spuugde de hap uit in zijn servet.

'Wat is er nou, George?' vroeg Bess.

'Dit is niet te eten. Hillyer heeft ons allemaal mannetjes gegeven, en hij weet dat vrouwtjes het zoetste vlees hebben. Hier, poes.' Hij zette zijn bord op de grond, en twee grote bruine katten begonnen te vechten om de buit.

'George!' riep Bess ontzet uit.

'Ik dacht dat het niet netjes was om katten te voeren, opa,' grapte Mike.

'Heb jij soms recht van spreken?' Hij schoof zijn stoel naar achteren. 'Je bent hier alleen maar op bezoek. Hou je mond over de regels van het huis als je niet van plan bent om te blijven.'

'Opa...' begon Mike met een rood hoofd.

'Nou?' zei George. Hij had de stoel omgegooid, maar bukte zich niet om hem op te rapen. Will boog zich opzij en zette de stoel weer overeind. Sarah bleef haar vader aankijken, ook al voelde ze de druk van Wills knie tegen de hare.

'Papa,' zei ze zacht. 'Doe dit nou niet. Alsjeblieft.'

'Wat moet ik niet doen? Wat, alsjeblieft?' Zijn stem trilde van woede, maar zijn ogen waren nog erger. Sarah zag dat hij naar de engel van haar grootmoeder keek alsof hij het ding wilde breken.

'Wat bezielt je?' vroeg ze.

'Wat bezielt hém?' Hij wees op Mike. 'Daar gaat het om!'

'Niets, opa,' zei Mike rustig. 'Ga alsjeblieft weer zitten, dan kunnen we verder eten.'

'Omdat het de laatste keer is dat jij hier eet?'

Mike gaf geen antwoord. Sarah voelde het bonzen van haar hart. Hij had een beslissing genomen. Ze zag het aan de manier waarop hij naar zijn grootvader keek, met liefde en respect. Bess had gelijk, ze kon trots zijn op de manier waarop ze hem had opgevoed. Hij gaf om de mensen van wie hij hield, wilde hun geen verdriet doen of hen in de steek laten. Nu keek hij naar Sarah. Zijn lippen bewogen, al kon hij niet glimlachen.

'Opa,' zei Mike.

'Houden van betekent hier dat je rottigheid krijgt.' Nijdig keek George van Mike naar Snow, en toen naar Sarah. 'Ja, toch? Vertel het hem.'

'Papa, hou op. Mike moet zijn school afmaken. Jij wilt toch ook dat hij een goede opleiding krijgt? Je weet toch hoe belangrijk dat is?' De rugpijn was minder geworden, maar opeens was de spanning terug. Sarah voelde de kloppende knoop in haar onderrug.

'Heb jij soms gestudeerd, Will?' vroeg George.

'Ja, aan Trinity College!' flapte Snow eruit, en ze keek naar George alsof hij de vijand was.

'Dat klopt,' beaamde Will.

'Is dat wat je wilt, Mike?' Georges ogen stonden hard. 'Wil je terug naar school?'

Mike haalde zijn schouders op. 'Misschien.'

'Echt waar, lieverd?' vroeg Sarah verbaasd, en ze voelde een golf van opluchting.

'Ja,' beaamde hij. 'Eigenlijk wel.'

Op alle borden lagen half opgegeten kreeften. Alleen de katten hadden belangstelling voor het eten. George staarde in het vuur. Sarah kon haar ogen niet van haar zoon afhouden.

'Wat fijn,' zei tante Bess. Als Bess teleurgesteld was over Mikes vertrek, dan liet ze dat niet blijken. 'Het is heel belangrijk om je middelbare school af te maken, en een universitaire opleiding is onbetaalbaar. Niet alleen omdat je dan carrière kunt maken, maar ook omdat het je zo verrijkt. Je gaat door het leven met kennis van kunst, en muziek en... literatuur. Arthur zei altijd dat hij het nooit zover geschopt zou hebben als hij niet had gestudeerd. Ik heb alleen maar lagere school, maar reizen met Arthur was een geweldige ervaring. Alsof ik aan Pembroke had gestudeerd!'

George keek haar aan.

'Hoe komt dit?' vroeg George aan Mike. 'Ik dacht dat je hier gelukkig was.'

'Dat ben ik ook,' zei Mike.

'Ik snap het niet.'

'Ik ben hier gekomen omdat ik wilde zien waar mijn ouders vandaan komen,' legde Mike uit. 'Ik had genoeg van school en genoeg van – '

'Nou, waarvan?' wilde George weten.

'Van het leven.' Mike keek verontschuldigend naar Sarah. Zijn blik brak haar hart, want het was een onverdraaglijke gedachte dat haar zoon genoeg had gehad van het leven. En dat terwijl zij beter dan wie ook wist hoe kostbaar en vluchtig het was.

'Logisch, als je de zee niet om je heen hebt,' concludeerde George.

'Amen,' zei Snow verzoeningsgezind. George deed alsof hij het niet had gehoord.

'Toen ik hier kwam, raakte ik geïnteresseerd,' zei Mike tegen zijn grootvader. 'Meer weet ik ook niet. Dit kleine eilandje is zo afgelegen, en het is zo bijzonder. Er valt zoveel te leren. Je weet wel wat ik bedoel, zoals de walvissen tussen Elk Island en Little Gull door zwemmen. En waarom er hier in het zuiden zoveel mosselen zijn, terwijl er in Otter Cove of Kings Bight niet één te vinden is. Je moet haast een wetenschapper zijn om kreeft te vangen – '

'En verder?' vroeg Sarah.

'Verder is er het noorderlicht,' vervolgde Mike. 'Iedereen denkt dat je het alleen kunt zien als het koud is, maar dat is niet zo. Toen opa en ik het in mei zagen, was het warm. Het was die dag zesentwintig graden geweest.'

'Het komt alleen in het hoge noorden voor,' legde George nors uit. 'Met de temperatuur van de lucht heeft het niets te maken. Hoe dichter je bij de noordpool zit, des te beter is het te zien.'

'Dat bedoel ik nou,' zei Mike, die iedereen behalve zijn grootvader negeerde. 'Je vertelt me al die dingen, en ik wil er meer over leren. Ik heb nooit iemand gehad die zo met me praatte als jij.'

Sarah knipperde met haar ogen, niet in staat zich te verroeren. Ze had haar best gedaan om Mike zoveel mogelijk te stimuleren, zijn nieuwsgierigheid te prikkelen, een zucht naar kennis te wekken. Ze had met heel haar hart van hem gehouden, geprobeerd om moeder en vader voor hem te zijn, maar ze had altijd geweten dat zij alleen niet genoeg was. Mike was een echte jongen, en hij had haar moederlijke zorgzaamheid al jong vaarwel gezegd. Nu ze hem zo hoorde praten, kreeg ze tranen in haar ogen.

'Net als je *National Geographic*'s, opa... die zijn zo interessant.'

'Blij dat ik je van dienst kan zijn,' snoof George. 'Ga maar naar de zolder, dan kun je ze allemaal lezen.'

'Ik kom terug,' zei Mike. 'Dat is mijn plan. Ik wil gaan studeren, en dan wil ik terugkomen en de farm overnemen.'

'Tegen de tijd dat wij dood zijn?' meesmuilde George.

'In mijn ogen zie je er anders reuze gezond uit, George,' merkte Will op.

'De Amerikaanse iep zag er ook gezond uit,' zei George. 'Totdat de Hollandse iepziekte toesloeg.' Even keek hij veelbetekenend naar Sarah. Ze wist dat hij dacht aan haar ziekte, en hoe snel haar moeder was gestorven. Tranen stroomden over haar wangen. Ze was zo geëmotioneerd. Mike kwam thuis. Het was haar grootste wens, maar ze verdroeg het niet dat haar vader zo gekwetst was.

Ze leunde naar hem toe. 'Dankjewel, papa.'

'Waarvoor?' vroeg hij.

'Omdat je Mike zo hebt geholpen. Je hoort toch wat hij zegt! Hij wil zijn school afmaken, en dat komt door jou. Dankjewel.' Ze meende het uit de grond van haar hart, maar haar vader wilde haar niet eens aankijken.

'Stomme beesten,' mompelde hij, want de katten waren zo brutaal geweest om op de tafel te springen en aan de borden te snuffelen. De kreeft was koud geworden. De gesmolten boter was gestold, en er hadden zich plasjes zilt water gevormd op de borden.

De pijn in Sarahs rug verdoofde haar rechterbeen een beetje. Ze schudde met haar voet en raakte Snow per ongeluk aan. Toen ze naar het meisje keek om zich te verontschuldigen, zag ze Snow naar Mike kijken.

'Wat zonde dat we de kreeft weg moeten gooien,' zei Bess hoofd-schuddend. 'We hebben er bijna niets van gegeten.'

'Dat is nou zo prettig als je vegetariër bent,' merkte Snow op. 'Je voelt je niet zo schuldig als je een aardappel laat liggen.'

'Om die kreeften hoeft niemand een traan te laten,' zei George ver-bitterd. Hij stak zijn pijp in zijn mond en beet hard op de steel. 'We hebben er zat, hier in Maine.'

Hoofdstuk 18

De dag was aangebroken. Het was tijd om het eiland te verlaten. Dat was Sarahs eerste gedachte toen ze bij zonsopkomst ontwaakte. Ik heb koorts, was haar tweede gedachte. Zelfs al voordat ze haar ogen opende voelde ze de rillingen onder haar huid, de pijn in haar gewrichten en botten. Haar rug voelde niet beter na een nacht slaap. De pijn concentreerde zich aan de onderkant van haar ruggengraat en straalde uit naar haar benen en ribben. Iedereen was van streek geweest na het avondeten, en dat maakte de pijn alleen maar erger. Ze klemde haar tanden op elkaar en haalde diep adem.

Nu had ze echt koorts. Ze had er meer dan een week tegen gevochten. Ze had het onder de leden gehad terwijl ze vitamines slikte en sap dronk, frisse lucht inademde en verliefd werd. De angst voor kanker had ze heel diep weggestopt, want dit voelde als griep. Het naderende vertrek had haar weerstand verminderd; Sarah had afscheid nemen altijd moeilijk gevonden. Het leek wel of ze Elk Island altijd op een zondag verliet, en ze zag vreselijk op tegen het vaarwel, het vooruitzicht dat ze haar vader en tante Bess opnieuw achter zou laten.

Gelukkig ging Mike met haar mee. Ze kroop onder het warme dekbed vandaan en zocht haar pantoffels op de koude vloer. Ze was een beetje misselijk en huiverde van de koorts. In haar toilettas zat een strip paracetamol. Ze zou er een extra nemen tegen de rugpijn. Over twee uur zouden ze vertrekken.

George stond in de keuken op het pruttelen van de koffie te wachten. Het vuur was 's nachts uitgegaan, en het was zo koud als het graf in de keuken. Als het maandag was geweest, zou hij nu al druk bezig zijn geweest met het slachten van ganzen voor de restaurants in heel New England en andere klusjes. Dan had hij al die onzin met Sarah en Mike kunnen vergeten.

Sarah en Mike. Het kostte hem al moeite om aan hun namen te denken, zoals vroeger als hij aan de naam van zijn vrouw dacht. George moest gaan zitten. Het was nog geen zes uur en hij was nu al moe. Hij had een hele dag voor de boeg, allemaal zinloos gedoe. Een kat miauwde aan zijn voeten. Hij probeerde het te negeren, maar de kat sprong op zijn schoot.

'Wat moet je?' vroeg hij. Het was een broodmager beest met een gele vacht vol kale plekken, en de oogjes zaten bijna helemaal dicht met viezigheid.

Het dier miauwde en spon als een motor. Voor een beest dat er zo ziek uitzag, klonk hij erg gezond. George stak de kat onder zijn arm en liep naar de gootsteen. Hij draaide de kraan open en wachtte tot het water warm werd. Toen pakte hij een van Bess' schone theedoeken, hield een punt ervan onder de kraan en maakte de oogjes van de kat schoon.

Opeens had het beest zijn ogen wijd open. Hij keek met een bijna verbaasde uitdrukking op zijn schurftige snoet naar George. Het spinnen hield op, en de kat sprong uit zijn armen. George zag niet waar hij naartoe ging, zo snel stoof het beest weg. Hij hield er een kras op zijn hand aan over.

Het was geen diepe schram, maar het bloedde wel een beetje. George hield zijn hand onder de kraan. De koffie borrelde nu en bruine spetters landden op het fornuis. Net op tijd zette George het vuur uit. Hij zag de gele kat boven op de ijskast zitten. Het beest keek naar hem, en George keerde hem de rug toe.

'Stomme kat,' mompelde hij. Een jaar geleden was hij volmaakt gelukkig geweest, hij had zijn werk op de farm gedaan en samen met Bess gegeten, en had gedacht dat hij Sarah en haar zoon nooit meer terug zou zien. Ze waren niet helemaal van elkaar vervreemd, maar ze belden of schreven zelden. Laat staan dat ze op bezoek kwamen. Maar toen kwam Mike op het eiland wonen, en het leven veranderde. Het werd beter, vond George. De jongen hield hem gezelschap, er was hoop op een hereniging met Sarah, zijn eigen vlees en bloed. Sinds de dood van Rose was hij bevroren geweest, maar nu was hij ontdooid. George gaf weer om anderen.

Hij moest naar de ganzen. Zonder zelfs de moeite te nemen om een jas aan te trekken, opende hij de keukendeur en liep naar buiten. De thermometer gaf min drie graden aan. Stram en stijf liep George over de bevroren grond. Misschien moest hij dit jaar maar eens nieuwe schoenen kopen, met meer profiel. Alleen al door de gedachte aan de lange winter zonder Mike ging hij langzamer lopen. Hij kwam bij de deur van de schuur en legde zijn hand op de klink.

De klink was vastgevroren.

'Verdomme,' vloekte hij, en gaf er een harde ruk aan. Hij zette zijn voet schrap tegen de deur en greep de klink steviger vast. Zijn lichaam voelde zo oud en verzwakt, en daardoor vloekte hij nog harder. Gefrustreerd gaf hij een laatste ruk, met zijn volle gewicht, en landde plat op zijn rug.

'Stik,' zei hij met zijn gezicht naar de hemel.

'Heb je je bezeerd, opa?' Mike keek op hem neer.

'Nee,' bromde hij.

Mike stak zijn hand uit. George pakte hem beet en hees zichzelf overeind. Mike staarde naar de opkomende zon en deed of er niets was gebeurd. George was woedend op zichzelf, hij voelde zich oud en schaamde zich. Zijn botten deden pijn, zelfs de kras van de kat deed pijn. Terwijl George de sneeuw van zijn kleren klopte, maakte Mike de deur van de schuur open. De ganzen begonnen meteen luid te snateren.

'Wat doe je hier eigenlijk?' vroeg George.

'Ik ga de ganzen voeren, opa.' Zonder verder nog een woord te zeggen ging Mike naar binnen.

Een voor een kwam iedereen naar de keuken om te ontbijten. Er stond een grote pan havermout op een plaatje, er was een kan sinaasappelsap, en de gebutste pot met koffie. Will at in zijn eentje, zittend aan de keukentafel. Hij was al uren op, had de Jeep geleend en was naar de baan gereden. Hij had de sneeuw van het vliegtuig geveegd en de baan sneeuwvrij gemaakt. Nu zat hij langzaam te eten, starend naar de witte velden en de baai. De zee was donkerblauw, met grote golven. Over ongeveer een uur zouden ze vertrekken, en hij zou de zee achter zich laten. Hij was al eens eerder weggegaan van de Atlantische Oceaan, maar dit keer voelde het anders.

Will dacht aan Fred. Het was alsof zijn zoon bij hem was nu hij uitkeek op zee. Hij kon zijn stem horen, zijn ogen zien, probeerde zich voor te stellen hoe Fred eruit zou hebben gezien als hij zo oud was als hij nu zou zijn geweest. Nadat hij dit beeld jarenlang had geprobeerd te verdringen, was hij er nu juist blij mee.

Hier in Maine was hij verliefd geworden op Sarah Talbot. Hij had

Thanksgiving met haar gevierd, haar familie leren kennen. Er was tijd geweest voor Snow; voor het eerst sinds de scheiding was hij vier dagen met haar samen geweest zonder dat ze terug moest naar haar moeder. Al die dingen had hij gedaan, maar op een bepaalde manier had dit reisje naar Maine ook om Fred gedraaid. Will had de weg naar zijn zoon teruggevonden.

Hij schoof zijn stoel naar achteren, waste zijn bord en koffiekop af, en zette alles in het afdruiprek naast de porseleinen gootsteen. Iedereen was druk in de weer, bereidde zich voor op vertrekken of blijven, op het afscheid. Hij hoorde voetstappen boven zijn hoofd, Snows stem in de gang. Sarah had hij die ochtend nog niet gezien; hij nam aan dat ze nog even met haar vader wilde praten. En met haar moeder.

Will keek op zijn horloge. Halfacht. Over een halfuur zouden ze naar de baan rijden, en dan zo snel mogelijk vertrekken omdat de wind nu gunstig was. Tante Bess had een stapel dekbedden bij de deur gelegd. Will stopte zijn groene overhemd in zijn vale spijkerbroek en trok zijn leren jack aan. Met onder elke arm een paar dekbedden liep hij naar de Jeep. Dit keer zou het vliegtuig voller zijn, met Mike en de dekbedden, maar er zou nog steeds voldoende ruimte zijn. Hij hoefde zich nergens zorgen om te maken.

Snow zat op de rand van haar bed en vroeg zich af wanneer ze hier terug zou komen. Ze had van alle facetten van de dagen op Elk Island genoten. Het had haar goed gedaan om tijd door te brengen met een familie die net zoveel problemen had als de hare. Haar vriendinnen van school en alle kinderen waar ze op paste kwamen allemaal uit van die volmaakte gezinnen, met ouders die bij elkaar bleven en broers die niet doodgingen. Snows vriendinnen veranderden nooit hun naam, en hun ouders stuurden hen nooit naar een psychiater.

Van Thanksgiving met de Talbots had ze iets geleerd. Je kon op een onvolmaakte manier van iemand houden, zonder dat het iets aan je liefde afdeed. Denk maar eens aan Sarah, aan wat zij voelde voor Mike. Snow kon het lezen in haar ogen, horen in haar stem. En je kon naar George kijken, en zien hoeveel hij van Sarah hield. En het was één grote puinhoop! Ze maakten voortdurend ruzie met elkaar, er was een hoop wrok – het was bijna komisch. Mensen die maar wat aanmodderden, elk op hun eigen manier hun best deden, en hoe harder ze probeerden om elkaar niet te kwetsen, des te erger het was.

Arme George. Snow wist hoe vreselijk hij het vond dat Mike wegging. Ze dacht dat Mike van plan was om terug te komen, maar dat zou niet makkelijk zijn. Je kon wel een bepaalde koers voor jezelf uitstippelen, maar het leven liep niet altijd zoals jij het wilde. Snow hoopte bijvoorbeeld dat Mike in Fort Cromwell samen met haar leuke dingen wilde gaan doen, dat hij misschien wel haar vriendje zou worden. Ze had die nacht nauwelijks geslapen, zo spannend vond ze het om samen met hem naar huis te vliegen. Toch durfde ze niet al te veel hoop te koesteren; het kwam zo vaak voor dat mensen uit elkaar groeiden. Ze had het maar al te vaak gezien.

Er werd op haar deur geklopt. In de hoop dat het Mike was, wierp ze een snelle blik in de spiegel. Maar toen ze de deur openmaakte, stond ze oog in oog met haar vader.

'Ben je bijna klaar?' vroeg hij.

'Ja, pap,' zei ze. Kennelijk had ze onzeker geklonken, want hij bleef staan en keek langs haar heen uit het raam.

'Zul je Elk Island missen?' vroeg hij.

'Heel erg.'

'Ik heb het gevoel dat we wel een keer terugkomen.'

Snow knikte. Ze wist dat het met hem en Sarah te maken had, en ze wilde hem vragen hoe het precies zat. Tegelijkertijd wist ze het eigenlijk liever niet. Die botsende gevoelens zaten haar dwars. Ze vond Sarah aardig, ze wilde dat haar vader gelukkig was... Waarom was ze dan niet dolblij voor hen?

'Mama vermoordt me als ik thuiskom,' zei ze in plaats daarvan.

'Ik praat wel met haar,' beloofde hij.

'Ben jij niet boos? Dat ik me in het vliegtuig had verstopt?'

'Ik zou natuurlijk ja moeten zeggen.' Hij trok haar in zijn armen. 'Maar dat kan ik niet. Ik heb het hier zo heerlijk gehad, en ik ben blij dat je erbij was.'

'Ik ook,' zei Snow. 'Papa, denk jij dat George en Bess het redden zonder Mike?'

Hij wilde niet liegen. Hij probeerde te glimlachen, maar zelfs dat lukte niet. 'Ze zullen het niet makkelijk hebben,' zei hij. 'Je weet hoe erg het is om iemand te missen.'

'Freddie,' zei Snow. 'En toen jij wegging.'

Haar vader knikte.

'Het was helemaal niet zo erg om de oceaan weer te zien, hè, pap?'

vroeg Snow. Ze had hem nooit verteld hoe bezorgd – bang – ze was geweest toen hij de zee de rug had toegekeerd, zelfs niet meer wilde zeilen,
en met het hele gezin naar het binnenland was verhuisd.

'Het was juist fijn.'

'Dat vond ik nou ook.' Snow dacht even na. Opeens wenste ze dat ze
niet weg hoefden te gaan, eigenlijk wenste ze dat vanaf het moment dat
ze hier kwamen. Teruggaan naar Fort Cromwell betekende dat ze afscheid moest nemen van haar vader, terug moest naar Julian. Ze kon
hem zo vaak ze wilde opzoeken, maar dat was niet hetzelfde als samen
in één huis zijn, wakker worden en weten dat hij een eindje verderop in
de gang was. Die gedachte maakte haar intens verdrietig. Het was iets
waarover ze eigenlijk met dokter Darrow had moeten praten, alleen was
het haar nooit gelukt om het hem te vertellen.

'Waar denk je aan?' vroeg haar vader.

'O, gewoon, dat het zo tochtig is in Julians huis. Het is er nooit warm
genoeg.' Ze zei het omdat ze haar ware gedachten niet onder woorden
kon brengen.

'Doe dan extra sokken aan,' zei haar vader. 'Of ben je er doorheen?'

Snow grijnsde. Iedereen behalve haar vader vond dat ze getikt was
omdat ze Freddies sokken droeg. Dat was een van de redenen geweest
om haar naar dokter Darrow te sturen, en het was ook wat ze zo fijn
vond van Mike – hij begreep het.

'Wees maar niet bang,' verzekerde Snow hem. 'Ik ben heel zuinig op
Freds sokken.'

'Voor een meisje van jouw leeftijd ben je erg handig met de stop-
naald.'

'Mama vindt het raar dat ik ze draag. Ze vindt dat ik terug moet naar
dokter Darrow.'

'Ik weet het,' zei haar vader. Aan de manier waarop hij het zei wist
Snow dat hij het niet met haar moeder eens was, maar dat was niets
nieuws.

'Mike is ook bij hem in behandeling geweest, pap. Denk jij dat Mike
gek is?'

'Nee, Snow. Net zomin als jij.'

'Pap?' Snow slikte moeizaam. 'Stel nou dat we hem gewoon vergeten?
Soms word ik wakker, en dan denk ik pas aan hem als ik zit te ontbijten.
Of op de bus wacht. Vroeger dacht ik de hele tijd aan hem.'

'We zullen Fred nooit vergeten,' zei hij. 'Geloof me.'

Snow knikte.

'Kom op.' Hij stak zijn hand naar haar uit.

Snow Burke was eigenlijk een beetje te oud om haar vader een hand te geven – vooral in het huis van de jongen op wie ze verliefd was – maar ze verstrengelde haar vingers met de zijne, en ze liepen hand in hand de trap af.

Sarah ging naar de kamer waar Will had geslapen. Hij was beneden bezig met het inladen van de auto, dus was ze alleen. Ze liep meteen naar de kast en pakte de foto van haar moeder. Ze was rillerig. De koorts had haar in een stevige greep, maar haar handen trilden van iets anders.

Ze keek naar de foto in haar handen. In Fort Cromwell had ze ook foto's van haar, maar deze trouwfoto gaf Sarah het gevoel dat haar moeder heel dichtbij was. Het kwam misschien doordat haar moeder in deze kamer was overleden, met deze foto naast haar op de kast.

'Mam,' zei ze hardop. Verwachtte ze dat haar moeder antwoord zou geven? Ze wist dat het krankzinnig was, maar er zat iets in de lucht. De atmosfeer voelde geladen, anders dan ooit tevoren. Er stond niemand, maar Sarah had het gevoel dat ze niet alleen was.

Zittend op de rand van het bed keek ze om zich heen. Hier had haar moeder gelegen, de dingen die Sarah nu zag, waren de dingen die zij had gezien. Hetzelfde vergeelde behang, de mahoniehouten ladenkast, de prenten aan de muren, de witte gordijnen voor de ramen. Als ze de zee had willen zien, had ze haar hoofd op moeten tillen van het kussen om naar buiten te kunnen kijken.

Ze was zo verzwakt geweest. Sarah herinnerde zich dat ze elke keer dat ze bij haar kwam zitten bang was geweest voor wat ze aan zou treffen. De geur van ziekte was zo sterk dat mensen die het voor het eerst roken meteen wisten wat het was. Haar moeder was altijd erg schoon geweest, en Sarah herinnerde zich nog hoe blij ze altijd was geweest als Sarah haar gezicht had gewassen.

Hoe vaak had ze dat eigenlijk gedaan? Eén keer per dag? Het was zoiets kleins, en ze had het maar zo zelden gedaan. Ze vulde dan een kom met warm water, en gebruikte een wit washandje en haar moeders lievelingszeep. Terwijl ze ermee bezig was, had ze altijd een lichte weerzin gevoeld. Haar moeder glimlachte altijd, zo dankbaar voor zo'n kleinigheid, terwijl Sarah alleen maar wilde dat het voorbij was. Nu ze er na al die jaren aan terugdacht, besefte Sarah dat haar moeders glimlach minder te maken had gehad met het wassen van haar gezicht dan met blijdschap omdat haar dochter bij haar was. Achteraf schaamde ze zich omdat ze het niet vaker had gedaan.

'Het spijt me, mama,' fluisterde ze.

Ze stond op en liep naar het raam, en geleund tegen de vensterbank keek ze naar de vroege ochtendzon tussen de dennen, de oranje gloed op de sneeuw en de rotsen. Er lagen een paar zeehonden met hun snoet omhoog. Thanksgiving was voorbij. Over een paar weken zou het Kerstmis zijn, haar moeders favoriete feestdag, en opeens herinnerde Sarah zich nog iets.

Het was haar moeders laatste Kerstmis geweest, en ze was te ziek om vaak uit bed te komen, laat staan dat ze de kamer kon verlaten. Sarah had met haar vader gepraat over een kerstboom. Verbitterd en heel erg bang had hij gezegd dat het niet gepast zou zijn, dat haar moeder toch niet beneden kon komen om de boom te zien. Dat jaar zouden ze geen kerstboom hebben. Sarah had wel geweten dat hij in sommige opzichten gelijk had. Haar moeder lag op sterven. Er viel niets te vieren.

Maar ze wilde dat haar moeder een boom zou hebben. Ze wist nog dat ze plannen had gemaakt, alles had voorbereid. Een hele dag was ze bezig geweest in het schuurtje, had ze alles gemaakt wat ze nodig had. Ze had kandelaars gemaakt van muffinvormpjes, aluminiumfolie en koperdraad. Ze was naar buiten gegaan, had holletjes gemaakt in de sneeuw, een heel pad van holletjes door de tuin naar een kleine spar, een perfecte kerstboom aan de rand van het bos.

Die avond was Sarah met het vallen van de duisternis naar deze kamer gegaan. Haar moeder lag in bed, bijna te ziek om zich te kunnen bewegen, maar blij om haar te zien. Ze had haar moeders ochtendjas meegenomen, haar in haar pantoffels geholpen, en haar moeder ondersteund bij de pijnlijk moeizame wandeling naar de stoel die ze voor het raam had gezet. Het was maar tien stappen, maar het voelde als honderd.

Sarah herinnerde zich de kreet die haar moeder had geslaakt. Met haar vingers tegen haar lippen gedrukt stond ze voor het raam. Sarah had kaarsen in de sneeuw gezet, en op de takken van de spar. Ze had er de hele noodvoorraad voor gebruikt. Een pad van licht liep van de achterdeur naar de kerstboom, en de boom zelf werd verlicht door vijftig flakkerende vlammetjes. Sarah had rode linten aan de takken gebonden, maar het was te donker geweest om die te kunnen zien. Samen met haar moeder had ze voor het raam gestaan, hun armen om elkaar heen, en zwijgend hadden ze de kaarsjes een voor een uit zien gaan.

'Onze Kerstmis, mam,' zei ze, staand voor het raam, verzonken in herinneringen. Haar moeder had haar zoveel geleerd. Feestdagen waren belangrijk, die kon je niet zomaar overslaan. Hoe verdrietig je ook was, hoe bang je ook was, je moest het vieren met de mensen van wie je hield, want je wist nooit wanneer je alleen nog maar herinneringen over zou hebben.

Ze draaide zich om van het raam, drukte voor de laatste keer een kus op de foto van haar moeder, en liep naar de deur. Haar rug deed pijn, en ze wist dat ze haar moeder nu niet meer had kunnen ondersteunen zoals toen. Ze haalde diep adem en nam afscheid. Toen ging ze naar beneden, op zoek naar Will, en op zoek naar haar zoon om hem mee naar huis te nemen.

Tante Bess besloot thuis te blijven, dus iedereen nam in de gang afscheid van haar. Ze behield haar waardigheid en goede humeur, omhelsde Mike iets langer dan de anderen en drukte hem op het hart dat hij moest schrijven. Toen ze Sarah kuste, hield ze haar een eindje bij zich vandaan en keek haar bezorgd aan.

'Heb je koorts?' Ze raakte Sarahs voorhoofd aan.

'Een beetje.' Sarah zei het heel zacht, want ze wilde niet dat de anderen zouden weten dat ze ziek was.

'Ga naar bed zodra je thuis bent,' zei tante Bess, en Sarah was blij dat ze er geen toestand van maakte, niet probeerde om haar over te halen om langer te blijven en het uit te zieken. Nu het moment van vertrek was aangebroken, had Sarah opeens haast. Ze wilde zo snel mogelijk afscheid nemen, ze wilde Mike zo snel mogelijk thuisbrengen.

Haar vader was die ochtend erg stil. Hij droeg de bagage naar de Jeep en propte alles erin alsof het afval was dat hij naar de vuilnis ging brengen. Gelsey kon zonder hulp niet op de voorbank springen, en George gaf haar een zetje. Zelf ging hij achter het stuur zitten, en hij zat zwijgend te wachten, als een weerspannige chauffeur met een opdracht die hij het liefst zo gauw mogelijk achter de rug had. Sarah wilde dat Will voorin zou gaan zitten, maar hij weigerde. Hij kuste haar op de wang en ging met de kinderen op de achterbank zitten. Ze stapte in, en Gelsey klom op haar schoot.

Ze reden over het eiland. Sarah keek naar het landschap. Er was niets veranderd op Elk Island. Het eiland was te afgelegen, te moeilijk bereikbaar, om aantrekkelijk te zijn voor projectontwikkelaars. Stormen konden bomen omverblazen, de zee kon de kustlijn veranderen, maar Sarah vond het een geruststellende gedachte dat het eiland er wanneer ze terugkwam nog ongeveer net zo uit zou zien als nu.

Ze had zulke gemengde gevoelens. Het maakte haar verdrietig dat ze haar vader achter moest laten. Maar ze vloog naar huis met Mike, en dat was het belangrijkste. Was het hebzuchtig om te hopen op meer, dat haar vader het met haar eens zou zijn en gelukkig zou zijn? Gebogen over het stuur zat hij naast haar, triest en in zichzelf gekeerd. Waar zouden hij en tante Bess over praten? Sarah kon zich voorstellen dat hij terug zou gaan naar huis en tot de volgende lente geen woord meer zou zeggen. Mike moest het lichtpuntje in zijn verbitterde leven zijn geweest.

'Papa,' zei ze zacht.

'Hmmm,' gromde hij.

'Hij komt terug.'

Geen commentaar. Hij greep het stuur alleen nog krampachtiger beet, en trapte het gaspedaal iets dieper in. Sarah probeerde niet te bedenken hoe roestig de Jeep was, hoe vervallen het huis. Mike had zijn best gedaan om het tij van verval te keren, maar hij had machteloos gestaan tegenover het onstuimige weer, het geringe inkomen. Sarah zou de volgende keer wat extra geld overmaken, in de hoop dat haar vader niet te trots zou zijn om het aan te nemen.

'We zijn er!' riep Snow uit toen ze de bocht om gingen en het vliegtuig in zicht kwam.

George stopte, en Mike en Will begonnen met het uitladen van de bagage. Sarah zat nog in de auto, en zag Snow met wijd gespreide armen naar het vliegtuig rennen, alsof ze het wilde omhelzen. Even later volgden de anderen. De koorts leek iets erger te zijn geworden. Tijdens de rit had ze het veel te warm gehad, maar toen iedereen was uitgestapt, rilde ze in de koude lucht. Haar rug deed pijn. Paracetamol, kippensoep, en dan naar bed, dacht ze. Wat overheerste was echter niet dat ze zich niet lekker voelde, deze aanval van griep, maar de wetenschap dat Mike mee naar huis kwam. Mijn zoon, dacht Sarah.

Mike zette de bagage zorgvuldig in het laadruim. Hij had wel eens gehoord van losgeraakte bagage, tassen die door de lucht vlogen als een klein vliegtuigje door zwaar weer moest. Al deze mensen betekenden heel veel voor hem, dus deed hij extra zijn best om de tassen zo stevig mogelijk vast te zetten.

In een klein vliegtuig had je pas echt het gevoel dat je vloog. Als een vogel zeilde je de wolken in. Nu hij aan vogels dacht, keek Mike op en zag de adelaar.

'Mam,' riep hij.

Ze zat nog in de Jeep, voorin, en ze aaide Gelsey met haar blik gericht op de mensen die het vliegtuig gereedmaakten. Was er iets mis? Mike was meteen bezorgd, maar ze glimlachte en zwaaide naar hem, en hij haalde opgelucht adem. Hij wees op de lucht.

'Daar is hij!' riep hij.

Zijn moeder keek op. Hij herkende de uitdrukking op haar gezicht, die unieke wie-ben-ik-dat-ik-zoiets-geweldigs-verdien-blik. Glimlachend naar de hemel, naar de kale adelaar die boven hen rondcirkelde, hield ze haar hoofd even naar achteren. Mike kreeg een brok in zijn keel. Ze zag er bleek en een beetje moe uit, en hij maakte zich zorgen omdat hij wist hoe ziek ze was geweest. Ze was naar hem toe gekomen, en dat betekende meer voor hem dan hij kon begrijpen.

Ze hadden samen Thanksgiving gevierd. Hadden ze dat niet duizend keer eerder gedaan? Hoe vaak hadden ze niet aan tafel gezeten en gevogelte gegeten, gewacht op de taart? Ze hadden Thanksgiving met zijn tweetjes gevierd, en met vrienden. Jarenlang hadden ze traditionele gerechten gegeten, en jarenlang had zijn moeder geëxperimenteerd, zoals die keer dat ze de raapjes en de aardappelpuree door elkaar had gedaan, of die keer dat ze kruimeltaart had gemaakt in plaats van appeltaart. Maar geen enkele Thanksgiving was ooit zo fijn geweest als die op Elk Island.

'Mike, hoort hij niet naar het zuiden te vliegen?' riep zijn moeder. 'Zijn adelaars geen trekvogels?'

'Volgens mij wel,' riep Mike terug. 'Misschien gaat hij net op weg.'

'Mijn zoon de wetenschapper!' zei ze lachend.

Mike schudde zijn hoofd. Hij voelde zijn glimlach verflauwen. Ze klonk zo blij. Hij had haar gisteravond gezien toen hij vertelde dat hij zijn school af wilde maken, oceanografie wilde gaan studeren. Het enige wat ze wilde, was een goede toekomst voor haar zoon. Ze wilde niet dat hij een *loser* zou worden, en dat begreep Mike.

Ouders hielden van hun kinderen, wilden het beste voor hen. Hij zag het ook bij Will en Snow, en hij had het de afgelopen winter ervaren, toen zijn grootvader zich opvrat van de zorgen over zijn dochter. Elke brief die hij níet uit Fort Cromwell kreeg gedurende de weken dat zijn moeder te ziek was geweest om te kunnen schrijven, leek hem door zijn ziel te snijden. Mike had gezien dat zijn rug krommer was geworden, zijn frons dieper. Uit angst om Sarah te verliezen, had zijn grootvader zich krampachtiger aan Mike vastgeklampt.

Hoe deden mensen het, vroeg Mike zich af terwijl hij de laatste tassen in het bagageruim propte. Hoe slaagden ze erin om van hun kinderen te houden, te voorkomen dat ze erdoor braken? Hij keek naar Will en probeerde zich voor te stellen hoe het was geweest om zijn zoon in de golven te zien verdwijnen. Waarom verloren mensen elkaar toch uit het oog?

'Hé, waar zijn de jouwe?' Will telde de tassen.

Mike gaf geen antwoord.

Will stond nog steeds te tellen. Hij was de piloot, en het gewicht van de lading was belangrijk voor hem, het aantal tassen dat werd ingeladen. Mike voelde dat ze nog steeds op hun hoede waren voor elkaar. Met gefronste wenkbrauwen draaide Will zich naar hem om.

'Dit is hetzelfde aantal als waarmee we zijn gekomen,' zei Will.

'Dat weet ik,' zei Mike.

Eindelijk was zijn moeder uitgestapt. Ze liep langzaam en hinkte een beetje. Snow huppelde naar haar toe, sloeg een arm om haar heen en danste bijna met haar naar het vliegtuig. De uitdrukking op zijn moeders gezicht was een beetje vreemd, haast gepijnigd, maar Mike nam aan dat ze er moeite mee had om weg te gaan. Daar had ze altijd een hekel aan gehad.

'Jullie kunnen maar beter gaan,' zei George, het eerste wat hij die ochtend had gezegd. Zijn woorden waren voor iedereen bedoeld, maar hij zei het tegen Mike.

Het was een prachtige dag. De lucht was helderblauw, de zon schitterde. Mike wist dat het een prachtige vlucht zou worden naar Fort Cromwell. Strak keek hij zijn grootvader aan. Zijn grootvader kon het niet alleen, dat wist Mike, want hij had hem een jaar lang van dichtbij meegemaakt, had gezien hoe zwaar de kleinste klusjes hem vielen. Hij kon de ganzen niet altijd te pakken krijgen. Zijn ogen werden steeds slechter, en Mike was bang dat hij op een dag zijn eigen hand eraf zou hakken. Die ochtend, toen Mike hem languit op het ijs had gevonden, had hij beseft hoe erg het was.

'Wat is er aan de hand?' vroeg Will op gedempte toon. Zijn ogen fonkelden.

Mike draaide zich half om, zodat de anderen het niet konden horen. 'Ik ga niet weg.'

'Wat?'

'Ik kan niet weg. Mijn grootvader heeft me –'

'Luister,' viel Will hem scherp in de rede, 'doe dit je moeder niet aan. Ze denkt dat je met ons meegaat, en dat is ook precies wat je gaat doen.'

'Ik kan niet mee.' Zo simpel was het voor Mike. Hij zou worden verteerd door schuldgevoelens als hij in dat vliegtuig stapte en zijn grootvader en tante Bess alleen liet. Zonder hem zouden ze doodgaan. Mike was er zeker van. Zijn moeder zou het naar vinden, maar daar kwam ze wel overheen. Ze had goede vrienden die haar hielpen. En het zou niet voorgoed zijn, dat wist Mike. Dit zou wel eens de laatste winter kunnen zijn dat ze de farm draaiend konden houden.

Will keek naar hem alsof hij hem kon vermoorden. Zijn ogen schoten vonken, en zijn kaken waren op elkaar geklemd. Snel schudde hij zijn hoofd, alsof hij niet kon geloven wat er gebeurde. Mike probeerde adem te halen. Hij wist dat hij de juiste beslissing had genomen.

'Vertel het haar dan,' snauwde Will. 'Geef haar geen hoop. Ga het haar nu meteen vertellen.'

Mike knikte en draaide zich om. De eerste die hij zag was Snow. Zijn moeder liep naast haar, maar haar kon hij nog niet aankijken. Snows ogen waren zo groot, en ze glimlachte zo lief. Ze keek naar hem omhoog, en Mike dacht aan hun kus van de vorige avond. Hij bloosde, en dat ontging Snow niet. Ze glimlachte breder.

Will kwam tussen Mike en zijn moeder in staan alsof hij haar op de een of andere manier kon beschermen voor wat ze te horen zou krijgen. Hij sloeg een arm om haar heen en draaide zich langzaam om naar Mike. Mike zag de uitdrukking op zijn gezicht, somber en waakzaam, en was blij dat zijn moeder niet alleen was.

'Ik ga niet mee,' zei Mike.

Zijn moeder gaf geen antwoord. Ze hield haar hoofd iets schuin, alsof ze hem niet goed had verstaan. Snow snapte het direct, en haar glimlach was op slag verdwenen.

'Je moet mee!' zei Snow. 'Ik ga mijn vader vragen of hij over Boston wil vliegen, dan kun je zien waar je vroeger hebt gewoond.'

'Mike?' vroeg zijn moeder.

'Het spijt me, mam.' Hij kwam naar voren, wilde haar omhelzen, haar handen beetpakken, iets doen om het minder erg te maken, wat dan ook, maar het enige wat hij kon doen, was domweg blijven staan.

'En je school dan?' vroeg ze met trillende stem.

'Ik weet het.'

'Je wilde je school toch afmaken? Hoe moet het dan met je toekomst, lieverd?'

'Ik maak mijn school heus wel af, mam.'

'Wanneer?' vroeg Snow opgewonden.

'Binnenkort,' zei Mike.

'Je bent nu al ouder dan de zesdeklassers.' Snow plantte haar handen in haar zij.

'Je gooit je leven weg, Mike,' betoogde zijn moeder. 'Zie je dat dan niet? Het leven is maar zo kort! Je denkt dat je alle tijd van de wereld hebt, maar straks is er weer een jaar voorbij en dan ga je nooit meer terug. Tegen die tijd vind je het de moeite niet meer waard, schat, of je voelt je te oud.'

'Helemaal niet,' protesteerde hij.

'Wel waar!' Zijn moeders stem sloeg over. Kennelijk had ze een spier verrekt, want haar gezicht vertrok van pijn. 'Au!'

'Sarah.' Will trok haar tegen zich aan. 'Hij komt er heus wel.'

'Nee,' zei ze, en duwde Will weg. Ze liep naar Mike en pakte zijn handen. Ze keek hem recht in de ogen, en hij verdroeg het niet om de tranen over haar wangen te zien stromen. 'Kom thuis,' smeekte ze.

'Mam,' zei hij hulpeloos. Hij wilde zijn blik afwenden, maar dwong zichzelf om haar aan te blijven kijken.

'Kom thuis,' zei ze, en haar stem brak. 'Alsjeblieft.'

'Je kunt beter naar je moeder luisteren,' zei zijn grootvader niet erg van harte. 'Maak je school af.'

'Kom mee,' pleitte Snow. 'We kunnen zoveel leuke dingen doen.'

'Ik kan niet mee,' zei Mike tegen hen allemaal, hoewel hij zijn moeder aankeek. 'Vroeger wist ik niet waar ik thuishoorde, maar nu wel. Ik blijf op het eiland.'

Zijn moeder snikte openlijk, ze probeerde niet eens om sterk te zijn. Ze had haar handen teruggetrokken, haar hoofd gebogen, en huilde nu in haar handpalmen. Will sloeg zijn armen weer om haar heen, en zelfs George keek zorgelijk. Snow staarde naar haar voeten. Mike stak een hand in het ruim en haalde er een klein zakje uit.

'Hier,' zei hij tegen Snow.

'Wat is het?' vroeg ze somber.

'Een van de extra katten.'

Schijnbaar tegen haar wil, maar niet in staat haar nieuwsgierigheid te bedwingen, stak Snow een hand in de zak en haalde er een van de zwarte poesjes uit. Het was de kleinste die Mike had kunnen vinden, met een witte bef en helderblauwe oogjes.

'Wauw.' Snow drukte een kus op het neusje. 'Hoe heet hij?'

'Dat weet ik niet,' zei Mike. 'Jij bent goed met namen. Het is een katertje.'

'Dokter Darrow,' zei Snow onmiddellijk, en haar glimlach was weer helemaal terug.

'Ja,' zei Mike lachend. 'Dokter Darrow.' Hij keek naar zijn moeder, en zijn glimlach stierf weg. De energie was uit haar geweken. Ze zag grauw. Haar gezicht was bleek, en haar ogen stonden dof. Ze huilde niet meer zo hard, maar het leek wel of haar hele lichaam trilde.

'Gaat het, Sarah?' vroeg Will, die haar ondersteunde met zijn arm.

'Mijn rug,' stamelde ze, vechtend tegen de pijn. 'Mijn rug doet een beetje pijn.'

'Reumatiek zit in de familie,' zei haar vader. Nu Mike bleef, kon hij het zich veroorloven om edelmoedig te zijn. Will nam haar ene arm en haar vader de andere, en zo hielpen ze Sarah in het vliegtuig.

Mike liep erheen. De twee andere mannen gingen opzij, zodat hij pal voor zijn moeder stond. Nog steeds zag ze er heel erg verdrietig uit, alsof ze datgene wat het meest voor haar betekende kwijt was geraakt. Mike begreep niet goed waarom ze zo vreselijk van streek was. Moeders wilden een goede opleiding voor hun kinderen, maar Mike was nooit een bolleboos geweest. Zo verbaasd kon ze toch niet zijn.

'Mam,' zei hij, en hurkte neer naast de deur van het vliegtuig. 'Ik maak mijn school echt af, dat beloof ik je. Al is het maar een vijfjarige opleiding. Ik zal de school schrijven.'

'Ik dacht dat je oceanograaf wilde worden,' zei ze zacht.

'Welke oceanograaf heeft het nou beter dan ik?' vroeg Mike. 'Het is mijn leven, niet alleen mijn studie.'

Ze knikte alsof ze dat begreep, maar haar ogen stonden nog steeds treurig.

'Misschien komt het er ooit nog van. Alleen niet nu.'

'O, Mike,' verzuchtte ze.

'Ik weet dat je vindt dat ik het nu meteen moet doen. Je bent bang dat ik nooit eindexamen doe als ik nu niet terugga. Maar ik heb de tijd. Meer dan genoeg tijd.'

Kennelijk had Mike het verkeerde gezegd, want zijn moeder begon weer te huilen. Ze snikte niet meer zo heftig als eerst, haar schouders schokten nauwelijks. Maar ze keek hem met betraande ogen aan alsof ze elk detail in haar geheugen wilde griffen.

'Ik hoop dat je gelijk hebt,' zei ze.

Mike knikte. Dat was het. Will kon maar beter tegen Snow zeggen dat ze in moest stappen en dan meteen vertrekken, voordat zijn moeder weer zo hard ging huilen. Mike wist dat Will van zijn moeder hield, hij kon het zien. Op dat moment besloot hij de zorg voor zijn moeder aan Will toe te vertrouwen. Terwijl Mike het eiland bemande, voor opa en tante Bess zorgde en de farm beheerde, kon Will erop toezien dat het goed ging met zijn moeder. En met Snow.

'Ga nou maar,' zei Mike tegen Will.

Will knikte en gaf Mike een hand.

Snow stortte zich in zijn armen. Haar lichaam voelde zo klein en mooi, ze rook zo lekker, en hij had het gevoel dat de grond trilde onder zijn voeten. Hij duwde haar weg, niet ruw maar wel beslist, want hij wist dat hij dit geen seconde langer kon volhouden. Dokter Darrow miauwde.

'Eén kat minder. Mooi,' zei zijn grootvader. Hij nam afscheid, gaf Will en Snow een hand, en leunde naar binnen in het toestel om zijn dochter te omhelzen. Mike zag dat zijn grootvader zich bukte en Sarahs gezicht tussen zijn verweerde oude handen nam. Ze keek hem aan en knikte om iets wat hij zei. Toen hij zich weer omdraaide, keek hij Mike recht in de ogen. Mike had misschien een vriendelijke uitdrukking verwacht, maar in plaats daarvan keek zijn grootvader hem aan alsof hij hem wilde vermoorden om wat hij zijn moeder aandeed. Nu was Mike aan de beurt.

'Dag, mam.' Hij drukte een zoen op haar wang.

Ze sloeg haar armen om hem heen. Ze omhelsde hem onstuimig, met een kracht die Mike verbaasde, en zei iets wat hij niet helemaal kon verstaan.

'Wat zei je?' Hij bukte zich nog dieper.

'Ik moet je iets vertellen.'

'Ga je gang.'

'Opa zegt dat hij je wanneer je maar wilt naar huis zal laten gaan. Je hoeft het maar te vragen.'

'Oké.' Mike wachtte af.

'Ik heb nog nooit,' zei ze langzaam, alsof ze bang was dat ze het niet helemaal zou zeggen zoals ze het bedoelde, 'zoveel van iemand gehouden als van jou.'

'Mam – ' begon Mike.

'Van niemand, Mike.'

'Mijn vader,' hakkelde Mike. 'En...' Zijn stem stierf weg toen hij naar Will keek.

'Van niemand,' herhaalde Sarah. 'Het was liefde op het eerste gezicht. De ware liefde, en voor eeuwig. Je hebt mijn hele leven veranderd.'

'Hmmm,' bromde Mike. Zijn keel deed pijn omdat hij iets te zeggen had maar niet wist wat het was.

'Ik weet dat je van me houdt, Mike,' zei zijn moeder. 'Ik zal er nooit aan twijfelen.'

'Ja,' beaamde Mike. Hij wilde meer zeggen, bijvoorbeeld dat hij ook van haar hield, haar bedanken omdat ze zo'n goede moeder was. De oude problemen leken opeens niet meer zo belangrijk. Maar die gedachten waren zo ontzagwekkend, en Mike kon zich niet voorstellen dat hij ze hardop zou uitspreken. Dus knikte hij alleen.

Ze trok hem weer tegen zich aan, met haar beide armen om zijn nek. Mike betrapte zichzelf op onwelkome gedachten. Stel nou dat dit de laatste keer was? Stel nou dat ze elkaar nooit meer zouden zien? Maar dat waren krankzinnige gedachten, en hij keek naar de lucht om ze te verdrijven.

'Dag, Mike,' zei zijn moeder moeizaam.

'Dag, mam,' zei Mike. En toen kwam Will eraan om de deur dicht te doen, afscheid te nemen van Mike, en de vrouw van wie Mike hield terug te vliegen naar Fort Cromwell.

Hoofdstuk 19

Wat waren ze allemaal stil. De volwassenen zeiden geen woord. Snow zat achter in het vliegtuig met dr. Darrow te spelen. Ze wilde dat Mike naast haar zat. Het uitzicht was zo mooi, en het zou zo fijn zijn om er samen met Mike van te genieten. Het was een zonovergoten dag en de oceaan was net een gouden spiegel. Snow was van plan geweest om Mike de beste stoel te geven, maar omdat hij er toch niet was, zat ze zelf aan de linkerkant, waar ze het beste uitzicht had op de zee. Als ze New Hampshire eenmaal achter zich lieten, zou er helemaal geen zout water meer zijn.

Nu staarde Snow dus naar vissersboten en tankers, vissersdorpjes en badplaatsen, en honderden met naaldbos overdekte eilandjes in de baaien van Maine. Ze zag met sneeuw overdekte steigers en pieren, schaduwen onder water, wellicht van scholen vissen of riffen of misschien zelfs walvissen. Mike zou het weten, en Fred ook, en ze slaakte een zucht bij de gedachte aan deze twee grote afwezigen.

Wat is de oceaan toch groot, dacht Snow met haar blik op de einder gericht. Dezelfde Atlantische Oceaan stroomde langs Newport, in de baai waar Fred was omgekomen. De zee had haar broer genomen, dus hoe was het dan mogelijk dat ze er zoveel van hield? Dat begreep ze niet. Mike had haar op een geweldig idee gebracht. Als ze niet aan zee kon wonen, kon ze altijd nog naar de universiteit gaan om oceanografie te studeren. Het liefst zou ze haar plan willen vertellen, maar ze wilde Sarah niet overstuur maken.

Sarah zat heel stil voorin, schouders gebogen en haar armen rond haar borst geslagen, in gedachten verzonken. Snow had gedacht dat Sarah iemand was die altijd overal het beste van probeerde te maken, dat ze Mikes beslissing om op Elk Island te blijven zou accepteren, maar dat was duidelijk niet zo. Je wist nooit hoe mensen op nare gebeurtenissen reageerden. Neem nou haar ouders. Als je ervan overtuigd was dat ze rustig zouden blijven, ontploften ze.

Dr. Darrow vrolijkte haar op. Hij was zo schattig, niet groter dan een koffiebeker met pootjes. Hij had een lief bol buikje, een schriel staartje, en blauwe ogen, net als Mike en Sarah. Hij liep niet, hij huppelde. Snow keek naar hem toen hij over de stoel huppelde. Nieuwsgierig verkende hij de deur, het raam, Snows been. Toen hij moe werd, ging hij pardoes liggen, met zijn kin op haar dij.

Snow tilde hem op en hield hem tegen haar keel, zodat zijn lijfje op haar sleutelbeen rustte. Daar kon hij haar hartslag voelen, en het was er lekker warm. Zodra hij haar huid voelde begon hij te spinnen. Snow deed haar ogen dicht en voelde het spinnen tegen haar huid. Hij kroop iets omhoog en nestelde zich vlak onder haar kin. Hij kietelde. Snow bleef gewoon zitten en gaf geen krimp.

Toen ze haar ogen weer opendeed, lieten ze net de kustlijn achter zich. Ze moest zich omdraaien om de Atlantische Oceaan tot een smalle gouden streep te zien verdwijnen. Dr. Darrow paste zich aan haar veranderde houding aan, zonder echt wakker te worden. De volwassenen bleven in stilzwijgen gehuld. Snow zag dat haar vader zijn arm uitstak om Sarahs hand te pakken. Het maakte Snow een beetje verdrietig, want ze zou het zo fijn hebben gevonden om hetzelfde met Mike te kunnen doen.

Dieper landinwaarts begon ze het benauwd te krijgen. Haar borst voelde zwaar. Ademhalen kostte moeite, en ze zocht in haar zak naar haar inhalator. Al die dagen op Elk Island had ze hem niet één keer gebruikt. Haar moeder zou zeggen dat het door dr. Darrow kwam dat ze hem nu nodig had. Ze zou tegen Snow zeggen dat de kat weg moest omdat ze het benauwd kreeg door de kattenharen. Dat astma geen kleinigheid was en dat het door katten alleen maar erger werd. Maar Snow wist dat deze aanval van allergie niets met dr. Darrow of met enige andere kat te maken had.

Ze was er allergisch voor om de zee achter te laten. Het maakte haar hart zwaar als ze in het binnenland was, het stemde haar somber, en dat konden haar luchtwegen niet aan. Snow had zoute lucht nodig. Het inademen van andere lucht kostte te veel inspanning. Ze zoog een dosis uit haar inhalator op en probeerde aan kalmerende dingen te denken.

Kerstmis naderde. Ze zou een kleine kous voor dr. Darrow maken en er kattenkruid en speeltjes met belletjes in doen. Het werd tijd om weer van naam te veranderen, en Kerstmis bood tal van mogelijkheden. Ster,

Bethlehem, Blitzen, en Cratchit, om er maar een paar te noemen. Cratchit klonk weliswaar niet zo mooi als de rest, maar het was waarschijnlijk wel de meest toepasselijke. Fred was altijd dol geweest op *A Christmas Carol*. Elk jaar hadden hun ouders dat verhaal in december voorgelezen. En in het jaar voor zijn dood had Fred Bob Cratchit gespeeld in het kersttoneelstuk op school.

In plaats van over zee vlogen ze nu over de bergen, en terwijl Snow dr. Darrow aaide en moeizaam ademhaalde, probeerde ze zichzelf als Cratchit voor te stellen. Nee. Het paste niet goed, de naam klonk niet zo vredig als een nieuwe naam hoorde te klinken. Al haar nieuwe namen begonnen altijd met een S, en ze zag geen reden om daar nu verandering in te brengen. Afgezien van een band met Fred, gaven de namen Snow altijd een gevoel van sereniteit, en nu ze terugging naar het nest van Julian en haar moeder, zou ze zowel die band als de sereniteit hard nodig hebben.

In Lebanon moesten ze bijtanken. Ze gingen allemaal naar de hangar om naar de wc te gaan en koffie of warme chocolademelk te halen. Sarah had het gevoel dat ze in de mist zat. Haar hoofd was dik van alle tranen die ze had geplengd. Telkens als ze aan Mike dacht, schoot ze vol. De koorts werd erger, en daardoor leek ze nog emotioneler te worden. En de pijn in haar rug werd geleidelijk heviger.

Will bracht haar een kop koffie. Sarah glimlachte toen zijn vingers de hare raakten. Op dit moment had ze een hekel aan zichzelf. Sinds hun vertrek van Elk Island had ze geen woord uit kunnen brengen. Waarom was Mikes beslissing om te blijven zo'n klap voor haar? Op de heenreis had ze werkelijk niet verwacht dat ze hem zou kunnen overhalen om thuis te komen. Maar nu ze hem weer had gezien, had ze beseft hoezeer ze hem miste, hoe graag ze wilde dat hij zijn school zou afmaken. Ze had hem nu op Elk Island gezien, en daardoor was het tot haar doorgedrongen hoe makkelijk hij in een echte eilander zou kunnen veranderen, iemand die de seizoenen voorbij zag gaan en elke herfst met meer verbittering begroette. Ze was totaal niet tegen teleurstellingen opgewassen, en daar gaf ze de griep de schuld van.

'Het spijt me,' zei ze.

'Wat spijt je?' vroeg Will.

Ze schudde haar hoofd en probeerde een slok koffie te nemen. 'Dat ik zo overstuur ben.'

'Dat neem ik je echt niet kwalijk. Hij is niet mijn zoon, en toch voel ik hetzelfde als jij.'

'Wat dan?'

'Dat ik hem het liefst op een stoel zou willen binden om hem naar huis te vliegen, of hij het nou leuk vindt of niet.'

Sarah glimlachte. Ze kon de koffie niet drinken. De geur was te sterk, en ze werd er misselijk van. Omdat ze Wills gevoelens niet wilde kwetsen, bleef ze het bekertje vasthouden. Maar ze voelde zich bleek, en ze wist dat er zweetdruppeltjes op haar voorhoofd parelden. Een uur geleden had ze opnieuw paracetamol ingenomen, maar ze voelde zich geen spat beter. De rugpijn leek zelfs nog erger te worden.

'Wat is er?' Will pakte het bekertje van haar aan en zette het op de vensterbank. Het was ijskoud, zelfs in de hangar. Sarah rilde onophoudelijk.

'Niets,' zei ze. Ze dwong zichzelf te glimlachen en Wills handen in de hare te nemen. Ze voelden zo sterk en stevig. Hij sloeg zijn armen om haar heen en trok haar dicht tegen zich aan. Op de een of andere manier verminderde de druk op haar ruggengraat door de omhelzing. Terwijl Will haar vasthield, was de pijn weg.

'Laten we gaan,' mompelde Will in haar haren. 'Hoe eerder we weggaan, des te eerder zijn we thuis. Ik ga trouwens met je mee naar huis.'

'Dat hoeft niet,' protesteerde Sarah. 'Je bent al vier dagen bij me. Heb je nog niet schoon genoeg van me?'

'Helemaal niet,' zei Will, met zijn armen nog steeds om haar heen.

Ze bleven heel stil staan, wilden geen van beiden bewegen. Na een paar minuten kwam er iemand aan om Will te vertellen dat het toestel was bijgetankt en gereed was voor het vertrek. Sarah had het gevoel dat ze zonder deze onderbreking wel een uur of langer hadden kunnen blijven staan, zonder ergens aan te denken behalve dat alles goed zou komen.

Vlak voor het middaguur stegen ze op, en ze kregen te maken met een sterke tegenwind. Will had de weerkaart bekeken, dus dit kwam niet onverwacht. Een groot systeem dat uit Canada omlaag kwam voerde heldere lucht mee, maar zorgde ook voor wind. De turbulentie begon vrijwel meteen, en hij vermoedde dat het een onrustige vlucht zou worden.

'Zet je gordel goed vast,' zei hij. 'We krijgen zwaar weer.'

Sarah knikte en glimlachte geruststellend naar hem.

'Papa...' zei Snow waarschuwend, alsof ze wilde dat hij er iets aan zou doen.

'Maak je geen zorgen,' zei hij over zijn schouder. 'Het gaat heus goed.'

'Het poesje is bang.'

'Hou hem maar lekker tegen je aan,' opperde Sarah. 'Dan voelt hij zich veilig.'

Snow had vliegen in zwaar weer nooit prettig gevonden, net zo min als ver overhellen in een zeilboot. Ze wantrouwde het gevoel van beweging, dat je de aarde weg voelde glijden en de horizon zag wankelen. Ze klampte zich dan altijd vast aan haar stoel en haar moeder. Fred was juist tegenovergesteld geweest. Hem kon het allemaal niet snel genoeg gaan. Hij had ervan genoten als de boot schuin hing, met de reling onder water, zodat je recht de golven in keek. In een vliegtuig had hij genoten van de turbulentie die zijn zus angst aanjoeg. Vandaag zou hij haar hebben geplaagd met haar angst, en dan zou ze zo kwaad zijn geworden dat ze het bijna had kunnen vergeten.

'Au!' riep Sarah uit.

'Wat is er?' vroeg Will.

'Niets.'

Maar toen hij opzij keek, zag hij dat ze lijkbleek was. Ze greep zich vast aan haar stoel, maar omdat ze pijn had, niet omdat ze vliegangst had.

'Sarah,' zei hij geschrokken.

'Ik heb rugpijn,' zei ze zacht. 'Dat is alles.'

'Heb je iets verrekt? Toen je de tassen optilde, of zo?'

'Ik weet het niet. Ik denk het niet.'

Op dit moment kon hij niets voor haar doen. Ze klemde haar kaken op elkaar, dus hij wist dat het erg moest zijn. Sinds hun vertrek uit Maine was ze al uit haar doen, maar dat had Will toegeschreven aan Mikes beslissing om te blijven. Wat had tante Bess ook al weer over koorts gezegd? Hij had er niet goed op gelet omdat hij zich geestelijk al voorbereidde op de vlucht. Nu was hij bezorgd. Haar gezicht was heel bleek, bijna grauw.

Misschien waren het de emoties, omdat Mike niet mee was gegaan. Will wist hoe erg verdriet kon zijn. De gevolgen konden verbijsterend zijn, en zeer destructief. Voor Freds dood had hij er nooit een seconde over nagedacht, maar hij had het met zijn eigen ogen gezien. Zelf was hij van de ene dag op de andere twintig jaar ouder geworden. Susan was erdoor veranderd van een speels en zorgeloos meisje in een angstig, bijgelovig kind dat last had van nachtmerries en astma. Alice had een metamorfose ondergaan; van een liefhebbende moeder en echtgenote was ze veranderd in een frivole vrouw die buiten de deur haar heil zocht omdat haar man nog verlamd was van verdriet. Verdriet had Wills gezin aan flarden gereten.

Hij keek opzij naar Sarah en probeerde haar aan te raken. Ze kromp ineen door de druk van zijn hand. Ze hield het maar ternauwernood vol, ze moest zich zichtbaar verbijten. De spanning in haar armen was extreem groot. De pezen in haar nek waren dik, alsof ze een zwaar gewicht optilde. Will wilde graag denken dat het alleen verdriet was, maar hij zag wel dat er meer aan de hand was.

Het enige wat hij kon doen was haar zo snel mogelijk naar huis vliegen.

Sarah had nog nooit zoveel pijn gehad. Ze sloot haar ogen en probeerde alle oefeningen die ze ooit had geleerd om dit soort momenten te kunnen doorstaan. Voor de bevalling had ze geleerd om op een bepaalde manier adem te halen, zodat je voldoende zuurstof binnenkreeg ook al was je geneigd je adem in de houden, helemaal geen lucht naar binnen te laten gaan. Ze had geleerd dat je je op iets buiten jezelf moest richten, op een woord of een gebed of een beeld van de zee.

Tijdens de zwaarste chemotherapie had ze geen pijn gehad, hoewel ze zo ontzettend misselijk was geweest dat ze soms wel dood had gewild. Meg Ferguson had haar getraind in meditatietechnieken. Ze hadden geëxperimenteerd met zen, in kleermakerszit op de grond, heel bewust in- en uitgeademd en elkaar mantra's gegeven die leuk klonken en niets betekenden. Die van Sarah was 'Allay-loo' geweest, en die probeerde ze nu.

Allay-loo, dacht ze. Allay-loo.

Naarmate de pijn erger werd, braken haar gedachten erdoorheen. Het vliegtuig trilde in de wind, en Snow slaakte een kreet. Will probeerde haar gerust te stellen. Sarah hoorde haar eigen stem tegen Snow zeggen dat alles goed zou gaan, dat ze aan de zeehonden op Elk Island moest denken.

'Wat is daarmee?' vroeg Snow met een klein stemmetje.

'Denk aan de manier waarop ze duiken,' zei Sarah. 'Soms zwemmen ze door heel woelig water. Brekende golven, draaikolken, sterke stromingen. Maar ze zijn gestroomlijnd, Snow. Net als ons vliegtuig. Ze zijn erop gemaakt.'

'Ik ben bang, Sarah.' Snow begon te huilen.

'Ik weet het, liefje.' Sarah beet op haar lip. De pijn was zo erg dat ze sterretjes zag. Ze hoorde haar eigen stem, kon bijna niet geloven dat ze praatte. Inwendig gilde ze van pijn. Snow stak haar hand naar voren, en Sarah hield haar vast. Ze kneep hard. Het contact werkte wellicht kalmerend op Snow, en wat haarzelf betrof, de scherpe kantjes leken een beetje van de pijn af te zijn.

Ze had geen gevoel in haar heup, en haar been tintelde. Denkend aan dokter Goodacre kneep ze zo hard mogelijk in Snows hand. Na haar laatste consult had ze zich zo gerustgesteld gevoeld. Hadden ze niet gepraat over zijn vader, zijn broer de engel? Voor de verandering hadden ze het een keer niet over haar gehad, en dat was een opluchting geweest. Maar wat had hij ook al weer over tintelen gezegd? Over gevoelloosheid? Hij had gezegd dat ze er alert op moest zijn, maar er niet bij gezegd waarom.

Sarah meende het te weten. Nieuwe tranen welden op in haar ogen. De hele ochtend had ze gehuild om Mike, maar nu huilde ze om iets anders. Ze had zo hard gevochten, zoveel hoop gekoesterd. Haar verjaardag was een droom geweest. Samen met Will had ze over de bergen gevlogen, zo dankbaar dat ze leefde, dat ze weer gezond was, en ze had het gevoel gehad dat er nooit een einde aan zou komen.

'Sarah,' zei Will bezorgd.

Ze voelde zijn hand in haar nek en boog haar hoofd. 'Dankjewel.'

'Sarah, wat is er?' vroeg Snow achter haar.

Sarah wilde het kind een hart onder de riem steken, haar vertellen dat er niets aan de hand was. Ze wilde zeggen dat ze een beetje rugpijn had, dat ze paracetamol had geslikt en dat het nu wel over zou gaan. Ze wilde de woorden zeggen, maar ze kon het niet. Niet over zichzelf.

'Wees maar niet bang, Snow,' suste ze. 'Het duurt niet zo lang meer voor we er zijn.'

'Hou vol,' voegde Will eraantoe.

Sarah knikte.

'Sarah, weet je nog hoe bang we waren toen Mike door het ijs was gezakt? Weet je nog dat we dachten dat hij zou verdrinken?' vroeg Snow.

'Ja,' bevestigde Sarah.

'Maar hij is niet verdronken! Hoe bang we ook waren, we hadden het mis, want hij is helemaal gezond uit dat wak gekomen. Is dit net zoiets?'

De druk van Wills hand in haar nek voelde prettig, en datzelfde gold voor Snows hand in de hare. Snows angst leek te zijn verdwenen zodra ze had gemerkt dat Sarah bang was. Ze haalde nu beheerst adem, lang niet zo rasperig meer. Sarah was haar dankbaar voor wat ze net had gezegd, maar opeens werd alles duidelijk.

'Ik denk dat het net zoiets is,' beaamde Sarah, en ze dacht terug aan dat vreselijke moment bij het meertje, drie dagen geleden. In de greep van een verlammende angst had ze naar dat zwarte gat in het witte ijs gestaard en gedacht dat Mike onder water zou sterven, dat ze haar zoon nooit meer levend zou zien. Bid, had ze tegen Snow gezegd. Bid.

En Sarah had zelf gebeden. Ze had haar ogen dichtgedaan en God gevraagd haar zoon te sparen. Ze had om genade gesmeekt, gebeden dat Will haar zoon zou redden, gebeden dat Mike zou blijven leven. Ze had zichzelf aangeboden als offer wanneer haar zoon zou blijven leven. Alles was zo snel gegaan, ze was het al bijna vergeten. De uitkomst van zijn snelle redding had onvermijdelijk geleken.

Er was een wonder geschied. Toen had Sarah het niet geweten, maar nu zag ze het. Uren nadat ze Mike op het eiland had achtergelaten dacht ze eraan terug, en nu was het duidelijk. Zij had aangeboden om te sterven zodat Mike kon blijven leven, en dat was precies wat er zou gaan gebeuren. Aan de oever van dat bevroren meertje had ze de dood van haar zoon in haar eigen lichaam opgenomen.

Die wetenschap verminderde de pijn niet, maar ze kon het wel iets makkelijker verdragen. Will en Snow waren vlakbij, en ze sloot haar ogen en probeerde rust te vinden. Ze dacht aan een paar maanden geleden, toen ze een nieuwe meditatie had uitgeprobeerd met Meg. Samen zaten ze op kussens op de grond in haar slaapkamer, en Meg had tegen Sarah gezegd dat ze het woord 'liefde' moest inademen en het woord 'angst' moest uitademen.

Dat probeerde Sarah nu. Heen en weer geslingerd door de lucht, gestreeld door de beide Burkes, dwong Sarah zichzelf om door het vuur in haar ruggengraat heen te breken. In gedachten vormde ze zich een beeld van Mike, en ze dacht de woorden zonder ze hardop te zeggen: Liefde... angst. Liefde... angst.

Ondertussen vloog Will hen naar huis.

Hoofdstuk 20

Will keek in de diepte en zag Fort Cromwell liggen, met het oude fort waaraan het stadje zijn naam ontleende. Het dateerde uit de tijd van de Amerikaanse Revolutie, en alle klanten die hij meenam op rondvluchten wilden het zien. Vandaag zag hij het nauwelijks, want hij was te bezorgd om Sarah. Hij pakte zijn radio om zich te melden bij de verkeerstoren van Brielmann Field. Dit vliegveld was zijn basis, en de wetenschap dat ze er nog maar een paar kilometer bij vandaan waren gaf hem een bijna ondraaglijk gevoel van opluchting.

'Hier 2132 Tango,' meldde Will zich. 'We komen om drie uur binnen, en ik wil graag toestemming om te landen.'

'We hebben je, 2132 Tango. Gebruik vandaag maar de eerste baan, want baan twee is gesloten vanwege de harde zijwind.'

'De windstoten hierboven zijn ook niet mis,' zei Will.

Hij keek opzij naar Sarah en vond dat ze er nog slechter uitzag. Ze leek wat rustiger, maar haar gezicht was vertrokken van pijn, en haar lippen waren haast blauw. Even overwoog hij de verkeersleider om een ambulance te vragen, maar dat deed hij niet. Hij zou Sarah zelf naar het ziekenhuis brengen. De toestemming werd verleend, en hij naderde de baan.

Als het landingsgestel was uitgeklapt, hoorde hij twee groene lampjes te hebben en hij had er maar één. Het grote landingsgestel was uitgeklapt en vastgezet, want daarvan brandde het lampje, maar het lampje van het landingsgestel onder de neus bleef uit.

Will zei niets. Hij kon het vliegveld nu zien, de glinsterend zwarte landingsbaan in de zon. Daar was de toren, de rots in de branding waardoor hij altijd wist dat hij thuis was. Uit gewoonte, nog niet uit angst, controleerde hij de benzinetank: halfvol. De metertjes van Piper Aztecs waren niet altijd accuraat, maar zelfs met een slag om de arm kon hij ervan uitgaan dat hij nog voldoende brandstof had om een paar uur te vliegen.

Een blik op de instrumenten leerde hem dat het tweede lampje nog steeds niet brandde. Hij controleerde de zekering, stak zijn hand onder het bedieningspaneel en voelde aan het draadje. Geen lampje. Hij slaakte een diepe zucht en keek opzij naar Sarah.

'Aaa,' kreunde ze met opeengeklemde tanden. 'O, god.'

'Sarah, we zijn er bijna.'

'Schiet alsjeblieft op.' Met een dierlijke angst in haar ogen keek ze hem aan. Ze had vreselijk veel pijn. Het was eigenlijk voor het eerst dat ze iets liet blijken, en Will wist dat het kwam doordat ze er bijna waren, omdat ze nu niet meer zo lang hoefde te wachten.

Oké, blijf rustig, vertelde hij zichzelf. Het neuswiel kwam niet vanzelf omlaag, want het hydraulische systeem werkte niet. Er was echter nog een alternatieve manier, een hendel waaraan hij kon trekken om een CO_2-patroon te activeren en het wiel naar beneden te blazen. Hij had deze methode nog nooit nodig gehad, maar er was niet voor niets in voorzien.

Hij vond de hendel. Door Sarahs pijn raakte hij een beetje in paniek, en zijn vingers trilden toen ze zich rond de hendel klemden. Deze methode werkte het best met een zo laag mogelijke snelheid, dus minderde hij vaart door de gashendel naar achteren te trekken.

'Pap, volgens mij kun je beter zo snel mogelijk landen,' zei Snow met een bange stem. 'Sarah is ziek.'

'Dat weet ik,' snauwde Will.

Snow begon te huilen. Sarah zei niets, maar de uitdrukking op haar gezicht was hartverscheurend. Will probeerde zich te concentreren. Hij had zoveel mogelijk vaart geminderd, maar door de spanningen vergiste hij zich en liet de hendel te snel los. Het patroon kwam vrij, maar er gebeurde niets. Nog steeds had hij geen groen licht.

'Shit,' mompelde hij.

'Wat is er?' vroeg Snow. 'Wat gebeurt er? Is het iets ergs?'

Hij negeerde haar. Terwijl ze boven het vliegveld cirkelden, probeerde hij na te denken. Het zweet stond hem in de handen. Sarah en Snow voelden aan dat er iets mis was. Zijn zwijgzaamheid, de uitdrukking op zijn gezicht, het feit dat hij geen antwoord gaf op Snows vragen. Ze had ze snel en kwaad gesteld, maar opeens was ze stil. In het toestel klonk geen enkel geluid behalve het gestage ronken van de motoren.

Will zocht contact met de toren.

'Brielmann Field, dit is 2132 Tango. We hebben problemen met het neuswiel. Ik krijg geen groen licht.'

'Vlieg eens langs de toren, Will, dan kijken we even.'

Dit gaf Will nieuwe hoop, het gevoel dat hij er niet alleen voor stond. Hij was verantwoordelijk voor twee levens afgezien van dat van hemzelf; dat van zijn dochter en dat van de vrouw van wie hij hield, en hij was echt bang. Hij maakte een bocht naar rechts en vloog terug naar het vliegveld. In de diepte zag hij zijn eigen hangar, Burke Aviation. Hij zag zijn auto staan op het parkeerterrein. En daar was de toren, bemand door zijn vrienden Ralph en Dave. Hij zag Dave voor het raam staan toen zijn toestel langskwam.

'Het grote landingsgestel is uitgeklapt, Will,' meldde Dave. 'Het neuswiel hangt half naar buiten, maar het is niet volledig uitgeklapt.'

'Wat betekent dat?' wilde Snow weten.

'Bedankt, Dave,' zei Will.

'Papa! Wat bedoelt Dave?'

Will gaf geen antwoord. De brandstofmeter gaf nog een kwart tank aan, en het niveau zakte snel. Met een Piper Aztec wist je het nooit, en Will hield er niet van om risico's te nemen met een charter. Het toestel had een behoorlijk bereik, maar de meters waren niet altijd te vertrouwen. Hij moest zorgen dat de tank bijna leeg was, maar niet helemaal. Zonder neuswiel zou het een harde landing worden. Er zouden een hele hoop vonken zijn, en er zou brand kunnen ontstaan. Voor Sarah wilde hij het liefst meteen landen, maar om haar leven te redden moest hij blijven vliegen.

Met elke luchtzak ging er een steek door Sarahs ruggengraat. Ze had helemaal geen gevoel meer in haar benen, maar de pijn in haar rug benam haar de adem. Ze had nooit gedacht dat een mens zich zo kon voelen. Ze wilde dat het ophield, medicijnen, dokter Goodacre. Er bestond een kans dat ze de crash niet zou overleven, dat geen van hen het zou overleven. Will had een grote lus naar het noorden gemaakt, en nu naderden ze opnieuw het vliegveld.

'Daar gaan we,' zei Will.

'O, papa,' riep Snow.

Will staarde strak voor zich uit naar de landingsbaan. Sarah zag overal zwaailichten. Politieauto's, brandweerauto's, ambulances. Blauwe en rode lichten. Er lag sneeuw op de velden, en wit schuim op de landings-baan.

'Oké,' zei Will. 'Ga allebei met je hoofd voorover zitten. Maak jezelf zo klein mogelijk.'

'Papa, dr. Darrow,' snikte Snow. 'Hij is uit mijn handen gekropen en ik krijg hem niet meer te pakken.'

'Laat dat beest!' viel Will uit.

Sarah had het gevoel dat Snow zich in allerlei bochten wrong om de kat te pakken te krijgen. Will gaf een klap op de stoel om haar aandacht te trekken.

'Susan, laat die kat met rust. Hou je hoofd voorover! Armen over je hoofd, hoor je me?'

'Ja,' zei ze gesmoord.

'We komen hard neer,' zei Will, terwijl hij zich concentreerde op wat hem te doen stond, 'maar het gaat heus goed. Straks lopen we bij dat vliegtuig vandaan alsof er niets is gebeurd. Hoor je me?'

'Ik ben zo bang,' kermde Snow.

'Het is zo voorbij.' Will klemde zijn kaken op elkaar.

'Papa...' begon ze, maar haar stem brak.

'Luister goed. Zodra we stilstaan, zodra ik het zeg, maken jullie de gordels los.' Will articuleerde nadrukkelijk en stelde de koers bij. Sarah voelde het vliegtuig rechttrekken. 'En jullie stappen zo snel mogelijk uit. Meteen gaan rennen, bij het toestel vandaan. Zo snel je kunt, oké? Horen jullie me, allebei?'

'Ja, pap,' zei Snow. 'Ik hoor je.'

Sarah moest iets hebben gezegd, ook al wist ze het zelf niet. Het was alsof ze in een wolk zat, een nevel van pijn. Door voorover te buigen werd de pijn in haar ruggengraat nog erger, stekender, zodat ze weer tranen in haar ogen kreeg. Ze dacht aan Mike. Voor het eerst besefte ze hoe blij ze was dat hij er niet bij was. Bij haar vader was hij veilig, ver bij dit gevaar vandaan.

'Sarah,' zei Will. 'Snow. Ik hou van jullie.'

'Ik hou van jou, papa,' riep Snow.

Ik hou van je, dacht Sarah, maar zonder het te zeggen. Het toestel raakte de grond. De neus schraapte met een oorverdovend geraas over de grond, en het vliegtuig draaide naar links en rechts, raakte bijna in een slip. Will hield het in toom. Met kaarsrechte armen vocht hij met het vliegtuig. Sarah hoorde hem vloeken en bidden, hoorde metaal kraken en vervolgens scheuren. Propellers braken af en de brokstukken vlogen tegen de ramen. Glas brak, vonken vlogen in het rond.

En toen stonden ze stil.

Will was al uitgestapt voordat Sarah haar hoofd had opgetild. Snow tuimelde op de baan, het katje in haar armen geklemd. Will duwde haar weg, brulde dat ze moest rennen. Gejaagd rende hij naar de andere kant en rukte Sarahs deur open. Politie- en brandweermannen zwermden rond het vliegtuig. Sarah zag vlokken schuim in de lucht. Ze hoorde mannen schreeuwen dat iedereen bij het toestel uit de buurt moest blijven.

'Kom op, Sarah.' Will hield de deur open en maakte haar gordel los. 'Je moet eruit.'

'Opzij, Will,' beval een brandweerman. 'Laat ons het doen.'

Will bleef bij Sarah.

'Verdomme, Will. Dat ding gaat de lucht in! Opzij!'

Will negeerde hem. Hij bleef heel stil staan, alsof hij alle tijd van de wereld had. Snow was al ver weg en werd geholpen, zodat hij nu alleen nog oog had voor Sarah. Hij stak zijn hand uit en hurkte neer om zijn gezicht vlak bij het hare te brengen.

'Ik kan mijn benen niet bewegen.' Sarah keek recht in zijn blauwe ogen.

'Dat geeft niet, Sarah,' zei hij zacht. Hij stak zijn armen naar binnen en legde zo voorzichtig mogelijk haar armen rond zijn nek. Sarah dacht dat ze er de kracht niet voor zou hebben, maar ze kon hem vasthouden. Will ondersteunde haar rug, tilde haar van de stoel en in zijn armen. Ze drukte haar gezicht tegen zijn borst.

Will droeg haar naar de ambulance waar Snow al stond te wachten. Hij tilde Sarah op de lege brancard en bleef haar vasthouden terwijl de riemen werden vastgemaakt. Zelfs toen de ambulance met gillende sirene wegreed, liet hij haar niet los.

Hoofdstuk 21

Ze waren op het avondnieuws. Snow zat er in de bibliotheek naar te kijken, gewikkeld in een deken en met dr. Darrow in haar armen. Kanaal 3 had hen gefilmd vanaf het moment dat het vliegtuig boven het vliegveld had gecirkeld. Op de baan stonden meer cameraploegen, en Snow hoorde de opwinding over een mogelijke ramp in de stem van de verslaggeefster terwijl ze de situatie beschreef.

'Volgens mij dachten ze dat we dood zouden gaan,' snoof Snow.

'Dat moet je niet zeggen,' zei haar moeder. 'Het was vreselijk. Julian en ik zaten hier te wachten tot je thuis zou komen, en toen belde de verkeersleiding om ons te vertellen wat er aan de hand was. Ik kon het gewoon niet geloven.'

'We hebben meteen de televisie aangezet,' vulde Julian aan. 'Ik stond al klaar met een kussen, zo bang was ik dat ik het tegen je moeders gezicht zou moeten drukken om te voorkomen dat zij je zou zien verongelukken.'

'We zijn prima geland,' zei Snow zacht. Ze aaide dr. Darrow, die spinnend, opgerold tot een kleine bal, op haar schoot lag.

'Godzijdank wel,' verzuchtte haar moeder.

'We dachten dat het zo'n typisch voorbeeld van ik-had-het-je-toch-gezegd zou worden,' zei Julian.

'Wat bedoel je?' vroeg Snow.

'Je weet wel, je loopt weg van huis en dan gebeuren er nare dingen. Ik had het je toch gezegd,' zei hij glimlachend.

Snow wilde hem het liefst negeren. Ze staarde naar de televisie. Haar moeder was zo lief, ze had haar nog niet gestraft, had geen vervelende dingen over het katje gezegd, maar Julian zocht ruzie. Ze voelde een hoestaanval opkomen, en wist dat ze zou ontploffen als ze haar mond hield. 'Ik ben niet weggelopen,' protesteerde ze. 'Ik was bij mijn vader.'

'Daar heb je Will!' riep haar moeder, en ze klonk merkwaardig opgewonden, alsof ze net een filmster had gezien. Door de telelens kon Snow haar vader achter de instrumenten zien zitten, zo knap en beheerst. De camera bleef op zijn gezicht gericht. Snow vond het onvoorstelbaar dat hij er zo kalm uitzag.

'Zo voelde het niet,' zei Snow verwonderd.

'Wat bedoel je?'

'Het was doodeng, afschuwelijk. Ik gilde. Papa moest zelfs boos op me worden. Maar kijk...'

Elke keer dat de camera op Wills gezicht werd gericht was hij beheerst, en hij liet geen angst blijken. Hij kromp niet ineen. Zijn handen lagen rond het stuur, zijn ogen waren strak vooruit gericht, en hij bewoog nauwelijks.

'Je vader is heel erg moedig,' zei haar moeder zacht.

'Ik weet het.'

'Jeetje.' Haar moeder leunde naar voren om beter te kunnen kijken. Haar gezicht had een merkwaardige, verloren uitdrukking. Snow kon er geen hoogte van krijgen. Was het verdriet of bewondering? Het leek een combinatie daarvan. 'Hij wist dat het mis zou gaan, en toch blijft hij beheerst.'

De camera werd op Sarah gericht, en Snow voelde een steek in haar maag. Sarahs gezicht was helemaal verwrongen, haar ogen waren dichtgeknepen en haar mond was een bevroren grimas.

'Zij is niet beheerst.' Julian grinnikte. 'Ze is in paniek.'

'Ze was net zo dapper als papa. Je had haar moeten horen,' zei Snow.

'Is ze zijn vriendin?' vroeg Alice. 'Dat zeiden de verslaggevers.'

'Ik weet het niet.' Snow was niet van plan om het te vertellen.

'Kennelijk hebben ze wel iets met elkaar. Hij laat haar geen seconde alleen.'

Snow knikte alleen. Haar moeder en Julian hadden haar opgehaald in het ziekenhuis omdat haar vader bij Sarah wilde blijven. Ze had last van een beknelde zenuw of zoiets, en door het ongeluk was het erger geworden.

Snow had niet beseft dat het zo lang had geduurd. Tijdens het ongeluk leek alles tegelijkertijd te gebeuren. Voor haar gevoel was de harde landing in een flits voorbij geweest. Maar nu ze het ongeluk op de televisie zag, duurde het eindeloos lang. Elke keer dat Sarah werd gefilmd, ging er een steek door Snow heen. Ze had niet beseft dat Sarah zo ontzettend veel pijn had gehad. Maar als ze haar vader zag, voelde ze zich ontspannen en trots.

'Zo rustig en beheerst,' zei haar moeder toen Will weer op het scherm verscheen.

'Zeg dat wel,' beaamde Snow.

'Zo is hij altijd geweest. Zelfs in noodgevallen.' Haar moeder zat met gefronste wenkbrauwen voorovergeleund naar de tv te kijken en plukte aan een los draadje in de mouw van haar trui. Voor Snow was het vreemd en ongebruikelijk dat ze haar moeder zo over haar vader hoorde praten waar Julian bij was. Bijna alsof hij er niet was.

'Wat bedoel je?' Snow maakte van de situatie gebruik. Haar moeder zei nooit iets over haar vader, en het feit dat ze het nu wel deed, gaf Snow een veilig gevoel.

'Kijk dan naar hem,' zei Alice met een hand voor haar mond. 'Hij dacht dat hij zou verongelukken met zijn dochter aan boord... en hij is rustig.'

'Net als toen Freddie doodging.'

'Vandaag is er toch niemand doodgegaan,' merkte Julian op.

Haar moeder knikte en negeerde hem. 'Net als toen. Ik begreep er niets van dat hij zo rustig bleef, en kijk nu eens...'

'En jij bent mijn kleine emotionele wrak,' zei Julian, en pakte haar hand.

Met diepe rimpels in haar voorhoofd staarde Alice naar het scherm, en ze leunde opzij om Snows hand te pakken. Zonder iets te zeggen gaf ze Snow een goed gevoel. Ze maakte haar geen verwijten, ze zei geen gemene dingen over haar vader. Integendeel, ze complimenteerde hem, alleen al door de manier waarop ze naar hem keek op de televisie.

'Ik heb hem miskend,' zei ze met haar blik op het scherm gericht. 'Dat besef ik nu pas.'

'Papa is niet kil.' Snow zei het zacht, want als haar moeder de dag dat Fred was omgekomen beschreef, had ze haar wel eens horen zeggen dat haar vader zo koud was.

'Hij heeft een opleiding bij de marine gehad,' zei Alice. 'Wij niet, jij en ik, en wij werden compleet gek. Ja toch, liefje?'

'Absoluut,' zei Snow, verbijsterd dat haar moeder deze dingen zei doordat ze de gebeurtenissen van die dag op de televisie zag. Snow had altijd over de Dag van Fred met haar willen praten, en dat had ze altijd geweigerd. Het was een afgesloten hoofdstuk geweest.

'Hij is volkomen onberekenbaar,' snoof Julian verontwaardigd. 'Dat bewijst mijn gebroken neus. Hoe voelde je je in dat vliegtuig?'

'Bang?' vroeg haar moeder.

Snow verstijfde. Sarah werd weer gefilmd, en ze kreeg een brok in haar keel. Er was iets niet in orde met Sarah, en ze was nog steeds in het ziekenhuis.

'Niet weten wat er gaat gebeuren,' zei haar moeder, 'dat is het ergste.'

'Ja,' beaamde Snow.

'Ik weet bijna zeker dat je vader ook bang was,' verzuchtte ze. 'Al laat hij het nooit blijken.'

'Je kunt het wel aan hem zien,' zei Snow. 'Als je maar weet waar je op moet letten.'

'Sommige mensen storten naderhand pas in,' zei Julian.

Snow voelde dat haar gezicht begon te gloeien. Julian had gelijk, haar vader was ingestort, maar ze wilde niet dat Julian het inpeperde.

'Depressiviteit kan een van de meest destructieve emoties zijn,' vervolgde Julian. 'Ik bedoel, als je er niet kunt zijn voor je vrouw en dochter terwijl zij je zo hard nodig hebben, als de marine je zelfs ontslaat –'

'De marine heeft hem niet ontslagen,' onderbrak Snow hem fel.

'Nee, hij heeft ontslag genomen voor het zover was. Heel verstandig van hem. Daar was moed voor nodig,' zei Julian walgelijk beminnelijk. Glimlachend naar Snow streek hij zijn haar naar achteren en zette het vast in een paardenstaart.

'Hij was er wel,' zei Snow. 'De hele tijd. Dus zeg nou maar niet dat hij er niet voor ons was.'

'Je kunt er fysiek zijn en geestelijk niet,' zei Julian vriendelijk.

'Hij was er wel voor ons. Ja toch, mam?' vroeg Snow. Dr. Darrow reageerde op de klank van haar stem en probeerde zich te bevrijden. Haar borst deed pijn. Haar keel brandde, en ze voelde haar longen leeggezogen worden door de astma.

Haar moeder boog haar hoofd. Toen ze weer opkeek naar het scherm schudde ze langzaam haar hoofd. Haar ogen stonden heel erg verdrietig, maar ook een beetje boos. Snow zag aan haar gezicht dat de ene ongelukkige gedachte plaats maakte voor de andere, en ze wilde dat ze kon verdwijnen.

'Nee. Nee, hij was er niet voor ons,' zei haar moeder.

'Laten we het daar nu maar niet over hebben.' Julian had zijn zin en opeens klonk hij edelmoedig, als een vredestichter. Snows longen stonden in brand. Ze snakte haar adem, maar dat wilde ze niemand laten merken.

'Ze laten de landing nog een keer zien,' zei Julian, wijzend op de tv. Snows ogen traanden te erg om iets te kunnen zien. Dr. Darrow zette zijn kleine klauwtjes in haar trui, en zijn nageltjes bleven haken in de wol. Hij probeerde ze los te trekken. Snow haalde zwaar hijgend adem.

'Allemachtig, Susan,' riep haar moeder uit, en ze pakte dr. Darrow. 'Je bent allergisch voor dat stomme beest.'

'Geef hem terug,' probeerde Snow te zeggen.

'Het is te gek voor woorden,' zei Julian, 'dat ze je een kat hebben gegeven. Waren er dan geen volwassenen op dat eiland? Of hadden ze het te druk met zichzelf om te merken dat jij een ernstige ademhalingsstoornis hebt?'

'Geef... hem... terug...' smeekte Snow met gestrekte armen. Mike had hem aan haar gegeven. Sarah had gezegd dat alle katten nakomelingen waren van Desdemona, haar moeders kat. Dr. Darrow herinnerde Snow aan de gelukkigste dagen van haar leven, en ze had het gevoel dat ze zonder hem niet kon leven.

Haar moeder gaf haar de inhalator. Snow pompte en stak het ding in haar mond, terwijl ze ondertussen de hele tijd probeerde om haar katje te pakken te krijgen. Weer werd de landing herhaald. Het vliegtuig landde hard, te midden van een vonkenregen, en vlokken schuim vlogen in het rond. Geheel in de ban van de beelden gaf haar moeder dr. Darrow terug. Julian zuchtte, teleurgesteld of afkeurend. Allemaal staarden ze hoofdschuddend en verbijsterd naar het scherm.

Hoe was het mogelijk dat ze het hadden overleefd? Snow zag zichzelf bij het brandende toestel vandaan rennen, zag haar vader de deur openrukken en Sarah eruit trekken. Hij droeg haar weg in zijn armen, en opeens stond zijn gezicht helemaal niet meer kalm. Hij leek gek te worden van de zorgen, precies zoals de dag dat Fred in de golven was verdwenen. Sarah klampte zich aan hem vast, haar gezicht vertrokken van pijn. Hij droeg haar zo snel mogelijk naar de ambulance. Snow zat ernaar te kijken, met het zwarte katje in haar handen. Het voelde raar om thuis te zijn. Ze miste het leven op Elk Island. Ze wilde terug. Ze wilde in het ziekenhuis zijn met haar vader, ze wilde horen hoe het met Sarah was.

'Is hij verliefd op haar?' vroeg haar moeder.

'Zo te zien wel,' zei Julian.

'Ja,' fluisterde Snow, maar alleen tegen dr. Darrow.

Ze moesten op dokter Goodacre wachten. Will had hem nog niet ontmoet, maar hij kreeg het gevoel dat iedereen ontzag voor hem had. De verpleegsters keken op een bepaalde manier als ze zijn naam noemden. Sarah vertrouwde hem. Eerst hadden ze moeten wachten op de eerste hulp, daarna waren ze naar de afdeling radiologie gestuurd voor een CT-scan, en nu waren ze boven in een kamer op de derde verdieping.

'Is het nog steeds zo erg?' vroeg Will.

'Het gaat iets beter,' zei Sarah, die roerloos op een bed lag.

Vertelde ze hem de waarheid? Will nam haar vorsend op. Ze had nog niet gelopen. Ze droeg een blauwe ziekenhuispyjama, maar ze zag er zo mooi uit en hij hield zo veel van haar. Het liefst wilde hij haar in zijn armen nemen en haar naar huis dragen. Het ziekenhuis maakte hem nerveus.

'Hebben ze hem opgeroepen?' vroeg hij voor de zekerheid. Hij wist hoe de wereld in elkaar zat. De verpleging had toestemming nodig van dokter Goodacre, Sarahs arts, om haar te laten gaan. Ze hadden haar onderzocht, haar pethidine gegeven tegen de pijn, en vastgesteld dat er een zenuw in de knel zat. Dat had de radioloog gezegd: niets om je ongerust over te maken, gewoon een beknelde zenuw. Ze had koorts, en dat kwam door de zwelling. Niets ernstigs.

'Ze hebben hem opgeroepen.'

'Hoe lang duurt het normaal voordat hij er is?' vroeg Will, die zijn ongeduld niet kon verbergen. Hij zat op de rand van het bed en hield Sarahs handen vast. Hij boog zich naar voren om op elke knokkel een kus te drukken. Toen hij weer overeind kwam, nadat hij haar lippen had gekust, zag hij dat ze naar hem glimlachte.

'Soms duurt het heel lang.' Sarah sloeg haar armen om zijn nek. 'Hij heeft het erg druk.'

'Ik ook,' zei Will. 'Ik wil je hier weg hebben en je thuisbrengen.'

'Dat klinkt heel erg goed,' zei Sarah, en ze kuste zijn wang.

'Weet je zeker dat het gaat met je rug?'

'Ja, echt. Ik was heel erg gespannen omdat ik afscheid moest nemen van Mike. Het was echt een enorme schok dat hij op het laatste nippertje wilde blijven, gewoon omdat hij zo stellig had gezegd dat hij terugkwam.'

'Dat snap ik.' Will streelde haar hand en keek nerveus naar de deur.

'Maar toen ik hoorde dat de landing gevaarlijk zou worden, was ik zo blij dat hij nog op het eiland was. Op dat moment wilde ik dat Snow er ook nog was. Jij was echt geweldig. Zoals je dat vliegtuig aan de grond hebt gezet, zonder neuswiel... Hoe heb je dat toch gedaan?'

'Mensen zijn tot ongelofelijke dingen in staat als ze mensen van wie ze houden proberen te redden.'

'Hou je van me?' vroeg Sarah glimlachend.

'Ja.' Will keek haar recht in de ogen. Ze stonden heel helder, bijna te helder. Als Snow koorts had of heel erg opgewonden was kreeg ze altijd van die glinsterende ogen, en zo zagen Sarahs ogen er nu uit. Haar angst was net zo groot als de zijne, en ze probeerde het net zo hard te verbergen.

De deur ging open, en dokter Goodacre kwam binnen. In zijn donkere pak met een gele das met dasspeld leek hij meer op een belangrijke zakenman dan op een dokter. Ook zijn houding straalde dit uit. Naast het bed bleef hij staan, zonder zelfs maar te glimlachen.

'Hallo, dokter!' Sarah zei het alsof ze het leuk vond hem te zien.

'Sarah,' zei hij.

'Dit is Will Burke,' zei ze. 'De held! U hebt vast wel gehoord van dat ongeluk op Brielmann Field, de piloot die zonder neuswiel is geland en alle inzittenden heeft gered. Nou, dit is hem...'

Dokter Goodacre trok zijn wenkbrauwen op. Misschien had hij er inderdaad iets over gehoord, want in zijn ogen stond een zekere nieuwsgierigheid of bewondering te lezen, maar hij deed er het zwijgen toe. Hij gaf Will geen hand. Dat onthield Will, zodat hij er later een grapje over kon maken tegen Sarah, dat de chirurg zijn kostbare handen beschermde, handen die waarschijnlijk bij Lloyds in Londen verzekerd waren. Waarschijnlijk beschouwde hij zo'n beer van een kerel als een te groot risico.

'Ik ga wel weg,' bood Will aan.

De arts knikte, maar Sarah stak haar hand uit en streek langs zijn pols. 'Nee, niet weggaan!' Ze klonk opgewonden, haast speels, maar haar ogen stonden angstig. 'Wil je alsjeblieft blijven?'

'Natuurlijk,' zei Will, en hij schoof iets verder naar haar toe.

'Sarah, ik heb de foto's bekeken.'

'Het spijt me dat ik u lastigval met een beknelde zenuw,' zei Sarah. 'Daar hebt u het veel te druk voor. Ik kan alleen maar zeggen dat ik van streek was over mijn zoon, en bang voor wat er met het vliegtuig zou gebeuren, dus ik denk... Is het mogelijk dat ik me zo druk heb gemaakt dat er een zenuw in mijn wervelkolom bekneld is geraakt? Zo voelt het namelijk, heel laag, alsof twee wervels ergens tegenaan drukken...'

Dokter Goodacre was niet van plan om haar te onderbreken. Hij stond met gevouwen handen naar haar te luisteren. Will keek naar hem. Waarschijnlijk gebeurde dit heel vaak, nerveuze patiënten die hun versie van de gebeurtenissen gaven, artsen die erop waren getraind om hen uit te laten praten. Will voelde Sarahs lichaam tegen zijn been en pakte haar hand.

Ze hield op met praten en keek glimlachend naar de arts.

Dokter Goodacre schraapte zijn keel. Will besefte dat deze man ongetwijfeld heel veel vreselijke dingen meemaakte en dat hij zich bewust zakelijk en afstandelijk opstelde. Toch bleek er iets van medelijden en oprechte menselijke vriendelijkheid uit zijn onwil om te spreken.

'De CT-scan laat zien wat we al vreesden,' zei hij. 'De tumor is terug.'

Sarah bleef glimlachen, en er flakkerde hoop in haar ogen. 'Nee.'

'Het spijt me, Sarah.'

'Eigenlijk horen ze niets te zeggen zolang u er nog niet bent, maar vandaag kwam iemand me vertellen dat er een zenuw bekneld zit. Hij klonk heel stellig, hè, Will?'

'Zeker,' beaamde Will, kijkend naar de dokter. Diens lippen werden heel dun, en hij schudde zijn hoofd alsof hij zijn loslippige collega onder handen wilde nemen.

'Er zit een zenuw knel, dat klopt. De tumor zit op een cruciale plek, Sarah. In het onderste deel van je wervelkolom.'

'Dat kan niet,' zei Will stompzinnig. Dit moest een vergissing zijn. Hoe kon een hersentumor nou onder aan je wervelkolom terechtkomen?

'Uitzaaiingen,' zei Sarah. Het woord maakte haar bang, dat hoorde Will. Ze glimlachte nog steeds, maar de uitdrukking in haar ogen veranderde. Heel geleidelijk sloeg de angst toe.

Dokter Goodacre knikte. 'Het spijt me,' herhaalde hij, dit keer veel vriendelijker.

Will ging staan, oog in oog met de dokter. Er moest een probleem opgelost worden. Het was dus toch geen makkelijk parcours; ze zouden zonder neuswiel een noodlanding moeten maken, onder het ijs moeten duiken om een kind te redden. Sarah zou weer geopereerd en bestraald moeten worden, er zou meer chemotherapie nodig zijn, wat er ook allemaal noodzakelijk was. Will wist niet veel van kanker, maar hij wist wel wat hij voor Sarah voelde. 'Wat doen we nu?' vroeg hij.

Eerst staarde de dokter Will aan, toen dwaalde zijn blik af naar Sarah. Het was aan die twee om te beslissen, besefte Will.

'We hebben dit besproken,' zei hij.

'Is het... zoals we zeiden?' vroeg ze.

'Het is omvangrijk,' beaamde hij. 'Er zijn uitzaaiingen naar de lever en de lymfeklieren. Ik wil graag wat meer onderzoek doen, een MRI laten maken van de hersenen om te zien of het daar is teruggekomen.'

'Maar wat doen we nu?' voeg Will nogmaals. Het was natuurlijk goed dat hij informatie gaf, want ze moesten weten wat er aan de hand was, maar hij wilde dokter Goodacre weer op het rechte spoor hebben – er moest een plan worden getrokken.

'Opereren?' vroeg Sarah.

Dokter Goodacre leek erover na te denken. Chirurgen waren altijd tot snijden bereid. Will had altijd gedacht dat ze niets liever deden, een fortuin verdienden door operaties uit te voeren terwijl een minder ingrijpende behandeling beter was geweest. Hij zette dan ook grote ogen op toen hij hem zijn hoofd zag schudden.

'Nee, Sarah,' zei hij. 'Het verspreidt zich te snel. De tumor groeit als een soort klimplant rond je wervelkolom.'

'U zegt nee?' vroeg Will ongelovig. 'Zij wil dat u opereert, en dat weigert u?'

Hij gaf geen antwoord.

Will kon het gewoon niet geloven. Hij wilde een grote stap naar voren doen, uithalen, de chirurg tegen de muur smijten. Eerst bracht hij Sarah zulk nieuws, en dan liet hij haar gewoon in de steek. Hij voelde het bonzen van zijn hart, het klamme zweet in zijn handpalmen. Rustig blijven, droeg hij zichzelf op. Hij schoot er niets mee op door de dokter te lijf te gaan; Sarah zou alleen maar overstuur raken. En het was in haar belang dat hij kalm bleef.

Sarah had tranen in haar ogen, en ze rolden langs haar wangen. Will wilde haar in zijn armen nemen, maar hij was verlamd. Waarom had ze vandaag zoveel moeten huilen? Hij wilde haar troosten, haar wegdragen, hiervandaan. Hij zou dat ook hebben gedaan, ware het niet dat ze in het ziekenhuis moest blijven voor de behandeling, om beter te worden.

'Hoe lang nog?' hoorde hij Sarah vragen. Hij schrok van haar vraag, het benam hem de adem.

De dokter gaf al net zo onomwonden antwoord. Het ging geheel aan Will voorbij, hij was de buitenstaander. Dat begreep hij ook wel. Dit was iets tussen Sarah Talbot en haar arts; ze hadden samen gevochten, en nu was het moment voor de overgave aangebroken. Will wilde het uitschreeuwen, zeggen dat ze het nooit op moesten geven. Maar zelfs in zijn woede en wanhoop, met Sarahs trillende hand in de zijne, zag hij het wonderbaarlijke licht in haar ogen, en hij wist dat ze het niet opgaf, dat het allemaal een vergissing was. Dit was de diagnose van iemand anders, dit was de tumor van iemand anders.

'Twee weken,' zei dokter Goodacre.

'Twee weken,' herhaalde Sarah.

'Nee,' hoorde Will zichzelf zeggen.

Hoofdstuk 22

De nacht was lang, er leek geen einde aan te komen. Verpleegsters kwamen en gingen om hun werk te doen, verbaasd dat Sarah wakker was. Sarah begroette hen. Zij knikten en glimlachten. Liggend in bed keek Sarah naar de nachtzusters en ook zij verbaasde zich. Ze zagen er allemaal zo jong uit. Hadden ze dan geen mannen en kinderen? Wat vonden hun kinderen ervan dat hun moeders niet thuis waren als ze wakker werden? Als hun vaders hun vertelden dat hun moeders werkten, voor andere mensen zorgden?

Sarah vroeg om een glas water. De verpleegster die het haar bracht kwam haar bekend voor. Misschien had ze haar al eens gezien tijdens een eerdere ziekenhuisopname. Ze was klein en slank, en had krullend donker haar en een snelle glimlach. Hoewel ze het plastic bekertje had kunnen vullen uit de fles lauw water naast Sarahs bed, ging ze naar de koffiekamer van de verpleging om een glas ijswater te halen. Er stonden hulstblaadjes en kerstmannen op het glas.

'Bedankt,' zei Sarah.

'Graag gedaan.'

Als Sarah cynisch was geweest, zou ze zich wellicht hebben afgevraagd of de verpleegster de uitslag van de scan had gehoord. Misschien had dokter Goodacre iets gezegd, of een aantekening gemaakt op haar kaart. Maar zo was Sarah niet. Ze vond de verpleegsters aardig.

'Kunt u niet slapen?' vroeg de verpleegster.

'Nee, niet echt.'

'Ik kan u wel een slaappilletje geven,' bood ze na een blik op haar status aan. 'Het mag van dokter Goodacre.'

Sarah schudde haar hoofd. Ze kreeg pijnstillers, en die maakten haar al suf genoeg. Ze wilde zo alert mogelijk blijven. 'Nee, bedankt. Mag ik vragen hoe je heet?'

'O, sorry. Louise. Ik kon mijn naamplaatje vanavond niet vinden.'

'Het geeft niet,' zei Sarah. 'Ik wilde het gewoon weten.'

Louise glimlachte, en wachtte af of Sarah nog iets zou zeggen of vragen. Maar dat was alles. Sarah wilde gewoon weten hoe ze heette. Ze wist hoe belangrijk het voor mensen was om ze bij hun naam te noemen, zo creëerde je een band, gaf je ze het gevoel dat ze iets voor je betekenden.

Louise verliet de kamer, en Sarah sloot haar ogen weer.

Om de een of andere reden dacht ze aan haar winkel. *Cloud Nine*. Ze had het altijd een prachtige naam gevonden, hemels, vol hoop. De naam herinnerde haar aan haar moeder, die uit de hemel haar zegen gaf. Sarah had het logo zelf ontworpen, een gouden negen op een prachtige zomerse wolk, bedoeld als een blijvend aandenken aan waar haar moeder was, en hoeveel ze van haar had gehouden.

Zo zou Sarah ook altijd van Mike blijven houden. Michael Ezekiel Loring Talbot. Alleen al door te denken aan zijn naam raakte ze geëmotioneerd, en ze kneep haar ogen stijf dicht. Minder dan vierentwintig uur geleden was ze ervan overtuigd geweest dat hij mee naar huis zou gaan.

Minder dan vierentwintig uur geleden was Sarah van een hele hoop dingen zeker geweest. Het was heel stil in het ziekenhuis. Louise kwam de kamer weer binnen, en ze bleef naast het bed staan om Sarahs infuus te controleren.

'Heb je kinderen, Louise?'

'Ja, twee dochters.'

'Meisjes,' zei Sarah, denkend aan Snow. 'Hoe oud zijn ze?'

'Zes en acht.'

'Zijn ze niet geweldig op die leeftijd?' Zodra ze het zei wist Sarah dat ze van willekeurig welke leeftijd hetzelfde gezegd zou hebben. Wanneer was Mike nou niet geweldig geweest? Zelfs de laatste jaren, toen er ruzies en vijandigheid waren geweest en hij uiteindelijk was weggelopen.

Louise stond zwijgend bij het raam, wellicht mijmerend over haar slapende dochters. Wie paste er op hen? Was ze getrouwd? Was het de vader van de meisjes, de enige die net zoveel van hen kon houden als zij? Of vertrouwde ze hen toe aan hun grootmoeder? Liet ze hen achter met een oppas, zoals Sarah met Mike had moeten doen?

'Hoe laat zit je dienst erop?' vroeg Sarah.

'Pas om acht uur.'

Sarah zei niets. Ze dacht dat de meisjes waarschijnlijk al op weg waren naar school tegen de tijd dat Louise thuiskwam. Ze dacht aan Will, die gescheiden leefde van Snow, en ze haalde langzaam adem. Zij en Mike hadden het nog niet zo slecht getroffen. In elk geval waren ze het grootste deel van de tijd samen geweest, ze hadden onder hetzelfde dak gewoond, waren in hetzelfde huis wakker geworden en hadden dan samen ontbeten aan de keukentafel. Ze had hem tot zijn zevende naar school gebracht. Tranen rolden over haar wangen toen Louise op de rand van het bed kwam zitten.

'Ik heb je status gelezen,' zei Louise.

Sarah slikte moeizaam en knikte.

'Ik vind het heel erg.'

Het licht was uit, maar er viel een geel schijnsel binnen van de gang. Sarah had het koud. Ze trok de dekens verder omhoog. Zonder dat haar iets werd gevraagd, bukte Louise zich om een extra deken uit het nachtkastje te halen. Ze dekte Sarah toe en ging weer zitten.

'Heb je dokter Boswell al gesproken?' vroeg Louise zacht. 'De mogelijkheden besproken? Ze kunnen tegenwoordig een hele hoop bereiken met chemotherapie. De resultaten worden steeds beter.'

Sarah schudde haar hoofd. Ze kon de wind in de naaldbomen van Elk Island bijna horen, de zoute lucht bijna ruiken. Ze was geboren en getogen op een eiland in Maine. Medicijnen konden haar niet redden van haar eigen lichaam. Ze wilde niet op allerlei apparaten worden aangesloten. Ze wilde niet meedoen aan experimenten. Opeens verlangde ze hevig naar Will en naar zeewater.

'Ik heb steeds gedacht dat ik het zou weten als de tijd kwam,' verzuchtte Sarah.

'Wat?'

'Hoe ik... weg moet gaan.'

'Ja?'

Sarah knikte. De tranen bereikten haar mondhoeken. Verleden zomer had het een stuk eenvoudiger geleken, voordat ze weer hoop had gekregen. Mike was weg, ze was heel erg ziek geweest, en er was toen nog geen Will.

Sarah had de vooruitzichten met dokter Goodacre en dokter Boswell besproken, en hen laten weten dat ze verder niet behandeld wilde worden als de tumor terugkwam. Ze had zich haar ziekte voorgesteld als een golf. De golf kon opgaan in zee, of terugkomen om haar te nemen. Sarah kwam niet voor niets van Elk Island; ze wist dat ze machteloos stond tegenover de zee.

'Hoe ga ik weg?' vroeg Sarah met trillende stem. Ze zat met een vreemde in een ziekenhuiskamer terwijl iedereen sliep. Louise hield haar hand vast. Sarah proefde zout toen ze op haar lip beet, voelde de pijn. Ze dacht aan Mike, en ze dacht aan Will.

Louise besefte niet dat Sarah haar een vraag had gesteld. Ze was maar een jonge verpleegster, oververmoeid en verlangend naar haar kinderen, en ze probeerde een zieke vrouw te troosten die net slecht nieuws had gehoord. Ze besefte niet dat Sarah brandde van verlangen naar iemand die haar kon vertellen hoe ze het moest doen. Hoe ze afscheid moest nemen van haar zoon, en van de man op wie ze verliefd was geworden.

Snow werd vroeg wakker. Dr. Darrow had de hele nacht bij haar in bed geslapen, genesteld onder haar kin. Toen ze zich uitrekte begon hij te spinnen. Zijn hele lijfje trilde ervan, en hij kroop dichter tegen haar aan, duwde zijn koude neusje tegen haar huid. Lachend drukte Snow een kusje op zijn snoet.

Nu ze zo lekker warm onder haar donzen dekbed in bed lag, kon Snow bijna doen alsof ze terug was op Elk Island. Ze kon de golven bijna horen, voelde het tochten door de kieren in de muur. Wat was ze gelukkig geweest, als lid van Sarahs familie voor Thanksgiving. Het was buiten wel erg koud geweest, maar de warmte in huis was weldadig geweest; warmte van de haardvuren, de katten, tradities, en vooral mensen.

Geen wonder dat Sarah zo'n bijzonder iemand was, met zo'n achtergrond. Heerlijk diep weggekropen onder het dekbed met dr. Darrow vroeg Snow zich af hoe het met Sarah was. Lag ze nog steeds in het ziekenhuis? Ze had verwacht dat haar vader gisteravond wel even zou bellen om de stand van zaken te vertellen, maar dat had hij niet gedaan.

De wekker ging af, ook al was het buiten nog donker. Snow strekte een arm om de wekker uit te zetten. Halfzeven, tijd om op te staan en naar school te gaan. Hoe zou Mike zich zonder eindexamen door het leven slaan? Snow hoopte dat hij zich zou bedenken en uit eigen beweging terug zou komen naar Fort Cromwell om zijn school af te maken als iedereen hem eenmaal met rust liet en hij zelf kon beslissen wat hij wilde. Niet dat ze het Sarah kwalijk nam. Sarah was gewoon een goede moeder en ze wilde het beste voor haar zoon.

Snow stapte uit bed en zag dr. Darrow naar het raam rennen. Hij drukte zijn neus tegen het glas. Geschrokken van de kou sprong hij naar achteren. Toen zag hij een paar vinkjes bij het vogelhuisje en maakte aanstalten om ze te bespringen. Weer zat het glas in de weg. Hardop lachend tilde Snow hem op. Ze wilde dat ze thuis kon blijven zodat ze uren naar hem kon kijken. Dr. Darrow was van haar, van haar en Mike, en hij deed haar aan het eiland denken.

Dr. Darrow zou het leven met Julian en haar moeder draaglijk maken. Hij zou haar stille bondgenoot zijn in dit gekkenhuis van geld en getikte liefde. Als Snow nog één keer moest zien hoe haar moeder naar Julian keek, probeerde zijn gedachten te raden, of hij tevreden of juist overstuur was, zou ze gek worden. Dan zou ze de echte dokter Darrow weer nodig hebben.

Ze kleedde zich aan en besloot de bus naar school te missen en met de fiets te gaan. Onderweg naar huis kon ze dan langs Sarahs winkel fietsen om te zien of ze er al was. Bovendien wist ze uit ervaring dat fietsen de beste manier was om haar gedachten op een rijtje te zetten. Ze wilde nadenken over haar verblijf op Elk Island en wat het betekende. Het werd tijd om weer van naam te veranderen, en op de fiets kreeg ze altijd de beste ingevingen.

Will had niet geslapen. Hij kon alleen maar aan Sarah denken. Ze was alleen in het ziekenhuis. Na het gesprek met dokter Goodacre had Will bij haar willen blijven. Hij had heel lang op de rand van haar bed gezeten, tot aan het eind van het bezoekuur. Ze hadden niet veel gepraat. Ze moesten het nieuws allebei verwerken. Elke vraag die er bij hem was opgekomen had onwerkelijk geleken.

Samen hadden ze naar het nieuws van zes uur gekeken, met beelden van de noodlanding. Het vliegtuig dat boven het vliegveld cirkelde, de close-ups van het gebroken neuswiel, hun gezichten achter de raampjes, de spectaculaire landing zelf. Ze waren ernstig in gevaar geweest; als er ook maar iets een fractie anders was gelopen, hadden ze alle drie dood kunnen zijn. Als gehypnotiseerd had hij naar het scherm gestaard. Sarah had zijn hand vastgehouden, gemompeld dat hij zo geweldig was, een echte held.

Will had zijn hoofd geschud. Wat was een noodlanding vergeleken met wat Sarah nu te wachten stond? Hij had het gevoel dat de dingen die hij op de televisie zag iemand anders waren overkomen. Toen hij zichzelf zag op het moment dat hij Sarah uit het brandende toestel tilde, kneep hij zo hard in haar hand dat ze een kreet slaakte. Was het maar zo simpel, dacht hij. Kon hij Sarah maar zo makkelijk redden.

Er was een zuster gekomen om Sarah een nieuwe dosis pethidine toe te dienen, en die was verbaasd geweest dat Will er nog was. Even had ze getwijfeld of ze hem eruit moest schoppen of hem juist moest laten blijven. Heb je Sarahs status dan niet gezien, had hij willen vragen. We hebben haast geen tijd meer, ik kan niet weg. Maar de regels wonnen het. De zuster had hem gevraagd om weg te gaan, en Sarah had niet geprotesteerd.

Bij het krieken van de dag stond Will op, denkend aan Sarah. Hij wilde zo snel mogelijk naar het ziekenhuis, proberen of hij haar op andere gedachten kon brengen. Twee weken was niet genoeg. Hij had meer tijd met haar nodig. Ze konden samen veertig, vijftig, zestig, zeventig worden. Misschien zelfs tachtig, zoals George en Bess. Vijftig jaar samen, als ze maar weer gezond kon worden.

Hij droogde zich af en keek op zijn horloge. Bijna halfzeven. Hij zette koffie en dronk die aan de keukentafel. De keuken was klein, onpersoonlijk. Toen hij hier kwam wonen, had hij geen zin gehad om alles op te knappen. Hij hield alles schoon, zoals de kombuis op de *James*. Een schoolfoto van een glimlachende Snow was op de ijskastdeur bevestigd. Aan de muur hing een portret van hem dat ze bij de zaterdagse tekenlessen had geschilderd.

Het zou hier mooi kunnen zijn met iets van Sarah, dacht hij. Hij was nooit bij haar thuis geweest, maar wel in haar winkel en op Elk Island. Hij kende geen enkele vrouw met een stijl zoals de hare, vol liefde voor de natuur en het leven zelf. In gedachten stelde hij zich voor dat ze zijn huis zouden versieren voor de kerst, iets wat hij al in geen jaren meer had gedaan. Ze zouden het samen doen, samen alles verzamelen, met de auto naar het bos gaan om dennentakken te snijden, een boom optuigen, samen genieten van het leven.

Will wilde een leven samen met Sarah, meer niet. Ze had geen wonderen verricht, ze had Fred niet tot leven gewekt, hem niet herenigd met verwanten van wie hij was vervreemd. Ze had geen stralenkrans, ze maakte Will geen beter mens. Ze was er gewoon. Sarah was in zijn leven gekomen, en nu hoorden ze samen te blijven. Hij kon haar niet laten gaan. Wat er ook gebeurde, hij kon haar niet laten gaan.

Toen hij weer op zijn horloge keek, was het bijna zeven uur. Het duurde nog uren voordat hij Sarah kon opzoeken. Zouden ze op Elk Island het nieuws van de noodlanding hebben gehoord? Hij had het nodig om zich met Sarah verbonden te voelen en belde haar familie.

'Mike?' zei Will toen er werd opgenomen.

'Ja,' zei Mike. 'Ben jij het, Will?'

'Ja.'

Mike schraapte zijn keel. Hij herhaalde Wills naam, en Will begreep dat hij George of Bess uitlegde wie hij aan de lijn had. Will had geen idee wat hij zou gaan zeggen. Hij wilde gewoon bij Sarahs leven betrokken zijn, en het was nog te vroeg om naar het ziekenhuis te gaan.

Hij stelde zich het eiland voor, sereen onder die witte deken, het aanbreken van de dageraad boven de koude, grijze oceaan, hij hoorde de ganzen tot leven komen, stelde zich de kale adelaar voor. Met de hoorn omklemd stelde hij zich Mike voor aan de andere kant, staand in de warme keuken met zijn grootvader en oudtante.

'Zijn jullie goed thuisgekomen?' vroeg Mike.

'Jazeker,' zei Will, en hij besefte dat ze niets hadden gehoord. 'We hebben een probleempje gehad, maar we zijn veilig geland.'

'Een probleempje?'

'Ja. Het landingsgestel bleef steken, dus het was een ruwe landing. Maar iedereen is ongedeerd.'

'Hebben jullie een ongeluk gehad?' vroeg Mike. 'Ongeluk?' herhaalde George op de achtergrond.

'Het was gewoon een harde landing.' Will wilde hen niet nodeloos ongerust maken. Waarom had hij eigenlijk gebeld? Zijn keel werd dik. Hij had het recht niet om hun te vertellen wat er met Sarah aan de hand was. Als ze het haar zoon en vader wilde vertellen, moest ze hen zelf bellen.

'Maar mijn moeder en Snow zijn ongedeerd?'

'Snow maakt het prima.'

'Mijn moeder?'

Will aarzelde. 'Ze ligt in het ziekenhuis.'

'Waarom?'

Opnieuw aarzelde Will. Hij kon Mike de waarheid niet vertellen, maar hij kon ook niet liegen. 'Haar rug.'

'Is ze gewond geraakt?'

'Nee.'

Er klonk geschuifel. Will hoorde ritselen, stemmen, een scherpe uitroep. 'Geef me die telefoon!' hoorde hij George zeggen.

'Wat is er verdomme aan de hand?' blafte George.

'Hallo, George,' zei Will.

'Wat is er met haar rug?'

'Ze heeft pijn, George.'

'Het is de tumor,' concludeerde hij botweg.

Seconden tikten voorbij. Het was aan Sarah om het haar vader te vertellen. Ze zou het haar zoon zelf willen vertellen, op haar eigen voorzichtige manier. Will hield de hoorn vast en voelde de tranen prikken in zijn ogen.

'Ja, George. Helaas wel.'

'Verdomme,' vloekte George Talbot.

'De tumor?' voeg Mike. Kennelijk gebruikte hij boven in de gang het tweede toestel.

'Ik vind het zo erg,' zei Will.

De drie mannen die het meest van Sarah hielden zwegen en probeerden het te verwerken. Iemand slaakte een lange en diepe zucht. Will verwachtte eigenlijk dat George in woede zou uitbarsten, dat hij zou razen en tieren, zou zeggen dat Sarah het steeds voor hem had achtergehouden. Maar dat deed hij niet. Het bleef bij een lang en peinzend 'Hmmmm'.

'Weten ze het zeker?' vroeg Mike. 'De artsen?'

'Ja,' zei Will. 'Heel zeker.'

Weer stilte. Will was voorbereid op de vraag: 'Hoe lang nog?' Als iemand dat zou vragen, zou hij hun het vreselijke, onvoorstelbare nieuws vertellen. Hij stond voor zijn keukenraam, staarde naar de grijze achtertuin, en voelde het bonzen van zijn hart.

'Ik wil erheen,' zei Mike. 'Opa, we kunnen vandaag de boot nemen en naar Fort Cromwell rijden.'

'Goed idee, jongen,' zei George. 'Maar ik weet iets beters. Heb jij nog een vliegtuig, Will? Wat vind je ervan om ons op te halen? Dan zijn we er een stuk sneller, en jij kunt ons vertellen wat de dokters precies hebben gezegd.'

'Nee,' zei Will.

'Nee?' Zijn boosheid vibreerde door de lijn.

'Will,' begon Mike met dikke stem, 'het spijt me als ik vervelend tegen je ben geweest. Maar we komen eraan. Jij vliegt ons of we nemen de auto, maar we komen.'

'Ik heb iets anders bedacht.'

'Geen sprake van,' snauwde George.

'Ik wil haar terugbrengen naar het eiland,' zei hij. In gedachten zag hij het voor zich, de vredigheid, de schoonheid, de liefde van haar familie, de nabijheid van haar moeder. Hij zag het kerkje, zo mooi en afgelegen, helemaal op de oostelijke punt van het eiland, pal aan zee. De kerk waarin ze nooit was getrouwd.

'Is dat wel verstandig?' wilde George weten. 'Heeft ze dan geen ziekenhuis nodig? Doktoren en een moderne behandeling?'

'Ze heeft dokter Goodacre en Meg Ferguson nodig,' vulde Mike aan.

'Ze heeft jou nodig, Mike. Jou en George. Ik breng haar thuis.'

Weer slaakte George een diepe zucht. Mike schraapte zijn keel. Will keek op zijn horloge. Als hij nu wegging, kon hij over een halfuur op het vliegveld zijn. Zijn grote Cessna was geschikt voor de vlucht, maar dan moest hij de motor wel nog snel een onderhoudsbeurt geven. Daar zou hij de rest van de ochtend mee bezig zijn. Tegen twaalven kon hij in het ziekenhuis zijn, rond het bezoekuur.

'Godverdomme,' riep George uit.

'Verzet je nou alsjeblieft niet,' betoogde Will. 'Ik –'

Mike schoot Will te hulp. 'Opa, hij probeert alleen maar te helpen.'

'Ik had het niet tegen hem,' zei George, en opeens was alle woede weg uit zijn stem, en kwam er bodemloos verdriet voor in de plaats. 'Het gaat niet om jou, Will. Ik vraag het God. Waarom Sarah? Waarom Rose en nu mijn Sarah? Kun jij me dat vertellen?'

'Nee, George,' zei Will zacht. 'Dat kan ik niet.'

Will begon meteen met de voorbereidingen. Hij keek in zijn agenda en annuleerde de helft van zijn charters. Hij belde Steve Jenkins, een gepensioneerde piloot die soms voor hem werkte of voor hem inviel. Steve was een uitstekende piloot, zo betrouwbaar als maar kon. Zodra Steve ja had gezegd, verliet Will het kantoor. Hij had zichzelf een doel gesteld, en het enige waaraan hij nu nog kon denken, was dat hij Sarah naar huis zou vliegen.

Hoofdstuk 23

Snow was vergeten dat ze maar een halve dag school had. De docenten vergaderden over een nieuwe landelijke maatregel, dus waren ze voor de lunch al uit. Toen ze wegfietste en de heuvel bij de school afkwam, vroeg ze zich af waarom ze er niet gewoon een extra vrije dag van hadden gemaakt. Dan had ze langer op Elk Island kunnen blijven. Stomme regels.

Ze fietste zo hard ze kon door de stad. Alle winkels hadden nu kerstversiering. Overal zag ze kransen en dennentakken, en kleine lichtjes twinkelden als een kunstmatige melkweg. Het had al een paar dagen niet meer gesneeuwd, dus de oude sneeuw was grijs en smerig van het strooizand en uitlaatgassen. Heel anders dan Elk Island.

Voor Cloud Nine zette ze haar fiets neer, en ze liep naar de donkere etalage. Geen lichtjes, geen takken. Snow was verbaasd; ze had gedacht dat Sarah meteen met het versieren van de winkel zou beginnen. Lag ze dan nog in het ziekenhuis? Aan de binnenkant van de ruit zat een wit papier, en Snow las de korte mededeling.

Cloud Nine is gesloten tot de maandag na Thanksgiving.
Ik wens u alvast welterusten en mooie dromen!

Snow fronste haar wenkbrauwen. Sarah had dat briefje voor hun vertrek naar Elk Island geschreven, dus dat betekende dat ze echt nog steeds in het ziekenhuis lag. Was het dan zo slecht met haar rug? Snow had een paar verrekte spieren en wat blauwe plekken van de noodlanding, maar niets ernstigs. Opeens kwam er een vreselijke gedachte bij haar op: stel nou dat Sarahs ziekte terug was? Ze sprong op haar fiets en racete zo hard ze kon naar huis.

Biddend dat alles in orde was reed ze Windemere Hill op. Haar hart klopte in haar keel uit angst om Sarah, en ze had haar moeder nodig. Ze hoopte dat Julian aan het werk was, auto's testte op het circuit. Snow wilde haar moeder vertellen dat Sarah niet in haar winkel was, en haar vragen om het ziekenhuis te bellen. Ze wilde dat haar ouders nog bij elkaar waren, dat haar vader gewoon thuis op haar zat te wachten.

Door aan Sarah te denken was Snow onzeker geworden, en ze was zo bang dat ze tegen de voordeur in elkaar zakte tegen de tijd dat ze boven aan de heuvel was. Ze vond haar inhalator en gebruikte die.

'Wat ben jij vroeg thuis,' zei haar moeder toen ze de gang in kwam.

'Hai... mam...' hijgde Snow. 'Docenten... vergaderen...'

Haar moeder stond met gekruiste armen naar haar te kijken, met een zie-je-nou-wel-uitdrukking op haar gezicht.

'Wat?' vroeg Snow.

'Niets,' zei haar moeder gespannen. Toen glimlachte ze, en ze trok Snow in haar armen om haar op beide wangen een kus te geven. 'Dat is waar ook. Ik ben vanochtend vergeten om op de kalender te kijken.'

Snow probeerde diep adem te halen. Ze wilde haar moeder alles vertellen, ook waarom ze zo bang was, maar ze voelde aan dat haar moeder Sarah niet mocht, dus wilde ze niet al te nerveus klinken. Langzaam ademde ze uit voor ze begon.

'Mam, ken je Sarah Talbot?'

'De vrouw met wie je Thanksgiving hebt gevierd?' Haar moeders stem had een ijzige ondertoon. 'Ja, ik weet wie ze is.'

'Ik maak me een beetje zorgen om haar. Ze hoort in haar winkel te zijn, maar daar is ze niet. Denk je dat ze nog steeds in het ziekenhuis ligt?'

'Ben je onderweg naar huis bij haar winkel langsgegaan?' Ze fronste haar wenkbrauwen, want het ontging haar totaal wat Snow bedoelde. 'Had je daar toestemming voor gevraagd? Susan, wanneer leer je nou eens dat je me moet laten weten waar je bent? Mijn god! Stel nou dat je een ongeluk had gehad, of dat je was ontvoerd –'

'Er is toch niets gebeurd, mam,' betoogde Snow zacht. Het was wel duidelijk dat ze het verkeerd had aangepakt. Ze had zelf het ziekenhuis moeten bellen, in plaats van het aan haar moeder te vragen. Ze deed een stap naar achteren. Het was een raar gevoel, enerzijds had ze haar moeder nodig, terwijl ze tegelijkertijd weg wilde vluchten.

'Je hebt huisarrest, Susan,' kondigde ze kalm aan. 'Ik wilde eigenlijk wachten tot Julian thuiskwam, maar ik vertel het je nu meteen maar.'

'Huisarrest?'

'Heb je enig idee hoe bezorgd ik ben geweest?' Haar gezicht begon rood aan te lopen. 'Toen jij verleden week woensdag niet thuiskwam? Hoe het voor mij was toen jij me belde uit New Hampshire, onderweg naar een eiland met mensen die ik niet eens kén?'

'Je kent papa toch.'

Ze schudde haar hoofd. 'Wees niet zo brutaal tegen me. Ga naar je kamer en denk erover na. Ik wil dat je goed begrijpt wat ik bedoel. Ik geef je niet voor de lol huisarrest. Ik hou met heel mijn hart van je, Susan. En Julian –'

'Ik wil het je niet eens horen zeggen.' Snow deinsde achteruit. Ze had nog nooit straf gehad. Ze wist dat ze zich had misdragen, en ze vond het vreselijk dat haar moeder zich zorgen had gemaakt, maar ze zou het niet verdragen als ze haar iets hoorde zeggen als: 'Julian geeft heel veel om je' of erger nog: 'Julian houdt net zoveel van je.'

'Ik zeg het toch. Julian is je stiefvader. Mijn man. Jij vindt hem misschien niet aardig, maar hij houdt wel van je.'

'Néé!' kermde Snow met haar handen over haar oren.

'Echt waar! Heb je enig idee hoe moeilijk het voor ons is geweest? We hebben ons best gedaan om jou gelukkig te maken, we hebben ons best gedaan om ons drietjes tot een gezin te smeden.'

'We zijn al een gezin,' snoof Snow. 'En daar hoort Julian niet bij.'

'Hij is nu mijn man. Jouw stiefvader, liefje. Hij heeft zelf geen kinderen, Susan. Misschien is hij niet volmaakt, maar hij doet vreselijk zijn best voor je. Weet je wat hij over die stomme kat heeft gezegd? "Laat haar dat beest toch houden." Terwijl ik woest was dat je vader en die Sárah, wie ze ook is, jou een kat geven, ondanks je allergie.'

'Dr. Darrow?' Snows zenuwen tintelden.

'En dat je hem dan ook nog naar je psychiater noemt,' verzuchtte haar moeder met tranen in haar ogen. 'Je maakt hem belachelijk, en wij wilden je alleen maar hélpen...'

'Waar is hij?' vroeg Snow met bonzend hart.

'Ik heb hem naar het asiel gebracht.' De tranen liepen nu over haar wangen. 'Je bent allergisch voor hem, liefje. Een kat in huis is slecht voor je, en dat weet je.'

'Het asiel?' riep Snow gepijnigd uit. 'Hij is van mij, en hij heeft me nodig!'

'Ze zeiden dat ze een goed adres voor hem zouden vinden,' riep haar moeder haar na, maar Snow wilde de rest niet horen. Ze vloog naar boven en rende haar kamer binnen.

Sarah wachtte. Al na zo'n korte tijd rekende ze op Will. Hij hoefde haar niet op te zoeken, maar ze wist dat hij zou komen. Toen hij de kamer binnenkwam, lag ze met haar hoofd op de kussens. Ze glimlachte naar hem en slaakte een tevreden zucht. Alleen al door hem te zien voelde ze zich beter.

'Hallo,' zei hij, en kwam naast haar zitten op het bed.

'Hai, Will.'

'Hoe voel je je?'

'Ongeveer hetzelfde.'

'Is de pijn nog steeds zo erg?'

'Nee.' Ze zat onder de medicijnen, dus de steken waren minder scherp, maar de pijn was er nog wel. Het voelde alsof ze in haar hele lichaam kiespijn had. Nu Will er was kon ze nadenken. Wat was het vreemd dat hij net zo belangrijk voor haar was geworden als zuurstof of zonneschijn. Voor hij in haar leven was gekomen, had ze zich prima gered in haar eentje. Maar opeens had ze hem nodig.

'Is de dokter nog geweest?'

'Ja, vanochtend. Er is een MRI gemaakt, dus hij zal straks wel terugkomen. Ik heb je gemist.'

'En ik jou. Heel erg.' Alsof hij op een teken van haar had gewacht, dook hij op haar om haar onstuimig te omhelzen. Sarah deed haar ogen dicht en voelde zijn kracht in haar huid, in haar botten. Ze wilde dat hij haar nooit meer los zou laten.

'Blijf,' fluisterde Sarah toen ze voelde dat hij overeind wilde komen.

'Heb je Mike gebeld?'

'Ssst.' Sarah sloot haar ogen en omhelsde hem nog heftiger. Ze wilde niet dat dit op zou houden. De werkelijkheid van plannen en andere mensen die op de hoogte gebracht moesten worden kon nog wel even wachten.

'Ik wel,' zei Will.

Sarahs ogen vlogen open. 'Echt waar?'

'Ja.'

'Je hebt het hem toch niet... verteld?'

'Jawel.'

'Will!' Ze worstelde om overeind te komen. 'Niet waar. Zeg dat het niet waar is.'

'Waarom zou ik het zeggen als het niet zo was, Sarah? Ik –'

'Zoiets als dit vertel je niet zomaar even, dat de tumor terug is. Hij is boos en zo gevoelig, en hij is bang, Will... Ik wil niet weer die afstandelijkheid tussen ons, net nu ik hem terug begin te krijgen.' Boosheid welde in haar op, zodat ze geen woord meer kon uitbrengen.

'Hij wilde komen.'

'Wat bedoel je?' Sarahs handen beefden onbeheersbaar.

'Toen ik het hem vertelde, wilde hij meteen naar je toe komen.'

'Echt waar?'

'Ja.'

'Hij wilde naar Fort Cromwell komen?' Haar ogen vulden zich met tranen, zo blij was ze dat deze liefste wens in vervulling zou gaan. 'Mike?'

'En je vader.'

'O, Will,' zei Sarah met een zucht, en ze begroef haar gezicht in haar handen. Ze kon het zich nauwelijks voorstellen – Mike die thuiskwam en haar vader die wilde komen, terwijl hij normaal niet van het eiland weg te branden was. Het beeld van haar vader op het vasteland, een verschrikte uitdrukking op zijn gezicht, vele kilometers bij de enige plek die hij ooit had gekend vandaan, vulde haar met zoveel liefde, en haar lichaam schokte van de stille snikken. Ze voelde Wills armen om zich heen.

'Als je wilt dat ze komen, Sarah,' zei Will zacht, 'ga ik ze halen. Maar ik dacht eigenlijk aan iets anders.'

'Wat dan?'

'Ik weet dat je pijn hebt, ik weet dat ik veel van je zou vragen, maar als je wilt, Sarah, breng ik je naar huis.'

'Meen je dat?'

'Natuurlijk meen ik dat.'

Sarah tilde haar hoofd op. In gedachten zag ze een blauwe hemel, zee tot aan de einder, een adelaar die in grote cirkels vloog, donkere dennen tot aan de rand van de baai. Ze pakte zijn hand. Het klonk zo goed, beter dan alles wat ze in heel lange tijd had gehoord.

'Breng me naar huis, Will,' zei ze.

Een uur later gaf dokter Boswell zijn fiat. Hij verhoogde de dosis van de pijnstiller voor de reis, gaf Sarah morfine in plaats van pethidine omdat de pijn zo erg was en nog erger zou kunnen worden. Will was een man met een missie. Hij liet zich door de arts instrueren. Hij had Meg Ferguson gebeld, en ze was naar het ziekenhuis gekomen om hem verschillende instructies te geven terwijl verpleegsters van het ziekenhuis Sarah voorbereidden op de vlucht.

'Wees vooral niet bang dat je haar te veel medicijnen geeft,' zei Meg huilend. 'Als ze erom vraagt, geef het dan gewoon.'

'Best.'

'Hebben jullie een verpleegster op het eiland?'

'Daar is Sarahs tante nu mee bezig. Ze heeft een verpleegtehuis voor terminale patiënten in Maine gebeld, en die sturen iemand met ervaring met stervensbegeleiding.'

'Mooi. Je weet wat dit betekent, hè?'

'Ik weet het, Meg,' antwoordde Will geduldig. Meg klonk bazig en zakelijk, maar ze snoot haar neus en veegde haar ogen af.

'Ik wilde dat ik haar kon verzorgen,' verzuchtte Meg. 'Ik zou wel graag mee willen komen, maar ik kan Mimi niet alleen laten.'

'Dat weet Sarah.'

'Verdorie, ik dacht dat ze erbovenop zou komen.'

'Zij ook.'

'Ik wilde dat ik Mike onder handen kon nemen,' zei Meg. 'Jij was er niet bij tijdens de chemotherapie en de bestraling, maar ze had het alleen maar over hem. En nu moet ze helemaal naar Elk Island om haar zoon nog een laatste keer te kunnen zien.'

'Daarom gaat ze niet.'

Maar Meg wilde het niet begrijpen. Ze was woedend op het universum, op iets dat groter was dan zij, en dat reageerde ze af op Sarahs zoon. Meg Ferguson was verpleegster, maar ook Sarahs vriendin.

'Ik heb dit nu al een maand bij me.' Meg opende haar tas en haalde er een foto uit. 'Ik wilde hem aan Sarah geven.' Nu gaf ze de foto aan Will. Het was een foto van Will en Sarah op de kermis, en ze stonden tussen de kraam met hotdogs en de eeuwige vlam van de zigeunerin in. Ze omhelsden elkaar alsof ze geliefden waren en elkaar na lange tijd terugzagen. Will was verbaasd over de blik in zijn eigen ogen; zelfs toen keek hij al stapelverliefd.

'Mimi heeft hem genomen,' vertelde Meg.

Will staarde naar de foto van hemzelf en een vrouw die hij nog maar net kende. Ze hadden die dag elk hun eigen weg kunnen gaan en elkaar misschien nooit meer ontmoet. In plaats daarvan waren ze voorgoed met elkaar verbonden.

'Mag ik hem houden?' vroeg hij.

'Natuurlijk.'

Will bedankte haar en stak de foto in zijn borstzakje.

'Zijn er nog meer dingen die ik moet weten?' vroeg Will. Ze stonden in de gang, en zijn blik was gericht op de deur van Sarahs kamer. De verpleegster kon nu elk moment naar buiten komen om te zeggen dat Sarah klaar was voor vertrek.

'Dat het niet makkelijk zal zijn,' zei Meg.

'Ik raak Sarah kwijt,' zei Will, en zijn eigen stem klonk opeens net zo hard als die van Meg. 'Ik wil niet dat het makkelijk is.'

Meg raakte zijn arm aan. De deur van Sarahs kamer was opengegaan, en een verpleegster duwde Sarah in een rolstoel de gang in. Will probeerde haar met een glimlach gerust te stellen. Ze zag er zo moe uit, en hij kon zich niet voorstellen dat ze de lange reis naar Elk Island aankon. Meg hurkte naast de rolstoel om afscheid te nemen, zodat hij zich kon vermannen.

'Ik moet je goeie reis wensen van Mimi,' zei Meg.

'Bedank haar maar,' zei Sarah. 'Ze heeft me een prima piloot bezorgd.'

Meg keek grijnzend naar Will en knikte. 'Hij is niet slecht.'

Will maakte een geluid, hij wilde een grapje maken, zichzelf belachelijk maken. Maar de foto in zijn zak brandde tegen zijn hart, en hij kon alleen maar denken aan de blik in zijn eigen ogen.

'Lieve vriendin.' Sarah nam Megs hand in de hare.

'De mijne,' zei Meg, en kneep in Sarahs hand.

'Je hebt zoveel voor me gedaan.'

'Ik heb een hele hoop patiënten,' zei Meg, 'maar bijna niemand is mijn vriendin geworden, zoals jij.'

'Jouw patiënten mogen van geluk spreken.'

Meg schudde haar hoofd, keek omlaag om haar tranen af te vegen en haar ontroering te verbergen. De stethoscoop bungelde uit de zak van haar witte doktersjas, en haar tas zat vol met statussen. Toch was ze op dat moment gewoon een vrouw die naar het ziekenhuis was gekomen om afscheid te nemen. Haar opleiding maakte het niet makkelijker om met de situatie om te gaan.

Snikkend legde ze haar voorhoofd tegen Sarahs schouder.

Wat Will nog het meest trof, was dat Sarah beheerst bleef. Dit waren twee vrouwen, ongeveer even oud, allebei moeder, en een van de twee maakte iets mee waar iedereen bang voor was. Tijdens de lange maanden dat ze was behandeld, had Sarah op Meg gesteund, en nu was ze sterk voor de verpleegster die tegen beter weten in aan haar gehecht was geraakt.

Onderweg naar het vliegveld keek Sarah naar Will. 'Ik wil afscheid nemen van Snow.'

Ze stonden voor een stoplicht. Will nam haar handen in de zijne. De medicijnen begonnen te werken, en haar armen leken wel van lood. Het was moeilijk geweest om Meg te ontmoeten, maar ze kon de mensen van wie ze hield niet uit de weg gaan. Dat zou ze niet doen. Haar oogleden waren zwaar, en haar mond voelde zo droog als gort. Will keek haar aan, en zijn ogen waren blauwe poelen. Het kostte haar moeite om te focussen.

'Dan wil ze mee,' zei hij.

'Dat weet ik.'

'Dat vindt haar moeder nooit goed.'

'Ze hoeft ook niet te komen,' zei Sarah. 'We kunnen tegen haar zeggen dat ze deze keer echt niet mee kan. Maar ik wil wel afscheid van haar nemen.'

'Sarah,' zei Will bezorgd, 'de vlucht is al zwaar genoeg. Ik weet zeker dat je overstuur raakt als je haar ziet. Ik weet zeker dat het háár overstuur zal maken.'

'Alsjeblieft, Will,' pleitte Sarah. Ze had de kracht niet om tegen hem in te gaan. 'Ze heeft geen afscheid kunnen nemen van Fred. Bedenk hoe ze zich zou voelen.'

Will zweeg, maar hij knikte wel. Zijn handen lagen krampachtig rond het stuur toen hij opzij keek. 'Je hebt gelijk.'

Snow had het ziekenhuis gebeld, en te horen gekregen dat Sarah ontslagen was, maar ze was niet in haar winkel en ze was niet thuis. Ze probeerde haar vader te bellen om hem te vragen hoe de vork in de steel zat, maar op kantoor kreeg ze het antwoordapparaat en in zijn lege huis rinkelde de telefoon zonder dat er werd opgenomen. Zittend op de rand van haar bed voelde Snow een bezitterige paniek opkomen.

Stel nou dat ze samen ergens naartoe waren en haar straal waren vergeten, juist nu ze hen zo hard nodig had?

Dr. Darrow was in het asiel. Hoe konden haar vader en Sarah nou romantisch worden terwijl haar katje in doodsgevaar verkeerde? Alleen al door te denken aan het asiel kreeg ze tranen in haar ogen. Ze stelde zich een akelig betonnen gebouw voor, vol met jankende, verlaten dieren. Net een weeshuis in Engeland, zo'n gesticht zonder verwarming en met hardvochtig personeel.

Zou dr. Darrow denken dat ze hem in de steek had gelaten? Ze had het zo heerlijk gevonden om zich zijn blijdschap voor te stellen, omdat hij niet langer een van de extra katten was maar Snows innig gekoesterde huisdier, en nu was hij helemaal alleen, hij had het vast koud en waarschijnlijk werd hij aangevallen door de grotere katten en mogelijk zelfs door honden. Hij dacht natuurlijk dat ze niet meer van hem hield. Ze wilde hem terug. Hij móest bij haar terugkomen.

'Susan,' riep haar moeder.

De deur van haar kamer was dicht. Ze kromp ineen, omklemde haar kussen bij wijze van troost. Julian was vroeg thuisgekomen, en hij en haar moeder hadden beneden op haar zitten wachten. Nou, ze konden lang wachten, dacht Snow. De voetstappen van haar moeder weergalmden in de gang, alsof ze een bewaakster was in een liefdeloze instelling.

'Susan,' herhaalde ze met klem, maar ook wat vriendelijker. Snow stelde zich haar voor zoals ze daar stond voor een dichte deur. Ze kon de zorgelijke rimpeltjes in haar voorhoofd bijna zien, de manier waarop ze fronste, zoals ze deed wanneer iemand van wie ze hield problemen had en de dingen niet op haar manier deed. Opeens had Snow er behoefte aan om haar weer te zien.

'De naam is Snow.'

'Ja. Zeg... schatje. Je vader is beneden. Schiet maar een beetje op.'

Snow slaakte een kreet van verbazing en struikelde toen ze van het bed sprong. Ze stootte haar teen en merkte het nauwelijks. Wat zou er nou aan de hand zijn? Haar vader kwam hier nooit, behalve om haar op te halen of af te zetten. Had hij op wonderbaarlijke wijze van de crisis gehoord, en kwam hij dr. Darrow terugbrengen? Ze stoof langs haar moeder de kamer uit en bleef zelfs niet staan toen haar moeder vroeg of ze even wilde wachten omdat ze haar iets wilde vertellen. Snow rende de marmeren trap af, statig en gebogen als een trap uit een film. Beneden stond Julian te wachten, en hij wees op de bibliotheek.

'Papa!' riep Snow toen ze de bibliotheek binnen stormde. 'Ze hebben dr. Darrow naar het asiel gebracht!'

'Schatje,' zei haar vader voor ze verder kon gaan. Hij legde zijn handen op haar schouders en keek haar diep in de ogen. Snow had die blik maar één keer eerder gezien. Geschrokken hield ze haar adem in.

'Wat is er, pap?' Toen pas zag ze Sarah. Ze zat op het met rood fluweel beklede bankje onder het portret van Julians grootvader. Langzaam liep Snow ernaartoe en bleef voor haar staan. 'Hai, Sarah.'

'Hai, Snow.'

'Wat fijn om je weer te zien,' zei Snow stralend. Julian en haar moeder stonden erbij en keken gepijnigd. Haar vaders gezicht stond ernstig, maar Sarah glimlachte op die prachtige, warme manier van haar, zodat je gewoon vergat dat andere mensen in een slecht humeur waren.

'Dat vind ik ook,' zei Sarah.

'Heb je het gehoord van dr. Darrow?' vroeg Snow op gedempte toon. 'Mijn moeder denkt dat ik allergisch voor hem ben, maar dat is niet waar. Ik ga hem gewoon weer halen.'

'Susan, je bent heel erg allergisch,' zei Julian op een voor de heer des huizes passende toon. 'Dat weten we allemaal.'

'Ze is niet allergisch voor katten,' zei haar vader. 'Als dat wel zo was, had ik het nooit goedgevonden dat ze een kat mee naar huis nam, en dat weet ze ook.'

'Ik ga hem gewoon weer halen,' herhaalde Snow tegen Sarah alsof de mannen niets hadden gezegd. Ze wilde Sarah laten weten dat het katje van Elk Island liefdevol door haar zou worden verzorgd, ondanks de moeizame start. Opeens bedacht Snow hoe wonderlijk het eigenlijk was dat alle belangrijke volwassenen in haar leven in deze kamer bij elkaar waren.

Snow glimlachte, en haar blik kruiste die van Sarah. Sarah glimlachte ook, en Snow begon te lachen. 'Is dit niet mal?'

Sarah schudde haar hoofd. 'Ik vind van niet.'

'Waarom niet?' vroeg Snow.

'We zijn hier voor jou,' zei Sarah. Zoals zij het zei klonk het heel logisch. Waarom zouden ze niet allemaal bij elkaar zijn? Ze hadden namelijk één ding gemeen: haar! Snow was geneigd om nog breder te gaan grijnzen, maar toen drong het tot haar door dat ze op het randje van de hysterie balanceerde. Er gebeurde iets vreselijks.

'Dit gaat niet over dr. Darrow, hè?' Ze kwam naast Sarah zitten.

Sarah schudde haar hoofd. Voor het eerst viel het Snow op hoe bleek ze was. Haar huid was bijna echt wit, doorschijnend als een kaars vlak onder de vlam. Haar ogen waren dof, en dat was niets voor Sarah. Onafgebroken bleef Sarah haar aankijken, alsof ze er niet genoeg van kon krijgen. Hoe ernstig het ook was, Snow bleef glimlachen.

'Wat is er dan?' vroeg Snow.

'Ik ben gekomen om afscheid te nemen.'

'Waar ga je dan naartoe?'

'Terug naar het eiland.'

'Alleen?'

Het kostte Sarah zoveel moeite om antwoord te geven dat haar vader een stap naar voren deed en haar te hulp schoot. 'Met mij.'

'Wat?' Snow keek om zich heen naar de anderen. 'Mag ik mee? Ik moet mee! Als jij gaat, pap, dan ga ik ook. Zeg tegen hem dat het mag, mam...'

Sarah legde haar hand op Snows pols. Snow voelde dat haar moeder dichterbij kwam, maar ze zei niets. 'Nee, Snow,' zei Sarah. 'Je kunt niet mee.'

'Waarom niet? Waarom gaan jullie erheen?'

'Susan...' begon haar moeder met een klein stemmetje. Julian sloeg een arm om haar heen.

'Ik ben weer ziek,' zei Sarah.

'Nee...' riep Snow, en ze sloeg een hand voor haar mond. Sarah kon niet ziek zijn. Ze was veel te gezond! Ze hadden een paar dagen geleden nog geskied! Toen Mike door het ijs was gezakt, hadden ze samen voor hem gebeden, en hij was gered. Sarah had rozige wangen gehad, ze had haardhout gedragen, ze had veel gegeten en nog een tweede keer opgeschept.

'Ik wil bij Mike zijn, en je vader brengt me.'

'Het is niet eerlijk,' zei Snow.

Sarah was de enige die wist wat ze bedoelde. Alle anderen kwamen naar voren, naar het midden van de kamer. Ze praatten allemaal door elkaar heen, zeiden dat ze in Fort Cromwell moest blijven om naar school te gaan, om thuis te zijn, bij haar moeder. Snow hoorde elk woord, maar ze sloot zich ervoor af. Ze had niet bedoeld dat ze naar het eiland wilde gaan. Ze bedoelde dat het niet eerlijk was dat Sarah ziek was.

Sarah nam Snows hand in de hare. Snow staarde naar haar haar. Het was zo mooi nu, en ze kon zich bijna niet meer voorstellen hoe vreselijk het er twee weken geleden uit had gezien. Gelig grijs, en nu was het een helm van koel, iriserend witgoud.

'Je haar is zo mooi.' Snow verstrengelde haar vingers met die van Sarah.

'Dankzij jou.'

Snow knikte. Ze boog haar hoofd en proefde het zout van de tranen die in haar mond liepen. Sarahs hand voelde klein en warm. Alles aan haar straalde leven uit, niet alleen haar handen. Er ging een enorme energie van Sarah uit. Snow kon het duidelijk voelen, de lucht om haar heen zinderde ervan.

'Zie ik je nog een keer?' vroeg Snow zo zacht dat alleen Sarah haar kon verstaan, al stonden de anderen erbij.

'Ik denk het niet,' zei Sarah.

Gelaten bewoog Snow haar hoofd op en neer. Ze sloot haar ogen en genoot van Sarahs aanwezigheid. Ze zit naast me, dacht Snow. Straks gaat ze weg, maar nu is ze bij me. Dat had ze met Fred nooit gehad. Ze had nooit geweten dat hij er op een dag niet meer zou zijn, dat hij uit haar zicht en uit haar leven zou verdwijnen. Ze kneep in Sarahs hand.

'Ik heb nog een paar dingen van mijn broer,' zei Snow.

'Zijn sokken, bijvoorbeeld,' zei Sarah.

Snow trok haar broekspijpen op om de bruine sokken met alligators te laten zien.

'Namen zijn belangrijk.' Snow zorgde ervoor dat ze het rustig vertelde. Haar moeder kreunde, maar Julian legde haar het zwijgen op. Hoewel ze het oprechte verdriet in haar moeders stem hoorde bleef ze praten. 'De namen moeten me aan hem herinneren. Hij hield van sneeuw.'

'Ik weet het.'

'Ik denk al een tijdje na over een nieuwe naam. Het moet met een S beginnen, want dat geeft me een gevoel van sereniteit. Ik probeer iets te bedenken wat met Kerstmis te maken heeft, zodat Freddie met Kerstmis een beetje bij me is.'

'Je verzint heus wel iets,' zei Sarah.

'Ik heb al iets bedacht.' Snow tilde haar hoofd op en keek Sarah aan. 'Sarah.'

'O, Susan...' zei haar moeder, en er welde een diepe snik op uit haar keel.

'Ik weet dat je Fred niet hebt gekend.' Snow pakte Sarahs beide handen beet. De behoefte om haar vast te houden was heel sterk, omdat ze wist dat ze haar snel zou moeten laten gaan. 'Maar ik heb het gevoel van wel. Je praat over hem als ik dat wil. Wanneer ik het maar wil, en het lijkt alsof je hem beter wil leren kennen. Toen we die walvis zagen, toen ik zei dat hij engelenvleugels had, wist jij dat ik aan Fred dacht. Ja toch?'

'Ja, dat wist ik.' Sarah hield haar al net zo stevig vast.

'Je zou van Fred hebben gehouden,' zei Snow.

'Dat denk ik ook.'

'Wees nou niet ziek, Sarah.' De woorden waren eruit voor ze het wist, en Snow kon ze niet terugnemen. Ze wist dat het stom was om zoiets te zeggen, dat ze er Sarah alleen maar verdriet mee deed, want Sarah wilde helemaal niet ziek zijn, en dat maakte haar aan het huilen. Ze leunde opzij en sloeg haar armen om Sarah heen.

'Die walvis was zo mooi,' fluisterde Sarah, en ze streelde Snows haar.

'Je ziet hem terug... als je op het eiland bent,' snikte Snow.

'Vast.'

Snow huilde een paar minuten. Ze voelde haar vaders hand op haar hoofd, hoorde hem iets fluisteren. Het was tijd om weg te gaan, hij en Sarah, en daardoor huilde Snow nog harder. Dat veroorzaakte een astma-aanval, en ze moest haar inhalator gebruiken.

'Ik wil "Sarah" heten,' zei Snow. 'Het is jouw naam, maar het heeft ook met Fred te maken. Jullie hebben een band met elkaar, door de walvis.'

'Dankjewel,' zei Sarah.

Diep ongelukkig bleef Snow zich aan Sarahs handen vastklampen. Wat was het verschrikkelijk dat ze over een paar minuten niets meer van Sarah zou hebben, behalve haar naam. Het dragen van iemands sokken, namen als een soort talisman, het was een schrale troost vergeleken met de echte persoon. Ze wist dat ze de gevoelens van haar moeder kwetste, hoorde het aan de manier waarop ze af en toe snikte, aan Julians stem toen hij fluisterde: 'We hebben het er later nog wel over.'

'Ik voel me vereerd,' zei Sarah. 'Maar wat zou je ervan vinden om in plaats daarvan een andere naam te nemen?'

'Zoals?'

'Zoals Susan,' zei Sarah.

'Susan?'

Sarah knikte.

Snow staarde haar aan.

'Het is een mooie naam,' zei Sarah.

Met haar mond een eindje open wachtte Snow af.

'Het is de naam die je ouders je hebben gegeven.'

'Maar het is niet genoeg!' protesteerde Snow. 'Het is gewoon mijn naam. Het betekent niets, het doet me aan niemand denken.'

'Fred kende je toch als Susan,' betoogde Sarah zacht, met Snows handen nog steeds in de hare. 'Niet als Snow, niet als Sarah.'

'Maar ik mis hem,' kreunde ze met een verwrongen gezicht. 'En Sarah, ik zal jou zo erg missen!'

'Dat weet ik,' zei Sarah glimlachend. 'Daarom ben ik ook naar je toe gekomen. Want ik zal jou ook missen.'

'Maar er zijn geen nieuwe Sarahs.'

'Misschien krijgt Mike wel een dochter die hij Sarah noemt. Misschien ook niet.' Sarah haalde haar schouders op alsof het er niet toe deed.

Snow liet haar hoofd hangen en beet op haar lip. Sarahs ogen glinsterden weer, zoals Snow het zich herinnerde, en ze wilde dat het altijd zo zou blijven. Maar toen ze haar hoofd optilde, waren de wolken terug. Een paar maar, in de verte, heel diep in haar helderblauwe ogen. Sarah bleef haar aankijken; ze zou haar blik niet afwenden totdat Snow het deed.

'We moeten weg,' zei haar vader. Hij legde een hand op Sarahs schouder en stak de andere uit naar Snow. Snows moeder kwam naar voren, en ook zij stak haar hand uit. Om de handen van haar ouders te kunnen pakken, zou Snow Sarah los moeten laten.

'Liefje?' zei haar moeder. Ze stond voor de bank met een zorgelijke, verwachtingsvolle uitdrukking op haar gezicht. In haar ogen stond geen jaloezie te lezen omdat Sarah er was. Ze voelde geen boosheid jegens Will. Ze was zelfs niet onzeker over Julian. Het enige wat ze uitstraalde was liefde, simpel en zuiver, voor haar enige dochter.

'Zul je voorzichtig vliegen, pap?' vroeg Snow, nog steeds kijkend naar Sarah.

'Reken maar,' beloofde hij.

'Echt voorzichtig,' zei ze voor de zekerheid. Dit was het moment om het nog een keer te vragen, om haar ouders te smeken of ze alsjeblieft mee mocht, maar iets weerhield haar. Er daalde een gevoel van vredigheid over haar neer, als een zachte sjaal van tante Bess die rond haar schouders werd gelegd, en ze huiverde. Sarahs handen voelden warm in de hare. Snow keek haar in de ogen en kon Elk Island zien – de donkere baai, het noorderlicht, Mike.

'Je vader zegt dat ze weg moeten.' Haar moeder wachtte nog steeds. 'Liefje?'

Sarah knikte. Snow knikte terug en draaide zich om naar haar moeder. Haar hart zwol van liefde en dankbaarheid toen ze haar zag, alsof ze eigenlijk nooit had geweten hoe goed ze het had getroffen. Haar vader hield zijn hand uitgestoken, de palm omhoog. De grote klok in de hal sloeg twee keer: veertienhonderd uur.

'Liefje?' herhaalde haar moeder.

'Ik heet Susan,' zei Susan zacht, en ze omhelsde Sarah voor de laatste keer, misschien onstuimiger dan ze ooit iemand had omhelsd, voordat ze haar schoorvoetend losliet en zich door haar ouders overeind liet trekken.

Ze wankelde op haar benen en sloot haar ogen. Sarah ging weg. Als ze haar ogen opendeed, zou dat de aller-, allerlaatste keer zijn dat ze haar zag.

'Bedankt,' hoorde ze haar moeder tegen Sarah zeggen.

'Je hebt een schat van een dochter,' zei Sarah terug.

Susan stond te trillen op haar benen, haar handen in die van haar ouders, bang voor wat ze zou zien omdat het zo weg zou zijn.

'Ik hou van je,' zei Susan tegen niemand in het bijzonder. Het was ook niet zo belangrijk wie het hoorde. Haar ogen vlogen open, en ze waren er allemaal nog.

Hoofdstuk 24

Naar huis.

Die gedachte was Sarahs houvast, haar focus, en de hele weg van Fort Cromwell naar Elk Island kon ze nergens anders aan denken. De vliegtuigmotoren gonsden als zachte stemmen, als het ritme van de MRI, en herhaalden telkens hetzelfde: naar huis, naar huis.

De medicijnen maakten haar suf. Meg had haar vol morfine gepompt. Een verpleegster in het ziekenhuis had een naald voor een infuus vastgezet in haar arm, onder haar mouw, en Meg had haar een enorme dosis medicijnen ingespoten. Als de pijn terugkwam, zou Will hetzelfde doen. De morfine nam al haar angsten weg.

De medicijnen verdoofden de pijn, zodat Sarah de reis kon maken, van New York over Vermont en New Hampshire, bijtanken in Portsmouth, en over Maine naar het oosten, naar Elk Island.

Naar huis, dacht Sarah. Naar huis.

'Ja, we gaan naar huis,' zei Will.

Had ze het hardop gezegd?

'Zijn we er bijna?' vroeg ze, en ze hoorde haar eigen stem. Daar was haar hand, rustend op haar knie, en daar lag haar andere hand, tegen het koude raam. Ze kon de kou voelen in haar vingertoppen, maar ze had geen pijn in haar rug of ergens anders.

'Ja, Sarah.' Wills stem klonk zacht, was even diep en resonerend als de motoren. Ze hield zoveel van hem. Zijn stem versmolt met het geluid van de motoren op een manier die haar aan dromen deed denken, aan rare films uit de jaren '60. Het kwam door de medicijnen. Ze was er helemaal high van, en kon de werkelijkheid niet van haar verbeelding onderscheiden.

'Dit moet ophouden,' zei ze.

'Wat?' vroeg hij. Ze wist dat hij geschrokken was door de manier waarop hij opzij keek. Zelf kon Sarah het niet voelen. Ze was in watten gewikkeld, omhuld door mist. Haar tong was dik, haar oogleden waren zwaar. De zee was in zicht gekomen, maar ze was te verdoofd om opwinding te voelen. Het kostte moeite om haar hoofd opzij te draaien.

'Geen medicijnen meer,' zei ze.

'Dan verdraag je de pijn niet, Sarah.'

'Ik wil alert zijn.'

Will knikte niet. Hij was het er niet mee eens of oneens. Hij vloog, meer niet. Doordat ze geen medicijnen meer nam, begon Sarah wakker te worden. De pijn zeurde in haar onderrug, een zwaar trekken dat haar eraan herinnerde. Naarmate er meer minuten zonder een nieuwe dosis verstreken, werd de pijn scherper. Maar dat gold ook voor haar zintuigen.

Tegen de tijd dat ze boven Elk Island vlogen en ze het besneeuwde eiland in zee zag liggen, begon Sarah opwinding te voelen. Ze pakte Wills hand. Enerzijds wilde ze dat Susan erbij was, dat ze zich net als de vorige keer ergens had verstopt, dat ze achter de laatste stoel vandaan zou komen zodra ze waren geland.

Maar wat overheerste was blijdschap dat zij en Will alleen waren.

Het vliegtuig liet witte cirkels in de diepblauwe hemel boven het eiland achter. Sarah keek uit het raampje en zag de kliffen in het noorden, de baai in het zuiden. In het oosten zag ze het kapelletje, en ze keek uit naar de adelaar. Misschien stond Mike op hen te wachten op de baan.

'We zijn er,' fluisterde ze, en haar ogen glinsterden van blijdschap.

Will kneep in haar hand.

Ze waren allemaal gekomen om haar welkom te heten. Will zette het toestel zo behoedzaam mogelijk aan de grond, want hij wist dat het effect van de medicijnen snel afnam. George en Bess waren er, en hun gezichten stonden even grimmig als die van het echtpaar in *American Gothic*. Mike stond roerloos naast hen, zonder muts, en probeerde te glimlachen. Ook de verpleegster was gekomen. Ze was steviggebouwd, droeg een donkerblauwe jas over haar witte jurk, en haar handen lagen rond de handvatten van een rolstoel.

Will hielp Sarah uit het vliegtuig, en hij voelde haar armen om zijn nek en haar adem tegen zijn wang. Het was vreemd, hij voelde zich enorm tot haar aangetrokken, ze was de vrouw van wie hij hield, en hij wilde haar ergens mee naartoe nemen en de liefde met haar bedrijven, plannen maken voor uitstapjes en hun toekomst. Vluchtig bedacht hij dat ze moesten verhuizen uit Fort Cromwell en ergens dichter bij zee moesten gaan wonen. Die gedachte bleef hangen. Hij zette haar voorzichtig in de rolstoel en drukte een kus op haar hoofd.

'Sarah,' zei George. Zijn stem klonk schor, en zijn gezicht leek wel honderd jaar oud.

'Hai, papa,' zei ze. 'Hai, tante Bess.'

'Sarah, lieverd.' Tante Bess boog zich voorover, de enige die niet bang was om haar aan te raken.

Toen ze zich weer oprichtte, glimlachte Sarah naar Mike. 'Daar ben ik weer.'

'Hai, mam.' Mike bleef verlegen staan, zijn wenkbrauwen gefronst. Will zou hem het liefst door elkaar rammelen, dus greep hij de handvatten van de rolstoel steviger beet. Sarah opende haar armen. Schoorvoetend boog hij zich voorover. Maar halverwege werd de omhelzing oprecht, en Will kon zien dat hij haar eigenlijk niet meer los wilde laten.

'Welke medicijnen gebruikt ze?' vroeg de verpleegster aan Will. Hij keek haar aan. Ze was een jaar of vijftig, klein en mollig, en ze had kort, peper-en-zoutkleurig haar. Ze had rimpels in een lief gezicht, en haar stem klonk vriendelijk.

'Ze wil geen medicijnen meer,' antwoordde hij. Hij voelde de spanning in zijn borst. Tot aan de landing had hij de volledige verantwoordelijkheid voor Sarah gehad. Haar beslissing om op te houden met de morfine had hem bang gemaakt, maar nu kon hij de last delen met een expert. De verpleegster moest Sarah maar overhalen om de medicijnen wel te nemen.

'Ik heet Martha,' zei de vrouw, en ze hurkte voor de rolstoel neer. 'Ik ben een gediplomeerd verpleegkundige, en als je iets nodig hebt, wat dan ook, moet je het me laten weten.'

Sarah staarde haar aan alsof ze zich iets probeerde te herinneren. 'Ken ik je ergens van? Kom je van het eiland? Je komt me zo bekend voor.'

'Ik kom uit Camden,' zei Martha, 'maar ik werk overal in Maine. Misschien hebben onze wegen elkaar al eerder gekruist. Ik ben wijkverpleegster.'

'O, de wijkverpleegster,' zei Sarah met een blik van vertrouwen in haar ogen. Kennelijk dacht ze aan Meg, concludeerde Will. Ze bleef de vrouw nog even aankijken. Toen sloot ze haar ogen en snoof de koude zeelucht diep in haar longen. Ze zag er moe uit, uitgeput van de reis.

Will wist dat ze heel erg veel pijn moest hebben, en verbaasde zich er-over dat ze zo kalm was.

'Wil je dat ik je nu iets geef?' vroeg Martha.

'Ik wil geen medicijnen meer,' zei Sarah beslist, en ze keek Martha recht in de ogen, alsof ze protesten verwachtte.

'Veel mensen willen liever geen medicijnen,' zei Martha.

'Weet je het zeker, lieverd?' vroeg Bess.

'Heel zeker,' zei Sarah, en Will zag dat ze naar Mike keek.

'Laten we dan maar gaan,' mompelde George. 'We kunnen hier niet de hele dag blijven staan. Veel te koud.'

Het huis was nog precies zoals ze het de vorige dag hadden achtergela-ten. Sarah ving een glimp op van de keuken, de kerstversiering die zij en Will op de schoorsteenmantel hadden gelegd. Het vuur knapte, en kat-ten stoven weg toen de deur openging. Ze gingen allemaal naar binnen, en Bess liep meteen naar het fornuis.

'Gestoofd rundvlees,' zei ze, roerend in de pan.

'Daar hou je zo van,' zei Sarahs vader. Zijn stem klonk zacht, maar wel hoopvol. Sarah wist dat hij graag wilde dat ze at, maar ze kon het niet.

'Ik wil graag even liggen,' zei ze.

Mike pakte haar tassen. Will tilde Sarah op, en ze legde haar hoofd te-gen zijn borst, haar hand tegen zijn sleutelbeen. Ze kon voelen hoe snel zijn hart klopte. De medicijnen waren nu bijna helemaal uitgewerkt, en de pijn had bezit genomen van haar hele lichaam. Aan de andere kant was ze zo alert dat niets haar ontging.

Overal hing de geur van haar jeugd. Tante Bess had de ramen gelapt, en ze glommen. Gelsey sprong tegen Martha op om de nieuwe bezoek-ster te begroeten. Susan was een roze trui vergeten. Iemand had hem keurig opgevouwen en op de vensterbank gelegd.

Mike was bang en onzeker. Sarah zag het aan zijn houding, zijn neer-geslagen ogen. Hij leidde de processie naar boven en ging naar Sarahs kamer.

'Niet die kamer,' zei Sarah.

'Nee?' Mike bleef op de drempel staan.

'Die.' Sarah wees op Wills kamer, de kamer met het grote bed waar hij met Thanksgiving had geslapen. De kamer waar haar moeder was ge-storven.

'Ik neem jouw kamer wel,' bood Will aan.

'Blijf bij me,' zei Sarah, niet in staat om haar hoofd op te tillen. 'Alsjeblieft, Will?'

Heel voorzichtig drukte hij haar tegen zich aan. De pijn was nu heel erg, voelde als klauwen aan de onderkant van haar rug, alsof ze van binnenuit werd verslonden. Haar longen brandden met elke ademhaling. Martha had het bed in haar oude kamer opgemaakt, maar dat gaf niet. Mike sloeg het dekbed van het grote bed open. Will legde haar behoedzaam neer en dekte haar benen toe met het dekbed. Hij liep naar de eikenhouten kist aan het voeteneinde van het bed om een extra deken te pakken, en Sarahs blik bleef rusten op het gezicht van haar zoon.

Zijn ogen waren groot van angst.

'Kom eens hier,' zei ze.

'Waar?' Hij stond als verlamd naast het bed en keek van links naar rechts alsof hij niet eens adem durfde te halen.

'Hier.' Ze klopte op het bed.

Uiterst voorzichtig liet Mike zich op het randje van het bed zakken. Hij was zo groot, een volwassen man. Sarah kon er maar niet over uit, hoe lang ze ook naar hem keek. In haar gedachten bleef hij altijd zes jaar oud, maar in het echte leven was hij enorm. Ze moest erom lachen.

'Wat is er?' vroeg hij gekwetst.

'Ik ben gelukkig.'

'Hoe kan dat nou?' Zijn stem klonk hees en zijn uitdrukking was gepijnigd.

'Ik ben bij jou.'

'Komt dit...' begon hij, nauwelijks tot spreken in staat, '... door mij? Omdat ik niet met je mee naar huis wilde?'

'Wat?' vroeg ze niet-begrijpend.

'Dat je weer ziek bent.'

Sarah schudde haar hoofd. Het enige wat ze ooit had willen zien, was haar zoon op een glanzend pad, maar ze had niet geweten welk pad. Nu wist ze dat wel. Er waren veel keuzes in het leven, en die veranderden voortdurend. Geen enkele keuze was helemaal goed, en geen enkele was helemaal fout. Zolang je maar gevoel had, aan anderen dacht, probeerde te doen wat goed was. Ze was zo trots op haar zoon.

'Nee, Mike. Je hebt altijd gelijk gehad.'

'Waarover?' vroeg hij geheel in verwarring gebracht.

'Hier horen we thuis,' zei ze. Toen was ze zo moe dat ze moest slapen.

In de loop van de avond kwam Martha bij haar kijken. Of was het haar moeder? Pijn deed mysterieuze dingen met het onderbewustzijn. Haar gezicht vertrok in haar slaap, en ze voelde een koele hand op haar verhitte voorhoofd. De slanke vingers streken over haar ogen, streelden haar haren.

'Het doet pijn!' kreunde Sarah.

'Ik weet het, liefje,' zei de vrouw.

Door het raam was de volle maan zichtbaar, en de pasgevallen sneeuw vormde een zilver glanzend pad naar de donkere baai. Walvissen hadden een lichtgevend goudgroen spoor nagelaten in de zee. De den die Sarah met Kerstmis voor haar moeder had versierd was groter geworden. Toch was de boom nu weer versierd, van stam tot kruin in kaarslicht gehuld. De adelaar stak op zijn nachtelijke jacht met drie krachtige slagen van zijn machtige vleugels het land over. De beweging veroorzaakte een windvlaag, een spookachtige wind die door de kieren floot en de oude raamkozijnen deed rammelen.

De pijn was ondraaglijk. Het begon in Sarahs rug, maar tentakels hielden haar organen en beenderen in een verstikkende, dodelijke greep. Ze slaakte een kreet, zocht op de tast de zachte vrouwenhand.

'Alsjeblieft,' smeekte ze. 'Zorg dat het ophoudt.'

'Dat zal ik doen, lieve schat. Ik zal zorgen dat het ophoudt,' beloofde de vrouw.

Toen Will na het eten met Sarahs familie bovenkwam, stond Sarah voor het raam. Ze droeg een witte nachtjapon, en ze staarde naar het door de maan verlichte landschap en de zee. Hij schrok toen hij haar zag en bleef met bonzend hart in de deuropening staan.

'Sarah?'

Ze draaide zich om, net zo mooi als de eerste keer dat hij haar had gezien. Haar huid was doorschijnend en glansde. Toen hij haar zag staan in het maanlicht, dacht hij even dat hij een geest zag. Maar ze liep naar hem toe, drukte haar warme lichaam tegen het zijne, en ze kuste hem met vuur en menselijke hartstocht.

'Wat is er gebeurd?' vroeg hij.

'De pijn is weg. Ik weet niet waarom, of hoe het komt, maar ik heb geen pijn meer.'

Ze voerde hem mee naar het bed en trok hem zacht omlaag. Ze kleedden zich uit, eerst langzaam, maar steeds sneller toen Will ervan overtuigd raakte dat hij haar geen pijn zou doen. Haar huid gloeide, alsof ze koorts had. Ze trok hem dicht tegen zich aan. Will streelde haar lichaam, kuste haar mond, voelde haar zijdezachte huid onder zijn vingertoppen.

Ze bedreven de liefde. Will raakte haar teder aan, en zij raakte hem aan. Ze kreunde toen hij haar binnenging, en eerst dacht hij dat ze het uitriep van pijn. Sarah trok zijn gezicht omlaag, kuste hem met open mond, en verzekerde hem dat het niet zo was. Ze bezaten elkaar met alles wat ze in zich hadden. Will gaf zichzelf aan Sarah, alles wat hij voelde, vanuit het diepst van zijn hart.

Als een van tweeën indommelde, fluisterde de ander een naam.

'Will,' zei Sarah.

'Hai,' zei Will, meteen weer klaarwakker. Beneden sloeg de staande klok vier uur. Ze hadden elkaar de hele nacht wakker gehouden.

'Ik kan niet slapen,' zei ze.

'Ik ook niet.'

'Mooi. Ik wil ook niet slapen.'

'Ik ook niet.' Hij wilde geen minuut verliezen.

'Will, ik heb zo raar gedroomd van mijn moeder.'

'Wat was er raar aan?'

'Het leek allemaal zo echt... alsof ze bij me was. Is Martha hier geweest?'

'Een of twee keer.' Will streelde haar haren, wilde haar niet teleurstellen of de betovering verbreken. Sarah leek zo tevreden en zorgeloos, alsof ze niet meer ziek was, nooit ziek was geweest. Hij deed zijn ogen dicht om die fantasie vast te houden.

'Misschien was het Martha,' gaf Sarah toe, 'maar ik denk het niet. Ik denk dat het mijn moeder was.'

'Misschien was zij het wel,' zei Will, zonder haar te vertellen van de zeer realistische dromen die hij van Fred had gehad. Ze voelde zo mooi in zijn armen, zo warm en slaperig. Ze kroop dichter tegen hem aan, streelde zijn borst, kuste zijn schouder. Als dit nou eens voort kon duren? Stel nou dat ze op de een of andere manier weer gezond was?

Will herinnerde zich hun eerste ontmoeting, op haar verjaardag, toen hij haar over het herfstlandschap rond Fort Cromwell had gevlogen. Had hij het toen al geweten, had hij toen al van haar gehouden? Op de kermis had hij zeker van haar gehouden, dat bewees Mimi's foto. Nu hij in bed lag met Sarah in zijn armen, leek het bijna mogelijk dat dit vanaf het begin was voorbestemd, dat het lot hen niet voor niets samen had gebracht.

Hij sloeg het dekbed terug en nam haar in zijn armen. 'Kun je staan?'

'Ja. Hoezo?'

Hij stapte uit bed en trok het dekbed los, en met Sarah dicht tegen zich aan drapeerde hij het rond hun schouders. Zijn hart klopte snel toen hij met haar naar het raam liep. Samen bleven ze heel stil staan, beschermd tegen de koude tochtvlagen.

'Het is zo mooi,' fluisterde ze, starend naar het zilverkleurige pad van de maan en de blauwzwarte baai.

'Jij bent mooi.'

'Zie je die boom daar?' Ze wees op de contouren van een grote zwarte den.

'Ja.'

'Dat was mijn moeders kerstboom. Ik had kaarsjes op de takken gezet en ze aangestoken.'

'Vond ze het mooi?'

'Heel mooi.' Met gefronste wenkbrauwen staarde ze naar de boom alsof ze de kaarsjes op dit moment zag gloeien, lichtjes die onzichtbaar waren voor Will, hoe lang hij ook tuurde. Waarom had hij haar naar het eiland gebracht? Ze had op zondag al van iedereen afscheid genomen, en de vlucht was gezien de pijn die ze had een onzalig idee geweest. Bovendien hadden ze de dag ervoor nog een noodlanding moeten maken. Er klopte niets van, en toch klopte het van alle kanten.

'Sarah...' Hij draaide haar naar zich toe.

Met grote, glinsterende ogen keek ze naar hem op.

'Wil je met me trouwen?'

'O, Will...'

'In de kerk op het eiland,' zei hij. 'Vandaag. Wil je met me trouwen?'

'Ja,' zei Sarah, en ze maakte hem de gelukkigste man van de wereld. Daarom waren ze teruggekomen naar Elk Island. 'Ik wil met je trouwen.'

'Ik wilde dat ik daar was,' fluisterde Susan, te verdrietig om gewoon te kunnen praten.

'Dat weet ik,' zei haar moeder.

'We zijn blij dat je hier bent,' zei Julian.

Hij deed zo vreselijk zijn best dat Susan het niet over haar hart kon verkrijgen om hem hatelijk aan te kijken. Ze zaten met zijn drieën aan het ontbijt, staarden zonder een hap te eten naar hun kommen havermout. De kleine beer, de mama-beer, en de sullige stiefvader-beer. Hij had zijn paardenstaart vastgezet met een elastiekje waar een goudkleurig draadje aan was blijven haken. Misschien had hij het wel met opzet gedaan, en Susan griezelde bij de gedachte.

Susan keek op haar horloge en zag dat ze op moest schieten om de bus te halen.

'Ik moet naar school,' zei ze, en schoof haar stoel naar achteren om op te staan.

'Eh, nee, je hoeft niet naar school,' zei Julian.

'Neem me niet kwalijk, maar ik weet zelf wel wanneer ik school heb,' zei Susan uit de hoogte.

'We houden je vandaag thuis,' zei haar moeder zacht.

Susan keek op. Haar moeder zag er ontstellend slecht uit, alsof ze maanden niet had geslapen. De kleine halvemaantjes onder haar ogen waren donkerpaars, bijna alsof iemand haar twee blauwe ogen had geslagen. Afgezien daarvan was ze even mooi als anders, haar blonde haar glanzend en haar hoge jukbeenderen gloeiend. Ze droeg een bloes in kerstsfeer, van rode wol met groene manchetten en goudkleurige knopen.

'Waarom?' vroeg ze angstig. 'Hebben jullie soms iets van Sarah gehoord?'

'Nee,' zei Julian snel. 'Dan zouden we het je hebben verteld.'

'We hebben een afspraak voor je gemaakt,' zei haar moeder. 'Met dokter Darrow.'

'Alsjeblieft niet,' protesteerde Susan ontzet. Ze dacht aan Mike, wat hij ervan zou vinden. Meteen zag ze die vreselijke tweeling voor zich, zwembandjes rond hun mollige armpjes, hun goudharige moeder behangen met juwelen, alle familiekiekjes aan de muur.

'Ik ben een beetje blind geweest,' zei haar moeder.

Susan negeerde haar.

'Liefje?' drong ze aan.

'Blind waarvoor?' vroeg Susan met tegenzin.

'Voor hoe moeilijk het voor je is geweest.'

'Dat je hier bent komen wonen,' vulde Julian aan. 'Dat je een stiefvader kreeg. We weten dat het niet allemaal carnaval is geweest.'

'Allemaal? Zeg maar gerust niets,' mompelde Susan. Over een seconde of tien zou ze haar naam weer in Snow veranderen. Misschien zou ze Storm proberen. 'Je weet nog niet de helft, Julian.'

'Vertel het me dan.'

'DVF, de scheiding, mijn nieuwe poesje dat naar het asiel wordt gebracht.'

'Wat is "DVF"?' Julians bleke gezicht stond ernstig en belangstellend. Als Susan niet zo'n hekel aan hem had gehad, zou ze het hartverscheurend hebben gevonden dat hij zo zijn best deed.

'Dood van Fred,' legde ze uit.

'Ik wilde dat ik hem had gekend,' verzuchtte Julian.

'Je bent de enige niet.' Susan staarde naar haar sokken. Ze waren zwart met gele strepen, en Fred had ze altijd bij zijn zwarte spijkerbroek of de bruine ribfluwelen broek gedragen.

'Je vertelt me nooit iets over hem.'

'Je wil het toch niet horen.'

'Hoe weet je dat nou? Je hebt het niet eens geprobeerd.'

'Hij was cool, hij was geweldig, hij was Fred!' barstte ze uit.

'Ga verder.'

'Hij hield van football en hij was gek van honkbal. Hij speelde *shortstop* en hij kon heel hard rennen. Als de wind. Hij noemde me Zuze. Ook wel bekend als Zeus.'

'Zeus,' herhaalde haar moeder, want dat wist ze nog.

'Hij plaagde me om de een of andere reden met mijn naam,' vertelde Susan. 'Altijd.'

'Nou, hij was ook wat ouder dan jij,' betoogde haar moeder. 'Hij heeft je overgrootmoeder Susan nog gekend. Ze was... laten we zeggen dat "sterk" zacht uitgedrukt is.'

'Hij noemde haar een dragonder,' zei Susan.

'Haar huis was haar Olympus.' Haar moeder glimlachte triest. 'Ik denk dat Freddie dat bedoelde met "Zeus".'

'Hij heeft me in elk geval nooit met een uitgestreken gezicht Susan genoemd.'

'Heb je daarom je naam veranderd?' vroeg Julian.

'Natuurlijk.' Susan knipperde haar tranen weg.

'Wauw.' Julian tikte veelbetekenend op tafel met zijn lepel. Zoals wauw, man. Alsof hij onder de indruk was, vond Susan. 'DVF. Dood van Fred. Wauw.'

'DVF,' herhaalde Susan.

'Weet je,' begon Julian, 'dat katje van jou was best schattig.'

'Heel erg schattig,' beaamde haar moeder.

'Dr. Darrow,' zei Susan verbitterd, denkend aan Sarah. 'Hij was een van de extra katten. Ze vertrouwden mij, en daarom hebben ze hem aan mij gegeven. Zijn bet-betovergrootmoeder was Desdemona, de poes van Sarahs moeder.'

'Goede stamboom,' merkte Julian op, roerend in zijn havermout.

'Zeg dat wel,' zei Susan.

'Misschien hebben we een beetje overhaast gehandeld,' gaf haar moeder toe.

Susans hoofd kwam met een ruk omhoog. 'Wat bedoel je?'

'Je vader had gelijk. Uit die test bleek niet dat je allergisch bent voor katten.'

'Dat zei ik toch.'

'Nou, ik had naar je moeten luisteren.'

'Bedoel je dat ik hem terug mag hebben?'

Ze knikte. 'Ja.'

'O, wat fijn!' Meteen kreeg Susan een brok in haar keel. Haar hart barstte van blijdschap, en ze boog haar hoofd, wetend hoe fijn Sarah het zou vinden als ze wist dat het achter- achter- achterkleinkind van haar moeders poes aan de rechtmatige eigenaar zou worden teruggegeven.

'Heel erg bedankt, mam.'

'Niets te danken, liefje. Ik ben alleen bang dat het asiel vandaag gesloten is. Ik heb vanochtend meteen gebeld. We zullen tot morgen moeten wachten.'

Julian glimlachte, en zijn glimlach verbreedde zich tot een grijns. 'Wees maar niet bang, dames. Ik heb een vriend...'

'Wat bedoel je?' vroeg Susan. Julian had altijd wel ergens een 'vriend'. Dat hoorde erbij als je beroemd was. Als ze een tafel wilden in het beste restaurant, had Julian een 'vriend' die het kon regelen. Als de Rolling Stones een uitverkocht concert gaven, had Julian een 'vriend' die aan kaartjes kon komen. Als ze een bepaald soort Chippendale-stoel wilden kopen, had Julian een 'vriend' bij Christie's die ervoor kon zorgen.

'Ik heb een vriend die in de garage in de stad werkt,' zei Julian. 'Een van mijn oude monteurs. Het asiel zit in hetzelfde gebouw. Hij heeft vast wel een sleutel.'

'Gaan we nu meteen?' Susan sprong overeind.

'Eerst gaan we naar de echte dr. Darrow,' zei haar moeder.

'O, nee!' zei Susan. 'Moet ik?'

Haar moeder knikte.

'Hè, verdorie,' mopperde ze. 'Als ik echt moet –'

'Als je moeder zegt dat je naar hem toe moet,' zei Julian terwijl hij aarzelend een arm rond haar schouders sloeg, 'kun je maar beter je jas aantrekken.'

Hoofdstuk 25

Sarah werd wakker. Ze beleefde een klein wonder, en ze wist het. Vandaag was haar trouwdag. Will was een uur geleden wakker geworden, áls hij al in slaap was gevallen. Hij had haar gekust en was naar beneden gegaan om alles voor te bereiden. Ze rekte zich uit om haar lichaam te testen. De pijn was ergens die nacht verdwenen en niet teruggekomen. Ze liep naar het raam, en met elke stap die ze zette wist ze het: vandaag ga ik sterven.

Het mooie weer van de vorige dag had plaats gemaakt voor laaghangende bewolking, zodat het leek of je de hemel aan kon raken. Er zat sneeuw in de lucht, die van kant leek, met fijne wolken. Sarah voelde de kou in haar botten, en ze stond rillend voor het raam.

Bij het horen van een klopje op de deur draaide ze zich om. Tante Bess opende de deur op een kier. Toen ze zag dat Sarah op was, hobbelde ze met een grote doos in haar armen de kamer in. Ze was nogal gezet, en haar ene heup zat hoger dan de andere. De uitdrukking op haar gezicht was een mengeling van trots en blijdschap.

'Sarah,' zei ze blozend. 'Toen Will ons het nieuws vertelde kon ik mijn oren niet geloven. Maar we zijn zo blij. Wij allemaal.' Ze zette de doos op het onopgemaakte bed en kwam naar haar toe.

'Bedankt, tante Bess.' Sarah liet zich door haar tante omhelzen. Bess' lichaam was zacht en mollig, en er ging zoveel liefde van haar uit.

'Will is een schat,' zei tante Bess. 'Ik hou van hem.'

'Ik ook.'

Bess hield haar op armlengte en leek haar te bestuderen. Sarah kon zien dat haar tante heel vroeg was opgestaan. Ze droeg haar gebit, en ze had haar haar gewassen en zich opgemaakt met een beetje lippenstift en rouge. Haar donkergroene jurk paste bij de kerstsfeer. Ze droeg de parels en de paarlen oorbellen die ze van haar man had gekregen toen ze vijftien jaar waren getrouwd.

'Ik heb zo lang op deze dag gewacht.' Tante Bess hinkte naar het bed, boog zich voorover en opende de doos. Al voordat ze erin had gekeken, wist Sarah dat het haar oude trouwjurk was.

'Ik kan niet...' begon Sarah, worstelend met oud verdriet en paniek. *Trouwen in de jurk die je voor mijn huwelijk met Zeke hebt gemaakt*, had ze willen zeggen. Maar toen ze in de doos keek, zag ze een heel andere jurk. Haar adem stokte.

'Je moeder was zo mooi.' Bess haalde de witte satijnen jurk uit de doos. 'Toen George haar mee naar huis nam, was ik dolgelukkig. Ik hield van haar als mijn eigen zuster. Dit was haar trouwjurk.'

Sarah raakte de stof van haar moeders trouwjurk aan. De satijn voelde romig tegen haar huid. Toen ze opzij keek zag ze de foto. Haar moeder droeg deze jurk en glimlachte naar de camera, innig gelukkig. Met de jurk in haar armen staarde Sarah naar de foto. Er waren vele meters satijn in verwerkt, en toch voelde de jurk licht als een veertje.

'Ik hoop dat hij past,' fluisterde Sarah terwijl ze de jurk voor haar magere lichaam hield. Ze was zo moe, maar het aanraken van de jurk en het zien van haar moeders foto gaven haar kracht.

'Hij past,' verklaarde tante Bess, die de jurk met een ervaren kleermakersoog bekeek.

'Tante Bess, ik heb geen pijn meer,' zei Sarah onverwacht.

'Ik weet het, liefje.'

'Wat zou dat betekenen?'

'Dat je iets belangrijks te doen hebt,' zei tante Bess zacht.

'Trouwen met Will,' zei Sarah.

De ganzen snaterden en waggelden over het erf. George en Mike stonden naast de grote Jeep te wachten tot Sarah, Bess en de verpleegster naar buiten zouden komen. Will liep heen en weer over het pad. De drie mannen droegen hun netste kleren, althans naar de maatstaven van Elk Island. Will had geen pak meegenomen, en hij was te groot voor de kleren die er in huis waren. Naast Mike en George, die hun zondagse kleren droegen, zag hij er in zijn bomberjack dan ook uit als een piloot van de marine.

'Heb je hier wel over nagedacht?' vroeg George.

'Ik heb er heel veel over nagedacht,' zei Will.

'Niet genoeg om een pak mee te nemen.' George kneep zijn ogen tot spleetjes.

'Ik had wel wat anders aan mijn hoofd toen we weggingen uit Fort Cromwell.'

'Opa,' zei Mike waarschuwend.

'Ze is mijn enige dochter!' barstte George uit.

'Ze wil met hem trouwen.'

'Ja, nou,' sputterde George, 'in het verleden heeft ze zich nog wel eens in mannen vergist.' Wat zouden ze denken als ze wisten dat hij nu hetzelfde pak droeg als op de dag dat hij Sarah ten huwelijk zou geven aan Zeke Loring? En kijk eens wat daarvan was geworden...

'Will deugt.' Met zijn kin omhoog verdedigde Mike de aanstaande van zijn moeder.

'Komt ons leven binnenwalsen, en binnen de kortste keren is het een janboel.'

'Wat is een janboel?' Will sprak het woord uit alsof hij een beetje de draak stak met George.

'Nou, het feit dat je haar bijna hebt laten verongelukken in dat vliegtuig van je, om maar iets te noemen.'

'Dat was een technisch mankement. Het neuswiel haperde.'

'Onderhoud je die vliegtuigen van je dan niet?' vroeg George. Hoe meer hij erover nadacht, des te kwader hij werd. Hij stond oog in oog met Will Burke op zijn oprit en wilde het liefst met hem op de vuist. Het was een haast fysieke behoefte aan geweld, en inwendig smeekte hij Will om de eerste klap uit te delen.

'Ja, ik onderhoud mijn vliegtuigen, George.'

'Bijna verongelukt met Sarah aan boord. Jezus Christus.'

'Het spijt me, oké?'

'Nee, het is niet oké. Denk je soms dat je alles goed kunt maken door sorry te zeggen?'

'Ik verontschuldig me voor die noodlanding. Waar moet ik me verder nog voor verontschuldigen?'

'Dat ze weer ziek is geworden!' riep George uit. 'Dáárvoor!'

Will bleef heel stil staan. Hij schrok van George, dat was duidelijk.

'Ze had rust nodig,' zei George met fonkelende ogen. 'Geen emotionele toestanden. Misschien zou ze weer op het eiland zijn komen wonen als ze jou niet had ontmoet. Wij zouden voor haar hebben gezorgd, ik en Mike en Bess. Ja toch, Mike?'

'Opa, hou op,' dreigde Mike zacht.

'In alle staten is ze geraakt.' Georges stem brak. 'Dat is er gebeurd. Ze kan het lichamelijk gewoon niet aan. Shit, Will.'

'Ja, shit,' beaamde hij.

George draaide zich om zodat de anderen hem niet zouden zien huilen. Hij was Rose op dezelfde manier kwijtgeraakt. Hij had gewild dat ze lekker rustig in bed bleef liggen, vrij van emoties, maar nee, ze moest zich zo nodig overal druk om maken. Tot op het laatst had ze van George gehouden, en dat had ze ook laten blijken, ze had hem telkens als ze de kans kreeg omhelsd. Ze had hartstochtelijk van hem en Sarah gehouden, met meer dan ze in zich had. Al die hartstocht had kanker verwekt, en ze waren haar kwijtgeraakt.

'George?' vroeg Will ergens achter Georges linkerschouder.

'Wat is er?' snauwde hij.

'Ik ben iets vergeten te vragen.'

George rechtte zijn schouders en probeerde zich te vermannen. Het was ijskoud, en hun adem vormde witte wolken. Het brok in zijn keel zat in de weg, en hij kon geen woord uitbrengen. In plaats daarvan knikte hij naar Will.

'George, ik wil je graag om de hand van je dochter vragen.'

Met zijn voeten in de sneeuw geplant keek George met knipperende ogen naar de lucht. Nou begon het goddomme te sneeuwen.

'Alsjeblieft, George.' Will zei het zacht, verzoenend. Alle agressie was uit hem geweken.

George knikte langzaam. Mike stond erbij zonder te protesteren. De sneeuwvlokken waren fijn en wit.

'Ja,' zei George. 'Ik geef je mijn zegen om met Sarah te trouwen.'

'Ik hou van je dochter.'

George tuurde naar Will Burke. Hij zag eruit als een wrak. Eén meter tachtig lang, een marinier die het dek onder zijn voeten voelde verdwijnen. Zo te zien had hij al dagen niet geslapen. Gelukkig had hij zich wel geschoren. George schraapte zijn keel, van plan hem 'overste' te noemen, maar de woorden kwamen er heel anders uit.

'Dat weet ik, jongen,' hoorde George zichzelf zeggen. Hij trok zijn aanstaande schoonzoon naar zich toe, sloeg zijn armen om hem heen en klopte hem op de rug. Op dat moment ging de deur open en kwam Sarah naar buiten. Overvallen door de sneeuw en de aanblik van de drie mannen bleef ze boven aan het trapje staan om het tafereel verbijsterd in ogenschouw te nemen. Will huilde, en George draaide hem om zodat hij Sarah niet kon zien.

Het bracht per slot van rekening ongeluk als hij de bruid al voor de bruiloft zag.

Het kerkhof lag onder een dikke deken van verse sneeuw. Tegen de tijd dat ze aan de andere kant van het eiland waren, sneeuwde het flink. De donkere stenen kerk had vele stormen doorstaan. Het lage gebouw lag vlak aan zee, en de groene krans hing nog op de deur. George nam Will mee naar binnen. Hij had Sarah nog steeds niet gezien, daar had Bess wel voor gezorgd. Ze had erop gestaan dat hij voorin ging zitten, en Sarah achterin.

Daar zat ze nu nog, naast haar zoon, terwijl de anderen naar binnen gingen. Mike zei niets. Sarah was nerveus, en meende te weten waarom. Ze was zevenendertig, ze had een zoon, en toch trouwde ze voor de eerste keer. Ze had vlinders in haar buik.

'Gaat het?' vroeg Mike.

Sarah knikte.

'Heb je het niet koud?'

'Nee,' zei ze, hoewel ze rilde.

'Ik ben hier vanochtend al geweest om de kachels aan te maken. Het zal nu wel lekker warm zijn.'

Glimlachend keek ze hem aan. 'Wat ben je toch attent.'

'Dat zei je vroeger nooit.'

'Ik had het wel moeten zeggen,' zei ze, en dacht aan alle keren dat ze hem alleen had gelaten omdat ze moest werken of uit wilde. 'In elk geval vaker.'

Mike haalde zijn schouders op.

'Snow wilde komen,' zei Sarah.

'O, ja?'

'We vonden het beter als ze niet kwam. Niet deze keer. Ik weet zeker dat ze heel graag iets van je wil horen.'

'Misschien bel ik haar wel een keer.'

Sarah knikte. 'Ze vindt je leuk,' zei ze, en pas op dat moment drong het tot haar door: ze zou nooit weten wat er ging gebeuren. 'O...' zei ze, en sloeg een hand voor haar mond.

'Wat is er?' voeg Mike geschrokken.

Sarah wist dat ze er verslagen uitzag. Ze zat op de achterbank van de warme Jeep met haar zoon van zeventien, wetend dat ze hem nooit achttien zou zien worden. Ze zou nooit weten of hij weer naar school zou gaan, of dat hij zou besluiten om op de farm te blijven. Als hij verliefd werd op Susan, zou zij er niet zijn om het te zien. Als ze trouwden, zou zij er niet zijn als de moeder van de bruidegom. Als ze kinderen kregen, zou zij er niet zijn als grootmoeder.

'Mike.' Met grote ogen keek ze hem aan.

'Wat is er, mama?'

Hoe kon ze het hem vertellen? Ze had het recht niet om hem met dit verdriet op te zadelen. Haar lichaam was moe, en haar beenderen deden pijn van het verdriet over wat er zou gaan gebeuren. Ze voelde het snel naderbij komen, de dood die ze die dag bij het bevroren meertje naar zich toe had getrokken, toen Mike vocht voor zijn leven en zij haar smeekbede tot God had gericht. Hoe kon ze haar zoon vertellen dat ze maar één ding wilde, dat ze altijd alleen dat ene had gewild: weten hoe hij zou worden?

'Schat,' zei ze. 'Ik wil – '

'Ik weet het, mam.'

'Nee, je...' Ze viel stil en probeerde nog iets van haar zelfbeheersing te redden. 'Ik wil dat je gelukkig bent, Mike,' wist ze uit te brengen.

Hij keek zorgelijk. Alles stond op haar gezicht te lezen, zoals altijd. Ze had zich met zorg gekleed voor de bruiloft, haar gezicht een beetje opgemaakt, maar dat kon niet verhullen wat er vandaag gebeurde. Afgezien van de dag van Mikes geboorte, was dit de belangrijkste dag van Sarahs leven. Het was de dag dat ze ging trouwen, en het was de dag dat ze ging sterven.

Mike liep om de Jeep heen en hielp haar uitstappen. Ze liepen over het stenen pad, waar nu al een laagje sneeuw op lag. Voor de trap bleven ze staan, en Sarah legde haar hand op de arm van haar zoon. Rechts van hen lag het kerkhof. Sarahs blik gleed over de graven. Daar was ze.

'Mama...' zei Sarah.

Mike wachtte.

'Ze was zo mooi,' fluisterde Sarah. 'Je grootmoeder. Heb ik je wel genoeg over haar verteld? Heb ik je verhalen over haar verteld, zodat je een idee hebt hoe ze was?'

'Ja, mam. Ik ben toch hier.'

'Wat bedoel je?'

'Op haar eiland. Ik ben de hele tijd bij haar...'

Er welde een snik in haar op en ze omhelsde haar zoon. Hij ondersteunde haar met sterke armen, hield haar in evenwicht. Hoewel hij nog heel jong was, had hij respect voor het verleden. Hij had eerbied voor zijn voorouders, en daardoor kwam er een vraag bij Sarah op die ze niet kon negeren.

'Zul jij...'

'Zal ik wat?' vroeg Mike.

Sarah hield haar adem in. Ze wist dat ze dit voor zich hoorde te houden om Mike niet overstuur te maken, maar uit de manier waarop hij praatte, uit de blik in zijn ogen, maakte ze op dat ze het hem kon vragen. 'Zul je je kinderen over mij vertellen?'

'O, mam.' Hij glimlachte met grote kracht.

'Wat is er?' vroeg ze, want ze moest weten waarom hij glimlachte.

'Kijk eens waar ik ben, mam. Ik ben op Elk Island. Hier wil ik zijn, en dat komt door jou. Ik hou van dit eiland, mam. Het is –'

'Wat is het?' vroeg ze gefascineerd. Ze pakte zijn arm beet, en keek hem in de ogen, op zoek naar het geheim.

'Het is ons thuis,' zei Mike.

'Ja,' zei Sarah. 'Ons thuis.' Het woord was zo zoet en mooi, zo vertrouwd en warm, dat ze tranen in haar ogen kreeg. Al die tijd had ze gezocht naar Mikes glanzende pad, zijn geheime weg, en die had hij zelf gevonden. De weg naar huis.

Mike hield zijn moeder dicht tegen zich aan, en Sarah keek uit over het kerkhof. Het zien van haar moeders graf gaf haar kracht, en ze droogde haar tranen terwijl ze even naar de grafsteen bleef kijken. Daar was ook Zekes graf, en ze zag haar zoon ernaar kijken.

'Ben je klaar?'

'Ik ben klaar,' zei ze.

Mike wierp nog een laatste blik op de zee, op de zachte sneeuwvlokken. Toen draaide hij zich om naar zijn moeder en nam haar hand in de zijne.

'Kom op, mam,' zei Mike het hese, zachte stem. 'Laten we naar binnen gaan.'

Ze openden de kerkdeur. De dennengeur van de krans was kruidig, en het deed Sarah aan Kerstmis denken. Ze haalde diep adem en ging naar binnen.

Daar was hij. Will stond voor in de kerk, bij het altaar. De stof van zijn jack spande om zijn brede schouders, en hij stond iets voorovergeleund, alsof hij ergens hevig naar verlangde. Sarah voelde het zelf ook. Zoveel ruimte tussen hen, terwijl ze juist in elkaars armen hoorden te liggen.

Dominee Dunston stond klaar in zijn zwart-met-paarse gewaad. Zijn haar was nu wit, en hij was oud geworden. Hij had Mike gedoopt, Roses begrafenis geleid. Sarah had hem haar hele leven gekend, en hij begroette haar met een glimlach. Vluchtig beantwoordde ze zijn glimlach, want ze kon alleen maar naar Will kijken.

Tante Bess en Martha waren de enige gasten. Ze zaten op de voorste rij, en ze keken Sarah stralend aan toen ze in de deuropening bleef staan. Mike week geen moment van haar zijde. Haar vader kwam uit de schaduw naar voren en nam haar linkerarm.

'Roses jurk,' zei hij zacht.

Sarah knikte en sloot haar ogen toen hij zijn voorhoofd tegen het hare legde.

'Ben je klaar, liefje?' vroeg haar vader.

'Ja, papa.'

'Oké, mam,' zei Mike. 'Daar gaan we.'

Tante Bess had de muziek gekozen, Bach, oud en mooi, en Sarah had ermee ingestemd. Hoge, ijle klanken kwamen uit de cassetterecorder op het altaar, muziek die Sarah al honderden keren moest hebben gehoord. Overal stonden kaarsen, die flakkerden in het schemerdonker. De rook vermengde zich met wierook, en Sarah snoof diep. Ze had het aan een wonder te danken dat ze zover was gekomen. Ze was er nu bijna, veel verder hoefde ze niet te gaan.

Onafgebroken keken zij en Will elkaar aan.

Heel langzaam begon Sarah naar het altaar te lopen. Haar vader en zoon flankeerden haar, en haar armen waren stevig door die van hen gehaakt. Ze zouden haar niet laten vallen. Elke stap was een zegen.

Liefde.

Sarah voelde het met heel haar hart. Hier op dit prachtige eiland had ze het levenslicht gezien, ze was grootgebracht door ouders die haar de waarde van liefde hadden geleerd. Ze hadden haar gekoesterd, hun enige kind. Toen het moment was gekomen dat ze een zoon ging baren, was ze er klaar voor. Haar ouders hadden haar de weg gewezen. Hoewel ze als moeder heel wat fouten had gemaakt, had ze altijd precies geweten hoe ze van Mike moest houden.

'O,' zei ze toen ze struikelde.

Haar vader en Mike vingen haar op.

'Voorzichtig,' zei haar vader. 'Wil je even gaan zitten?'

Sarah wilde het altaar halen. Het was niet ver meer, maar ze dacht niet dat haar benen haar konden dragen. De kaarsen gloeiden om haar heen in het schemerdonker. Heiligen en martelaars keken toe vanaf de glas-in-loodramen. Ze had twee sterke mannen aan haar zijde.

'Help me naar het altaar,' fluisterde ze.

'We helpen je, schatje.' Haar vader stelde haar gerust met de kalme kracht in zijn stem.

Nog maar een paar stappen. Sarah bleef strak voor zich uit kijken, naar Wills gezicht. Zijn ogen waren diepblauwe poelen van liefde en verdriet. Wees blij, wilde ze roepen. Het is onze trouwdag! Maar er stroomden tranen over haar eigen wangen. Het leven was zo kort. Elk moment was waardevol! Ze kende Will nog maar zo kort, en kijk eens naar alle liefde die ze voelden.

Denk je eens in wat een heel leven kan bevatten. Denk eens aan alle pret, de reizen, de oceanen, de wandelingen, de nachten, de kinderen, de kleinkinderen, de etentjes, de vakanties, de vluchten, de boottochten... elke minuut van het leven was een gift, en God had haar en Will net genoeg tijd gegeven om hun liefde te vinden, om te ontdekken dat ze voor elkaar waren voorbestemd.

Bij het altaar bleven Mike en haar vader staan. Ze wilden haar niet loslaten, maar Sarah verlangde naar Will. Toch liet ze niet meteen los. Ze keek haar vader aan en glimlachte. Ze gaf hem een kus en hoorde hem fluisteren: 'Mijn mooie kind.'

Dus toen ze zich opzij draaide naar Mike om hem een kus en haar liefde te geven, wist ze precies wat ze moest zeggen. 'Mijn mooie kind,' fluisterde ze.

Will nam haar hand. Ze keken elkaar diep in de ogen, en Sarah voelde zijn liefde tot in het diepst van haar ziel. Ze droeg de satijnen trouwjurk van haar moeder. De stof voelde tegelijkertijd koel en warm. Haar lichaam beefde onbeheersbaar. Will nam haar in zijn armen en hield haar vast totdat ze klaar was om verder te gaan.

'Sarah,' zei de dominee. 'William.'

Will knikte.

'Heb elkaar lief,' begon hij, 'maar maak van die liefde geen ketenen. Laat het eerder een bewegende zee zijn tussen de oevers van jullie beider ziel.'

De tijd ging zo snel. Zoveel liefde, zo onrustbarend veel stralende vreugde, dacht ze. Ze was een ander mens geworden door de pure liefde die ze voelde voor de man tegenover haar, hoe kort het ook had geduurd, hoe onvermijdelijk de dood ook was. Sarah maakte haar blik net lang genoeg los van Will om omhoog te kijken naar een plek achter het altaar, want heel even had ze gemeend haar moeder daar te zien staan.

Haar familie stond in een halve kring om hen heen, Mike en haar vader en tante Bess en de verpleegster, de bruiloftsgasten.

Haar lichaam voelde zo moe, zo zwaar. Ze wankelde en moest zwaarder op Will leunen. Zijn ogen waren blauw en donker, zo intelligent, zo verdrietig. In de eerste plaats, zag Sarah, heel erg verdrietig.

Dominee Dunston keek van Sarah naar Will en hij sprak op gewone toon, alsof dit een normale bruiloft was, alsof de man geen stervende vrouw in zijn armen hield.

'Verklaart gij, William, dat gij genomen hebt en neemt tot uw vrouw, Sarah, en belooft gij dat gij haar nimmer zult verlaten, in goede noch kwade tijden, in ziekte noch gezondheid, tot de dood u zal scheiden?'

'Ja, dat beloof ik,' zei Will.

'En verklaart gij, Sarah, dat gij genomen hebt en neemt tot uw man, William, en belooft gij dat gij hem nimmer zult verlaten, in goede noch kwade tijden, in ziekte noch gezondheid, tot de dood u zal scheiden?'

'Dat beloof ik,' fluisterde ze. Ze keek naar Will terwijl de tranen over haar wangen liepen.

'Blijf,' fluisterde hij onwillekeurig.

Will hoorde van hen tweeën de moedigste te zijn. De sterke man, de held van de dag, de bruidegom die in Sarahs belang geluk veinsde. Sarah was stervende, hij zou haar verliezen, en dan hoorde hij sterk en moedig te zijn. Hij hoorde te glimlachen.

Sarah huilde zoals ze eens om haar moeder had gehuild, maar dit was anders. Haar moeder was ziek geweest, en al een dagje ouder, terwijl zij jong en gezond hoorde te zijn. Ze had zoveel om voor te leven. Tot de dood u zal scheiden...

Ze voelde het aankomen, de dood die ze in haar lichaam had opgenomen. Het was vredig, en het was verschrikkelijk. 'Waarmee willen jullie de liefde en het respect voor elkaar bezegelen?' vroeg de dominee.

Er was geen tijd geweest om ringen te kopen. Maar haar vader had de gouden trouwring van haar moeder uit het kleine ivoren doosje op zijn nachtkastje gehaald, en die gaf hij aan Mike, die de ring op zijn beurt aan Will gaf.

Will schoof de ring aan Sarahs vinger. Hij herhaalde de woorden van de dominee, waarbij hij haar recht in de ogen keek. 'Met deze ring bezegel ik onze verbintenis, en met al mijn liefde zal ik je koesteren.'

Tante Bess kwam naar voren. Haar schouders beefden, en uit alle macht probeerde ze haar tranen te bedwingen.

'Liefje,' fluisterde ze, en drukte iets in Sarahs hand. 'Deze was van je oom Arthur. Ik wil dat jij hem gebruikt. God zegene –'

'God zegene jou, tante Bess,' zei Sarah.

Nadat ze de ring aan Wills vinger had geschoven, nam ze zijn hand in de hare. Ze keek in zijn grijsblauwe ogen en herhaalde de woorden van de dominee. 'Met deze ring bezegel ik onze verbintenis, en met al mijn liefde zal ik je koesteren.'

Hand in hand stonden ze tegenover elkaar, en Sarah voelde haar hart zwellen. Ze glimlachten en glimlachten. Nooit zou ze hem meer loslaten.

'Sarah en William,' hernam de dominee, en hij las voor:

Nu zullen jullie geen regen meer voelen, want elk van jullie is de beschutting voor de ander.
Nu zullen jullie geen kou meer voelen, want elk van jullie warmt de ander.
Nu is er geen eenzaamheid meer; nu zijn jullie twee mensen
maar er ligt nog maar één leven voor jullie.
Ga nu naar huis en begin jullie leven in verbondenheid.
Mogen jullie dagen goed en lang zijn, zowel op aarde als in de hemel.

Uit naam van God en Zijn gemeente verklaar ik jullie nu man en vrouw. Je mag de bruid kussen.'

Sarah hield haar hoofd naar achteren en voelde Wills lippen op de hare. Het was een tedere kus, en hij sloeg zijn armen om haar heen. Nu waren ze man en vrouw.

'Will,' zei ze glimlachend.

'Man en vrouw,' zei Will grijnzend, en daardoor herinnerde ze zich hoe hij eruit had gezien op de dag van hun eerste ontmoeting, op haar verjaardag. De tocht had lang geduurd – langer dan de bedoeling was geweest – maar nu was het einde in zicht, hun tijd was om. Tijd was een gift, en zij en Will hadden van elke minuut intens genoten. Samen hadden ze een reis gemaakt, over een geheim pad, en voor Sarah had die reis terug naar huis geleid.

Haar zoon was er, hij stond achter hen. Susan, dacht Sarah. Snow. Waar je ook bent, hallo, mijn dochter. Haar hart klopte snel. Engelenvleugels brachten de lucht in beweging. Haar moeder was bij haar, en Fred. Sarah kon nauwelijks ademhalen. Door het waas van tranen kon ze nauwelijks iets zien. Leven... o, het leven.

'Tot de dood ons zal scheiden,' fluisterde ze.

'Voor altijd,' zei Will.

'Voor altijd.'

Ze keek naar haar man om zijn gezicht in haar geheugen te prenten. Voor altijd.

Epiloog

Het was Labor Day, de eerste maandag in september, en al het gras op het eiland was goudkleurig. De halmen bogen door in de wind, en kriebelden tegen Susans benen toen ze over het smalle pad liep. Bijna een uur geleden had ze het huis verlaten, en ze was langs plaatsen gekomen die ze verleden jaar november voor het eerst had gezien, toen er een dikke witte deken over het eiland had gelegen.

De kerk stond recht voor haar. Ze liep erheen, en haar hart begon sneller te kloppen. Ze was een beetje zenuwachtig voor wat ze zou gaan doen, ook al had ze er al heel lang plannen voor gemaakt. Haar rugzak was zwaar en stootte met elke stap tegen haar rug. Toch deerde het ongemak haar niet; Susan had vele jaren versleten sokken gedragen, en ze begreep de offers die mensen soms uit liefde brachten.

Dicht bij de kerk bleef ze staan, en ze hield haar adem in. Het kerkje was zo mooi, net een kapelletje op een Engels schilderij: de donkere steen, de tegen de blauwe hemel afgetekende spits, de witte stapelwolken boven de zee. Een veldboeket hing aan de kerkdeur, en ze vroeg zich af wie het daar had vastgemaakt.

Aan de zijkant van de kerk was het kleine, ommuurde kerkhof. Susan tilde de klink op en glipte stilletjes naar binnen door het hek. Nog steeds bonsde haar hart. Ze voelde zich nerveus en verlegen, alsof ze voor het eerst iemand ontmoette die belangrijk voor haar was. Haar handpalmen waren klam, en ze veegde ze af aan haar spijkerbroek.

Haar blik gleed over het kleine groepje grafstenen. Ze had gedacht dat ze ernaar zou moeten zoeken, maar een van de stenen was duidelijk nieuwer dan de rest – er was geen vergissing mogelijk. Heel langzaam, haar blik strak op de steen gericht, liep Susan erheen. Toen ze dichterbij kwam, begon ze te trillen. Haar vingers streken over het gladde graniet, en ze liet zich op haar knieën zakken. Tranen stroomden over haar wangen, maar ze probeerde ze niet eens te bedwingen.

'Hallo, Sarah.'

De grafsteen was klein en eenvoudig, met diepe, scherpe letters erin gegraveerd. Het zien van die naam in de steen maakte het allemaal zo echt: Sarah Burke-Talbot, beminde van het eiland.

'Niet alleen van het eiland.' Met gefronste wenkbrauwen likte ze de tranen van haar lippen. Waarom maakte dat haar nou zo boos? Dacht Elk Island soms dat Sarah alleen hier geliefd was geweest, dat ze alleen hier mensen gelukkig had gemaakt? De verbolgenheid lag als een steen op haar maag. Maar toen kon ze Sarahs blije lach opeens bijna horen, alsof ze haar vertelde dat zíj wel wist wat Susan bedoelde, en dat ze zich er niet druk om moest maken.

'Ook in Fort Cromwell,' zei Susan haast afwezig. 'Daar was je ook geliefd.'

Ze keek om zich heen om vast te stellen dat ze werkelijk alleen was. De meeste mensen dachten dat je excentriek of gek was als je tegen de doden praatte, maar Susan deed het al jaren. Een paar van de fijnste gesprekken had ze met Fred gehad.

'Ik heb je gemist.' Strak staarde ze naar Sarahs naam.

De septemberhemel was diepblauw. Boven haar hoofd cirkelde een adelaar, alsof hij de wacht hield. Susan geloofde in boodschappen uit de natuur, zoals Freds walvis met Thanksgiving; het stelde haar gerust dat de adelaar over Sarah waakte.

'De adelaar, Sarah,' zei Susan zacht, terwijl ze haar vingers over de letters in de steen liet gaan. 'Hij is hier. En ik ben er ook.'

Ze deed haar rugzak af, legde die naast zich in het gras, en ging met gekruiste benen op de grond zitten. Iemand had een veldboeket op het graf gelegd, net zo'n boeket als op de kerkdeur hing. Tussen de asters, guldenroede en leeuwenbekjes zat een briefje in het handschrift van haar vader. Susan keek er vluchtig naar, want ze wilde alleen naar Sarahs naam staren.

'Papa is ook hier,' zei ze. 'Ik weet dat hij hier vanochtend vroeg is geweest – ik hoorde hem weggaan. Hij mist je ook, Sarah.'

Bij de gedachte aan haar vader, aan wat hij na Sarahs dood had doorgemaakt, kreeg ze het te kwaad, en ze boog zich voorover en huilde.

'Heel erg,' zei ze toen ze weer kon praten. 'Dat is zacht uitgedrukt. Een tijdlang heeft hij zich overal voor afgesloten. Zelfs ik kon hem niet bereiken. Maar Sarah – ' Susan slikte moeizaam en raakte de steen weer aan ' – hij had het nodig. Onderweg hierheen heeft hij me alles uitgelegd... Het is te vergelijken met wat ik doormaakte na Freds dood. Er bestaat niets mooiers dan liefde, en als je zoveel van iemand houdt als hij van jou, kun je iemand niet zomaar loslaten. Dat gaat gewoon niet.'

Susans schouders schokten, en ze leek haar hand niet weg te kunnen trekken van de gegraveerde letters van Sarahs naam. Met haar vingertop tekende ze elke letter zorgvuldig na, alsof ze iets heel belangrijks las. Na een paar minuten slaakte ze een beverige zucht, en pakte haar rugzak. Ze stond op het punt om het koord open te maken, maar in plaats daarvan liet ze de tas rusten op haar schoot.

Ze waren gekomen om Mike te halen. Wist Sarah dat al? Keek ze soms ergens stralend en glimlachend toe, omdat Mike had besloten zijn school af te maken? Wist ze dat hij met hen mee terugging naar Fort Cromwell, en dat hij tot de volgende zomer bij Will zou komen wonen?

'Eerst was je vader in alle staten,' vervolgde ze glimlachend. 'Mijn vader en hij hadden eindeloze ruzies over de telefoon, ze schreeuwden tegen elkaar, hingen op, belden terug... het was een puinhoop. Arme tante Bess. Als George er niet was, belde ze terug om zich voor hem te verontschuldigen, en dan vertelde ze ons dat hij niet kwaad was op óns, maar op de situatie... je weet wel, dat Mike weggaat van het eiland.'

Lachend boog ze haar hoofd.

'Weet je wat nou zo grappig is? Uiteindelijk accepteerde hij het. Goeie ouwe George! Op een dag ging Mike naar zijn kamer, en daar lagen alle oude *National Geographic*'s, keurig bij elkaar gebonden met een briefje erop: "Breng ze mee terug als je je diploma hebt." Ik bedoel, wat moest Mike daar nou op zeggen? Vooral – '

Abrupt stopte Susans lach, en ze keek weer naar de steen.

'Vooral omdat hij wist dat het was wat jij wilde.'

Met vingers die een beetje trilden begon Susan het koord van haar rugzak open te maken. Ze had de tas extra stevig dichtgemaakt, want wat erin zat was heel waardevol. Susan had de sentimentele behoefte om dingen te verbinden met de mensen van wie ze had gehouden en die ze had verloren. Nog steeds droeg ze Freds sokken. Jarenlang had ze namen gebruikt die haar aan hem herinnerden, en nog steeds voelde het een beetje vreemd als iemand haar 'Susan' noemde. Hoewel haar moeder opgelucht was – voor haar maakte het alle verschil dat Susan weer haar eigen naam gebruikte – en zelfs dát hadden ze aan Sarah te danken.

Voorzichtig haalde ze het bord uit haar rugzak, en met een zucht liet ze het zakken in haar schoot. Op dit soort momenten vroeg ze zich af waarom ze bepaalde dingen deed. Zou Sarah het op de een of andere manier weten?

'Iedereen houdt van je,' ging Susan verder. 'Iedereen. Je vader en tante Bess, Mike, mijn vader... Ach, Sarah, mijn vader houdt zoveel van je. Je was een geschenk voor hem. Je hebt geen idee hoeveel je hem hebt geleerd... Je hebt hem geleerd wat liefde is, Sarah, maar wat nog belangrijker is, je hebt hem geleerd om hoop te hebben. Mijn vader heeft nu zoveel hoop. Hij leeft elke nieuwe dag voor jou.'

Susan haalde heel diep adem. 'Hij moet wel, zegt hij, omdat het leven zo mooi is. Het is een waardevolle gift, en we weten nooit wanneer er misschien voortijdig een einde aan komt. Je weet het nooit,' fluisterde ze. Nu pakte ze het briefje van haar vader, een klein stukje papier met groene vlekken van de bloemen. 'Ik hou van je, Sarah. Voor altijd,' stond erop. Dit was iets tussen haar vader en Sarah, een boodschap van hem aan haar, en Susan legde het briefje zorgvuldig terug.

'Je betekende zoveel, Sarah, voor iedereen. Ze hebben het de hele tijd over je. Soms heb ik het gevoel dat je meer van andere mensen bent, mensen die je langer en beter hebben gekend, en dan vergeet ik ons.'

Ons, dacht Susan, en ze glimlachte door haar tranen heen.

'Weet je nog, Sarah? Onze eerste ontmoeting? Ik bedoel, ik had je op je verjaardag al op het vliegveld gezien, maar we hebben elkaar pas die dag in je winkel echt leren kennen. Toen ik rillend van de kou binnenkwam, deed alsof ik iets wilde kopen, en jij me die beker warme cider gaf... weet je nog?'

Er gleed een schaduw over het graf, en Susan keek op. Ze wilde dat het de adelaar was, maar het was alleen een wolk die voor de stralende zon schoof.

'Ik wilde dat je helemaal van mij zou zijn.' Ze zuchtte. 'Toen die studentes binnenkwamen was ik jaloers. Maar weet je...'

Ze klemde het bord tegen haar borst en boog haar hoofd om haar tranen weg te slikken. 'Je bent van mij. Je bent mijn stiefmoeder. Mijn vader is met je getrouwd, en dat maakt me zo gelukkig. Je kende me, Sarah. Je kende me echt, en ik denk dat dat bijzonder is. Dat je alles van een ander begrijpt en accepteert... Thuis, als ik problemen heb met mama en Julian, denk ik wel eens, o, wat zou ik graag op mijn fiets willen springen om naar je toe te gaan. Ik weet dat je het zou begrijpen.'

Susan leunde naar voren, maakte een plaatsje naast de bloemen van haar vader, en zette het bord dat ze had gemaakt tegen de grafsteen. Het was van hout, een klein blauw ovaal, een magische wolk met een gouden '9' en kleine veertjes die als sneeuw omlaagdwarrelden – een kleine replica van het bord boven Sarahs winkel. Susan herinnerde zich de allereerste keer dat ze het had gezien, op die ijskoude avond toen ze naar binnen was gegaan.

'Mijn vader heeft me erbij geholpen,' vertelde Susan. 'We hebben het samen gemaakt in zijn werkplaats op het vliegveld, die winter na je dood.'

Even dacht ze terug aan de koude hangar, de stilte terwijl ze het hout bewerkten op de lange houten werkbank, hun gevoel van verlies en gemis. Susan boog haar hoofd en er biggelde een traan over haar wang. Maar tegen de tijd dat het bord klaar was om geschilderd te worden, bloeiden de appel- en perenbomen in de boomgaarden rond het vliegveld. Susan en haar vader hadden lange uren samen doorgebracht, en vaak hadden ze gelachen en herinneringen aan hun dierbare Sarah opgehaald.

'Toen ik het maakte,' zei ze met een brok in haar keel, 'dacht ik dat de winkel ons plekje was, Cloud Nine. Maar Sarah...'

Ze keek om zich heen en voelde een lichte bries van zee door haar haren strijken. Golven braken op de rotsen in de diepte, en zeemeeuwen scheerden krijsend over de kerk. Ze klonken zo blij, uitgelaten, een koor van vogels.

'Je bent altijd bij me, dat is zo bijzonder.'

Zacht tikte ze op het bord, en ze glimlachte nog breder dan daarvoor. 'Cloud Nine is gewoon waar het is begonnen. Maar je bent altijd bij me. Op school, thuis, hier op het eiland.'

Nogmaals las ze de tekst op de steen, en ze liet elk woord tot zich doordringen. 'Sarah Burke-Talbot, beminde van het eiland,' zei ze hardop.

De wind wakkerde aan. Susans nek tintelde. Ze keek op en zag hem weer: de adelaar. Eén keer cirkelde hij boven haar hoofd, toen vloog hij weg over het veld, in de richting van de baai, en hij dook omlaag achter een rij dennen voordat hij uit het zicht verdween. Het gaf niet. Susan wist dat hij terug zou komen. Zij en haar vader zouden Mike meenemen naar huis, en de volgende zomer zouden ze allemaal terugkeren naar het eiland. De adelaar zou er zijn, en Sarah ook.

Susan ging staan en klopte grassprietjes van haar handen. Ze controleerde of haar bord wel stevig tegen de grafsteen stond, om Sarah gezelschap te houden terwijl zij, Mike en haar vader weg waren. Het bord bleef hier.

'Beminde,' fluisterde ze terwijl ze de letters nog een laatste keer aanraakte, 'van het eiland.'

Dit keer was het niet zo moeilijk om de woorden te zeggen.